Geometría moderna para Ingeniería

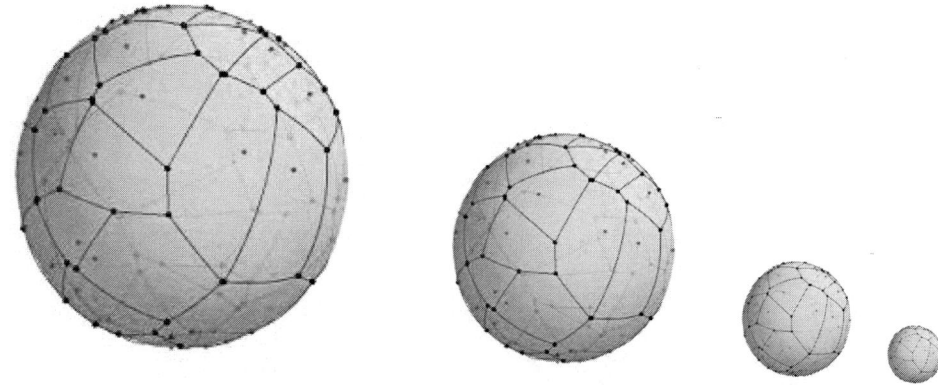

Geometría moderna para Ingeniería

LEANDRO TORTOSA GRAU

Departamento de Ciencia de la Computación
e Inteligencia Artificial
Universidad de Alicante

E-mail: tortosa@ua.es

web: www.dccia.ua.es/~tortosa

JOSÉ FRANCISCO VICENT FRANCÉS

Departamento de Ciencia de la Computación
e Inteligencia Artificial
Universidad de Alicante

E-mail: jfvicent@ua.es

web: www.dccia.ua.es/~vicent

Geometría moderna para Ingeniería

© Leandro Tortosa Grau
   José Francisco Vicent Francés

ISBN: 978-84-9948-708-3
Depósito legal: A 81-2012

Edita: Editorial Club Universitario Telf.: 96 567 61 33
C/ Decano, n.º 4 – 03690 San Vicente (Alicante)
www.ecu.fm
e-mail: ecu@ecu.fm

Printed in Spain
Imprime: Imprenta Gamma Telf.: 96 567 19 87
C/ Cottolengo, n.º 25 – 03690 San Vicente (Alicante)
www.gamma.fm
gamma@gamma.fm

A María Dolores Belda,
gracias por tu amistad

Prólogo

El contenido de este libro se ha elaborado pensando fundamentalmente en los estudiantes que cursan grados en los que se requieren nociones de geometría. Más concretamente, se encuentra dirigido a los estudiantes de Ingeniería Informática, Ingeniería Multimedia, Arquitectura, y otros estudios de carácter técnico en los que son básicos los conceptos fundamentales de geometría analítica en el espacio, curvas y superficies, así como una introducción a la geometría computacional.

En la redacción del texto se ha evitado al máximo las demostraciones matemáticas, las notaciones complejas y confusas, así como el rigor excesivo, con el objetivo fundamental de clarificar al máximo las propiedades, conceptos y técnicas expuestas. Somos conscientes de que el texto no va dirigido a estudiantes de Matemáticas, por lo que se ha intentado priorizar los razonamientos geométricos a los razonamientos lógico-formales. Aun así, resulta inevitable cierto componente abstracto que tienen como característica común todos los razonameintos algebraicos y geométricos

Podríamos decir que los contenidos del libro se dividen en tres grandes bloques. El primero de ellos trata sobre geometría analítica en el espacio, que corresponde con el capítulo 2, en el que se introducen, al comienzo, los conceptos y operaciones básicas con vectores. Posteriormente, se estudian los aspectos básicos de la geometría del espacio, referidos a problemas con rectas, planos y distancias. En el capítulo 3 se estudian las transformaciones geométricas en el plano y en el espacio.

El segundo bloque, correspondiente a los capítulos 4 al 6, trata sobre curvas en el plano y superficies. En el capítulo 4 tratamos las curvas en el plano, prestando especial atención a las cónicas y a sus aplicaciones. En el capítulo 5 se introducen las curvas de Bézier, fundamentales en el diseño asistido por ordenador. El capítulo 6 generaliza el concepto de curva de Bézier en el plano al espacio tridimensional.

El tercer y último bloque es una introducción a la geometría computacional, que trata básicamente sobre la uilización de algoritmos para la resolución de problemas geométricos. En el capítulo 7 se introducen los problemas fundamentales que resuelve la geometría computacional, a partir de los conceptos de envolvente convexa y diagramas de Voronoi. El capítulo 8 trata sobre el problema de la triangulación de un conjunto de puntos en el plano.

En todos los temas aparece una sección al final en la que hemos tratado de mostrar algunas aplicaciones prácticas de los contenidos teóricos expuestos en el capítulo. Si hay una parte de las matemáticas eminentemente práctica, esta es la geometría, por lo que resulta indispensable, bajo nuestro punto de vista, conectar los contenidos propios de la geometría con sus aplicaciones en el mundo real.

Dentro de la enorme variedad de *software* matemático que existe en el mercado, tanto libre como comercial, queremos destacar uno en particular por su potencia, sencillez de uso y enormes posibilidades para el estudio y aprendizaje de la geometría plana. Este *software* es GeoGebra (www.geogebra.org), es gratuito y está siendo ampliamente utilizado y desarrollado por la comunidad científica de todo el mundo. Sin duda, estamos convencidos que se trata de la mejor herramienta manipulativa para el aprendizaje de la geometría plana. Actualmente se está desarrollando una versión que contempla el trabajo en el espacio tridimensional. El lector verá constantes referencias a construcciones geométricas desarrolladas con este *software* a lo largo de todos los capítulos de este libro.

A lo largo del texto, se pueden encontrar una gran variedad de ejemplos, así como algunos ejercicios resueltos, que ofrecen una perspectiva práctica de los conceptos y destrezas estudiadas de forma teórica. También se ofrece en cada capítulo una relación de ejercicios propuestos para que el alumno practique e intente resolver, de forma individualizada, algunos ejercicios para afianzar los conocimientos adquiridos. También se han introducido unos recursos adicionales en los que aparecen páginas web cuyo contenido está relacionado con lo estudiado en cada capítulo.

Este libro cuenta con una página web de recursos didácticos adicionales en los que podemos encontrar algunas de las construcciones que se detallan en los diferentes capítulos. Dicha página es: `www.dccia.ua.es/~tortosa/`.

Es seguro que se han cometido un buen número de errores en la elaboración de este libro, por lo que estaríamos muy agradecidos si el lector nos hiciese llegar los que detecte para corregirlos en futuras ediciones.

Alicante, febrero del 2012 L. Tortosa y J.F. Vicent

Contenido

1 Introducción a la geometría clásica

Las matemáticas son el alfabeto con el cual Dios ha escrito el universo.
Galileo Galilei (1564-1642).

El que no posee el don de maravillarse ni de entusiasmarse más le valdría estar muerto, porque sus ojos están cerrrados.
Albert Einstein (1879-1955).

Aprender sin pensar es inútil. Pensar sin aprender es peligroso.
Confucio (551 a. C.-479 a. C.).

1.1 Introducción histórica

Sin tener conciencia clara de ello, a diario manejamos muchísimos conceptos de geometría. Establecemos líneas entre un punto y otro, asociamos distancias y direcciones a los objetos que nos rodean, intuimos tamaños y formas. Basta mirar cualquier parte del mundo para encontrar ahí aspectos geométricos. Las figuras han jugado un papel fundamental en la historia de las matemáticas: puntos, líneas, cuadrados, círculos, triángulos y demás figuras, constituyen la base de la geometría griega. Sus propiedades se siguen estudiando, se siguen aplicando y se siguen admirando en el arte y la arquitectura.

1.1.1 La geometría antigua

La palabra *geometría* se deriva del griego *geo* (tierra) y *metron* (medida), esto es, medida de la tierra. Herodoto, historiador griego del siglo V a. C., reconoce a la civilización egipcia el mérito de haber inventado la geometría. Esta afirmación parece justificada por la necesidad de los egipcios de volver a trazar los límites de las parcelas tras la inundación anual del río Nilo. Los geómetras egipcios eran llamados «tensadores de la cuerda», ya que la usaban para señalar las fronteras sobre el terreno.

El *Papiro de Ahmes* es un documento escrito en un papiro de unos seis metros de longitud y 33 cm de anchura, en un buen estado de conservación, con escritura hierática y contenidos matemáticos. También se le conoce con el nombre de *Papiro Rhind*. Su contenido se data del 2000 al 1800 a. C.

Contiene 87 problemas matemáticos con cuestiones aritméticas básicas, fracciones, cálculo de áreas, volúmenes, progresiones, repartos proporcionales, reglas de tres, ecuaciones lineales y trigonometría básica.

Los egipcios sabían que una cuerda con doce nudos regularmente separados sirve para determinar un ángulo recto, si se tensa la cuerda de tal modo que se forme un triángulo de lados 3, 4 y 5 unidades. Este sistema era muy utilizado en sus construcciones.

El conocimiento geométrico tanto de egipcios como de las culturas mesopotámicas pasa íntegramente a la cultura griega a través de Tales de Mileto, la secta de los pitagóricos y, esencialmente, Euclides.

La geometría griega.

Tales visita Egipto una larga temporada y aprende de los sacerdotes y escribas egipcios lo referente a sus conocimientos en general. Impresiona ahora que fuera capaz de razonar y medir en su época la altura de la pirámide de Keops y de predecir un eclipse solar con asombrosa precisión.

La geometría griega es la primera en ser formal. Parte de los conocimientos concretos y prácticos de las civilizaciones egipcia y mesopotámicas, y da un paso de abstracción al considerar los objetos como entes ideales; un cuadrado cualquiera, en lugar de una pared cuadrada concreta, un círculo en lugar del ojo de un pozo... Estos entes pueden ser manipulados mentalmente, con la sola ayuda de la regla y el compás. Aparece por primera vez la demostración como justificación de la veracidad de un conocimiento, aunque en un primer momento fueran más justificaciones intuitivas que verdaderas demostraciones formales.

Cuenta la leyenda que una terrible peste asolaba la ciudad de Atenas, hasta el punto de llevar a la muerte a Pericles. Una embajada de la ciudad fue al oráculo de Delos, consagrado a Apolo, para consultar qué se debía hacer para erradicar la mortal enfermedad (en ciertas fuentes aparece el oráculo de Delfos, en lugar del de Delos, también consagrado a Apolo). Tras consultar al oráculo, la respuesta fue que se debía duplicar el altar consagrado a Apolo en la isla de Delos.

El altar tenía una peculiaridad: su forma cúbica. Prontamente, los atenienses construyeron un altar cúbico cuyos lados eran el doble de las del altar de Delos, pero la peste no cesó, se volvió más mortífera. Consultado de nuevo, el oráculo advirtió a los atenienses que el altar no era el doble de grande, sino 8 veces mayor, puesto que el volumen del cubo es el cubo de su lado $((2l)^3 = 2^3 l^3 = 8l^3)$.

Nadie supo cómo construir un cubo cuyo volumen fuese exactamente el doble del volumen de otro cubo dado, y el problema matemático persistió durante siglos (no así la enfermedad).

La figura de Pitágoras y de la secta de seguidores pitagóricos tiene un papel central, pues eleva a la categoría de elemento primigenio el concepto de número, arrastrando a la geometría al centro de su doctrina –en este momento inicial de la historia de la matemática aún no existe distinción clara entre Geometría y Aritmética–, y asienta definitivamente el concepto de demostración formal como única vía de establecimiento de la verdad en Geometría. Esta actitud permitió la medición de la tierra por Eratóstenes, así como la medición de la distancia a la luna, y la invención de la palanca por Arquímedes, varios siglos después. En el seno de los pitagóricos surge la primera crisis de la matemática: la aparición de los inconmensurables, aunque esta crisis es de carácter más filosófico y aritmético que geométrico.

Surge entonces un problema a nivel lógico: una demostración parte de una o varias hipótesis para obtener una tesis. La veracidad de la tesis dependerá de la validez del razonamiento con el que se ha extraído (esto será estudiado por Aristóteles al crear la lógica) y de la veracidad de las hipótesis. Pero entonces debemos partir de hipótesis ciertas para poder afirmar con rotundidad la tesis. Para poder determinar la veracidad de las hipótesis habrá que considerar cada una como tesis de otro razonamiento, cuyas hipótesis deberemos también comprobar. Se entra aparentemente en un proceso sin fin en el que, indefinidamente, las hipótesis se convierten en tesis para probar.

∘ ∘ • ∘ • ○ • ○ ● ○ ● ○ • ∘ • ∘ • ∘ ∘ • ∘ ● ○ ● ○ ● ○ • ∘ • ∘ •

Euclides.

Vinculado al Museo de Alejandría y a su biblioteca, Euclides zanja la cuestión al proponer un sistema de estudio en el que se da por sentado la veracidad de ciertas proposiciones por ser intuitivamente claras, y deducir de ellas todos los demás resultados. Su sistema se sintetiza en su obra cumbre los *Elementos*, modelo de sistema axiomático-deductivo. Sobre tan solo cinco postulados y las definiciones que precisa construye toda la geometría y la aritmética conocidas hasta el momento. Su obra, en XIII volúmenes, perdura como única verdad geométrica hasta el siglo XIX.

Entre los postulados en los que Euclides se apoya hay uno (el quinto postulado) que ocasiona problemas desde el principio. Su veracidad está fuera de toda duda, pero tal y como aparece expresado en la obra, muchos consideran que seguramente puede deducirse del resto de postulados. Durante los siguientes siglos, uno de los principales problemas de la geometría será determinar si el V postulado es o no independiente de los otros cuatro, es decir, si es necesario considerarlo como un postulado o es un teorema, es decir, puede deducirse de los otros y, por lo tanto, colocarse entre el resto de resultados de la obra.

Euclides cierra la etapa de geometría griega a excepción de Pappus en el 350 a. C. y, por extensión, la etapa del mundo antiguo y medieval, a excepción también de las figuras de Arquímedes y Apolonio.

Arquímedes estudió ampliamente las secciones cónicas, introduciendo en la geometría las primeras curvas que no eran ni rectas ni circunferencias, aparte de su famoso cálculo del volumen de la esfera, basado en los del cilindro y el cono.

La anécdota más conocida sobre Arquímedes cuenta cómo inventó un método para determinar el volumen de un objeto con una forma irregular. De acuerdo a Vitruvio, una nueva corona con forma de corona triunfal había sido fabricada para Hierón II, el cual le pidió a Arquímedes determinar si la corona estaba hecha solo de oro o si le había agregado plata un orfebre deshonesto. Arquímedes tenía que resolver el problema sin dañar la corona, así que no podía fundirla y convertirla en un cuerpo regular para calcular su densidad.

Mientras tomaba un baño, notó que el nivel de agua subía en la tina cuando entraba, y así se dio cuenta de que ese efecto podría ser usado para determinar el volumen de la corona. Debido a que el agua no se puede comprimir, la corona, al ser sumergida, desplazaría una cantidad de agua igual a su propio volumen. Al dividir el peso de la corona por el volumen de agua desplazada se podría obtener la densidad de la corona. La densidad de la corona sería menor si otros metales menos densos le hubieran sido añadidos. Entonces, Arquímedes salió corriendo desnudo por las calles, tan emocionado estaba por su descubrimiento para recordar vestirse, gritando *eureka*, que significa ¡lo he encontrado!

Uno de los grandes geómetras de la antigüedad fue Apolonio de Perga, nacido en Alejandría en el 262 a. C. Trabajó en varias construcciones de tangencias entre círculos, así como en secciones cónicas y otras curvas. Apolonio fue quien dio el nombre de *elipse*, *parábola* e *hipérbola* a las figuras que conocemos actualmente.

También se le atribuye la hipótesis de las órbitas excéntricas o *teoría de los epiciclos* para intentar explicar el movimiento aparente de los planetas y de la velocidad variable de la Luna.

Los siguientes siglos.

Durante los siguientes siglos la matemática comienza nuevos caminos –álgebra y trigonometría– de la mano de indios y árabes, y la geometría apenas tiene nuevas aportaciones, excepto algunos teoremas de carácter más bien anecdótico. En Occidente, a pesar de que la geometría es una de las siete Artes Liberales (encuadrada concretamente en el Quadrivium), las escuelas y universidades se limitan a enseñar los *Elementos*, y no hay aportaciones, excepto tal vez en la investigación sobre la disputa del V postulado. Si bien no se llegó a dilucidar en esta época si era o no independiente de los otros cuatro, sí se llegaron a dar nuevas formulaciones equivalentes de este postulado.

Es en el Renacimiento cuando las nuevas necesidades de representación del arte y de la técnica empujan a ciertos humanistas a estudiar propiedades geométricas para obtener nuevos instrumentos que les permitan representar la realidad. Aquí se enmarca la figura del matemático y arquitecto Luca Pacioli, de Leonardo da Vinci, de Alberto Durero, de Leone Battista Alberti, de Piero della Francesca, por citar algunos. Todos ellos, al descubrir la perspectiva y la sección, crean la necesidad de sentar las bases formales en la que se asiente las nuevas formas de geometría que esta implica: la *geometría proyectiva*, cuyos principios fundamentales aparecen de la mano de Desargues en el siglo XVII. Esta nueva geometría de Desargues fue estudiada ampliamente ya por Pascal o por de la Hire pero, debido al interés suscitado por la geometría cartesiana y sus métodos, no alcanzó tanta difusión como merecía hasta la llegada a principios del siglo XIX de Gaspard Monge en primer lugar y, sobre todo, de Poncelet.

La geometría cartesiana.

La aparición de la geometría cartesiana marca la Geometría en la Edad Moderna. Descartes propone un nuevo método de resolver problemas geométricos y, por extensión, de investigar en geometría.

El nuevo método se basa en la siguiente construcción: en un plano se trazan dos rectas perpendiculares (ejes) –que por convenio se trazan de manera que una de ellas sea horizontal y la otra vertical–, y cada punto del plano queda unívocamente determinado por las distancias de dicho punto a cada uno de los ejes, siempre y cuando se dé también un criterio para determinar sobre qué semiplano determinado por cada una de las rectas hay que tomar esa distancia, criterio que viene dado por un signo. Ese par de números, las coordenadas, quedará representado por un par ordenado (x, y), siendo x la distancia a uno de los ejes (por convenio será la distancia al eje vertical) e y la distancia al otro eje (al horizontal).

En la coordenada x, el signo positivo (que suele omitirse) significa que la distancia se toma hacia la derecha del eje vertical (eje de ordenadas), y el signo negativo (nunca se omite) indica que la distancia se toma hacia la izquierda. Para la coordenada y, el signo positivo (también se suele omitir) indica que la distancia se toma hacia arriba del eje horizontal (eje de abscisas), tomándose hacia abajo si el signo es negativo (tampoco se omite nunca en este caso). A la coordenada x se la suele denominar abscisa del punto, mientras que a la y se la denomina ordenada del punto. Existe una cierta controversia hoy sobre la verdadera paternidad de este método. Lo único cierto es que se publica por primera vez como *geometría analítica*, apéndice al *Discurso del Método*, de Descartes, si bien se sabe que Pierre de Fermat conocía y utilizaba el método antes de su publicación por Descartes. Aunque Omar Khayyam, ya en el siglo XI, utilizara un método muy parecido para determinar ciertas intersecciones entre curvas, es imposible que alguno de los citados matemáticos franceses tuviera acceso a su obra.

Lo novedoso de la geometría analítica (como también se conoce a este método) es que permite representar figuras geométricas mediante fórmulas del tipo $f(x, y) = 0$, donde f representa una función. En particular, las rectas pueden expresarse como ecuaciones polinómicas de grado 1 (por ejemplo, $2x + 6y = 0$), y las circunferencias y el resto de cónicas como ecuaciones polinómicas de grado 2 (por ejemplo, la circunferencia $x^2 + y^2 = 4$, o la hipérbola $xy = 1$). Esto convertía toda la geometría griega en el estudio de las relaciones que existen entre polinomios de grados 1 y 2.

Desde un punto de vista formal (aunque ellos aún lo sabían), los geómetras de esta época han encontrado una relación fundamental entre la estructura lógica que usaban los geómetras griegos (el plano, la regla, el compás...) y la estructura algebraica del ideal formado por los polinomios de grados 0, 1 y 2 del anillo de polinomios $\mathbb{R}[x, y]$, resultando que ambas estructuras son equivalentes. Este hecho fundamental –no visto con nitidez hasta el desarrollo del Álgebra Moderna y de la Lógica Matemática entre finales del siglo XIX y principios del siglo XX–, resulta fundamental para entender por qué la geometría de los griegos puede desprenderse de sus axiomas y estudiarse directamente usando la axiomática de Zermelo-Fraenkel, como el resto de la Matemática.

El método original de Descartes no es exactamente el que se acaba de explicar. Descartes utiliza solamente el eje de abscisas, calculando el valor de la segunda componente del punto (x, y) mediante la ecuación de la curva, dándole valores a la magnitud x. Por otro lado, Descartes solo considera valores positivos de las cantidades x e y, dado que en la época aún resultaban *sospechosos* los números negativos. Como consecuencia, en sus estudios existen ciertas anomalías y aparecen curvas sesgadas. Con el tiempo se aceptaron las modificaciones que muestran el método tal y como lo conocemos hoy en día.

1.1.2   Algunos protagonistas de la historia de la ciencia

En ningún caso se pretende exponer una descripción exhaustiva de los grandes personajes de la historia de la ciencia; únicamente se quiere recordar a algunos de ellos y comentar brevemente sus logros.

Arquímedes

Arquímedes fue un notable matemático e inventor griego, que escribió diversas obras fundamentales sobre geometría plana y del espacio, aritmética y mecánica.

De la vida de Arquímedes se conoce muy poco. Se cree que nació en Siracusa, en la isla de Sicilia en el año 287 a. C. En aquella época Siracusa era un asentamiento griego. Se cree también que era hijo de Phidias, un astrónomo. Pertenecía a una clase social elevada, amigo o familiar del rey Hierón II, lo que le permitió estudiar en Alejandría.

En el campo de las matemáticas puras se anticipó a muchos de los descubrimientos de la ciencia moderna, como el cálculo integral, con sus estudios de áreas y volúmenes de figuras sólidas curvadas y de áreas de figuras planas. Demostró también que el volumen de una esfera es dos tercios del volumen del cilindro que la circunscribe.

Realizó una buena aproximación del número π, inscribiendo y circunscribiendo polígonos regulares a una circunferencia. Descubrió teoremas sobre el centro de gravedad de figuras planas y sólidos.

En mecánica, Arquímedes definió la ley de la palanca y se le reconoce como el inventor de la polea compuesta. Durante su estancia en Egipto inventó el tornillo sin fin para elevar el agua.

Arquímedes es conocido sobre todo por el descubrimiento de la ley de la hidrostática, el llamado *principio de Arquímedes*, que establece, intuitivamente, que todo cuerpo sumergido en un fluido experimenta una pérdida de peso igual al peso del volumen del fluido que desaloja. Se dice que este descubrimiento lo hizo mientras se bañaba, al comprobar cómo el agua se desplazaba y se desbordaba (véase el cuadro en el que se cita la anécdota).

Arquímedes pasó la mayor parte de su vida en Sicilia, en Siracusa y sus alrededores, dedicado a la investigación y los experimentos. Aunque no tuvo ningún cargo público, durante la conquista de Sicilia por los romanos colaboró con las autoridades

de la ciudad y muchos de sus instrumentos mecánicos se utilizaron en la defensa de Siracusa. Entre la maquinaria de guerra cuya invención se le atribuye está la catapulta y un sistema de espejos que incendiaba las embarcaciones enemigas al enfocarlas con los rayos del sol.

Al ser conquistada Siracusa, durante la segunda Guerra Púnica, en 212 a. C., fue asesinado por un soldado romano que le encontró dibujando figuras geométricas en la arena. Se cuenta que Arquímedes estaba tan absorto en las operaciones que ofendió al intruso al recriminarle que estuviera desordenando sus diagramas.

Pitágoras

Se dice de que es el primer matemático puro y también uno de los primeros astrónomos de quien se tiene información. Vivió entre los años 569 a. C. hasta el 475 a. C., en Samos, dedicando su vida al estudio de la ciencia, filosofía, matemáticas y música.

Viajó a Delos el año 513 a. C. para cuidar a su amigo Phekerides, quien se hallaba enfermo. Después de su muerte regresó a Crotona. Esta ciudad fue invadida por los Sibaritas y se rumoreaba que estaba envuelto en este ataque. En el 508 a. C la sociedad pitagórica fue atacada por Cylon, por lo que huyó a Metaponte, donde murió años después sin que se conozca su causa.

En la guerra de Egipto contra Persia fue apresado y enviado a Babilonia, en donde perfeccionó sus conocimientos en aritmética y música. Hacia 520 a. C. regresó a Samos. En esta ciudad creó una escuela llamada el semicírculo, donde se sostenían reuniones políticas.

Su sistema de educación se basaba en la gimnasia, las matemáticas y la música. Los pitagóricos creían que el mundo conocido podía ser explicado a partir de las matemáticas. A sus seguidores se les llamó *mathematikoi*, eran vegetarianos y no tenían posesiones personales, aunque también otros tenían su propia casa y no eran vegetarianos; se recibían hombres y mujeres.

Se interesó por el concepto de triángulo y otras figuras matemáticas así como la idea abstracta de probar. De esta manera, dio a los números un valor abstracto que puede aplicarse a muchas circunstancias. Sostuvo que todas las relaciones podían ser reducidas a relaciones numéricas: las cuerdas vibrantes poseen tonos armoniosos cuando la relación de sus longitudes son números enteros.

Actualmente se recuerda mucho al célebre matemático por un teorema que afirma que para todo triángulo rectángulo el cuadrado de la hipotenusa es igual a la suma de los cuadrados de sus catetos.

En astronomía planteó tres paradigmas:

(a) Los planetas, el Sol, la Luna y las estrellas se mueven en órbitas circulares perfectas.

(b) La velocidad de los astros es perfectamente uniforme.

(c) La Tierra se encuentra en el centro exacto de los cuerpos celestes.

Euclides

Matemático y geómetra griego al que se considera el *padre de la geometría*. Nació en el 325 a. C. y vivió en Alejandría (Egipto).

Su obra *Los Elementos* es una de las obras científicas más importantes de la historia, en la que se presentan, a partir de cinco postulados, las propiedades de las líneas, planos, círculos, esferas, triángulos, etc., es decir, de formas regulares. Muy poco se conoce de su vida.

Elementos fue una obra que estableció las pautas fundamentales de la geometría hasta el siglo XIX. La influencia que ejerció fue decisiva. Tras su aparición, se adoptó de inmediato como libro de texto ejemplar en la enseñanza inicial de la matemática.

Incluso fue tomado como modelo más allá del ámbito matemático. Por ejemplo, Galeno lo tuvo en cuenta para la medicina y Espinoza para la ética.

En esta obra los principios que se toman como punto de partida son veintitrés definiciones, cinco postulados y cinco axiomas o nociones comunes.

El volumen I trata sobre rectas paralelas, perpendiculares, y las propiedades de los lados y ángulos de triángulos; el álgebra geométrica se trata en el II; en el III las propiedades del círculo y la circunferencia; el IV estudia los polígonos inscritos y circunscritos; el V la teoría de las proporciones de Eudoxio; el VI aplica dicha teoría a la semejanza de triángulos y otros problemas; en los volúmenes VII, VIII, IX y X la aritmética.

Nicolás Copérnico

Nicolás Copérnico (1473-1543), astrónomo polaco, conocido por su teoría heliocéntrica que había sido descrita ya por Aristarco de Samos, según la cual el Sol se encontraba en el centro del universo y la Tierra, que giraba una vez al día sobre su eje, completaba cada año una vuelta alrededor de él.

Copérnico nació el 19 de febrero de 1473 en la ciudad de Thorn (actual Toru), en el seno de una familia de comerciantes y funcionarios municipales. El tío materno de Copérnico, el obispo Ukasz Watzenrode, se ocupó de que su sobrino recibiera una sólida educación en las mejores universidades. Copérnico ingresó en la Universidad de Cracovia en 1491, donde comenzó a estudiar la carrera de humanidades; poco tiempo después se trasladó a Italia para estudiar derecho y medicina.

En 1500, Copérnico se doctoró en Astronomía en Roma. Al año siguiente obtuvo permiso para estudiar Medicina en Padua (la universidad donde dio clases Galileo, casi un siglo después). Aunque nunca se documentó su graduación como médico, practicó la profesión durante seis años en Heils-

berg. A partir de 1504 fue canónigo de la diócesis de Frauenburg. Durante estos años publicó la traducción del griego de las cartas de Theophylactus (1509), estudió finanzas y en 1522 escribió un memorando sobre reformas monetarias.

Sus trabajos de observación astronómica practicados en su mayoría como ayudante en Bolonia del profesor Domenico María de Novara dejan ver su gran capacidad de observación. Fue gran estudioso de los autores clásicos y además se confesó como gran admirador de Ptolomeo, cuyo *Almagesto* estudió concienzudamente. Después de muchos años finalizó su gran trabajo sobre la teoría heliocéntrica, en donde explica que no es el Sol el que gira alrededor de la Tierra, sino al contrario.

Galileo Galilei

El físico y astrónomo italiano Galileo Galilei (1564-1642) sostenía que la Tierra giraba alrededor del Sol, lo que contradecía la creencia de que la Tierra era el centro del Universo. Se negó a obedecer las órdenes de la Iglesia católica para que dejara de exponer sus teorías, y fue condenado a reclusión perpetua. Junto con Kepler, comenzó la revolución científica que culminó con la obra de Isaac Newton. Su principal contribución a la astronomía fue el uso del telescopio para la observación y descubrimiento de las manchas solares, valles y montañas lunares, los cuatro satélites mayores de Júpiter y las fases de Venus. En el campo de la física descubrió las leyes que rigen la caída de los cuerpos y el movimiento de los proyectiles.

Nació cerca de Pisa el 15 de febrero de 1564. Estudió con los monjes en Vallombroso y en 1581 ingresó en la Universidad de Pisa para estudiar medicina. Al poco tiempo cambió sus estudios por la filosofía y las matemáticas, abandonando la universidad en 1585 sin haber llegado a obtener el título. En 1589 trabajó como profesor de matemáticas en Pisa, donde se dice que demostró ante sus alumnos el error de Aristóteles, que afirmaba que la velocidad de caída de los cuerpos era proporcional a su peso, dejando caer desde la torre inclinada de

esta ciudad dos objetos de pesos diferentes.

Otros importantes descubrimientos de Galileo en aquellos años son las leyes péndulo (sobre el cual habría comenzado a pensar, según una anécdota, observando una lámpara que oscilaba en la catedral de Pisa) y las leyes del movimiento acelerado, que estableció después de trasladarse a enseñar en la Universidad de Padua en 1592.

En 1609 oyó decir que en los Países Bajos habían inventado un telescopio. En diciembre de

1609 Galileo había construido un telescopio de veinte aumentos, con el que descubrió montañas y cráteres en la Luna. También observó que la Vía Láctea estaba compuesta por estrellas y descubrió los cuatro satélites mayores de Júpiter. En marzo de 1610 publicó estos descubrimientos en *El mensajero de los astros*. Su fama le valió el ser nombrado matemático de la corte de Florencia, donde quedó libre de sus responsabilidades académicas y pudo dedicarse a investigar y escribir. En diciembre de 1610 pudo observar las fases de Venus, que contradecían la astronomía de Ptolomeo y confirmaban su aceptación de las teorías de Copérnico.

A principios de 1616, los libros de Copérnico fueron censurados por un edicto, y el cardenal jesuita Roberto Belarmino dio instrucciones a Galileo para que no defendiera la teoría de que la Tierra se movía. Galileo guardó silencio sobre el tema durante algunos años y se dedicó a investigar un método para determinar la latitud y longitud en el mar basándose en sus predicciones sobre las posiciones de los satélites de Júpiter.

En 1624 Galileo empezó a escribir un libro que tituló *Diálogo sobre las mareas*, en el que trataba las hipótesis de Tolomeo y Copérnico respecto a este fenómeno. En 1630 el libro obtuvo la licencia de los censores de la Iglesia católica de Roma, pero le cambiaron el título por Diálogo sobre los sistemas máximos, publicado en Florencia en 1632. A pesar de haber obtenido dos licencias oficiales, Galileo fue llamado a Roma por la Inquisición a fin de procesarle bajo la acusación de sospecha grave de herejía. Galileo fue obligado a abjurar en 1633 y se le condenó a prisión perpetua (condena que le fue conmutada por arresto domiciliario). Los ejemplares del libro fueron quemados y la sentencia fue leída públicamente en todas las universidades.

La última obra de Galileo, *Consideraciones y demostraciones matemáticas sobre dos ciencias nuevas relacionadas con la mecánica*, publicada en Leiden en 1638, revisa y afina sus primeros estudios sobre el movimiento y los principios de la mecánica en general. Este libro abrió el camino que llevó a Newton a formular la ley de la gravitación universal, que armonizó las leyes de Kepler sobre los planetas con las matemáticas y la física de Galileo.

Johannes Kepler

Johannes Kepler (1571-1628). Nació en la ciudad alemana de Leonberg, donde comenzó a estudiar en el colegio latino. En 1584 ingresó en el seminario protestante de Adelberg y en 1589 comenzó su educación universitaria en teología en la Universidad Protestante de Tübingen. Allí le influenció un profesor de matemáticas, Michael Maestlin, partidario de la teoría heliocéntrica del movimiento planetario desarrollada en principio por el astrónomo polaco Nicolás Copérnico. Kepler aceptó inmediatamente la teoría copernicana al creer que la simplicidad del orden planetario tenía que haber sido el plan de Dios.

En 1594 marchó a Graz (Austria), donde elaboró una hipótesis geométrica compleja para explicar las distancias entre las órbitas planetarias, que se consideraban circulares, de forma errónea. Publicó sus teorías en un tratado titulado *Mysterium Cosmographicum* en 1596. Esta obra es importante porque presentaba la primera demostración amplia y convincente de las ventajas geométricas de la teoría copernicana.

Excepto por Mercurio, el sistema de Kepler funcionaba de manera muy aproximada a las observaciones. Debido a su fama como matemático, Kepler fue invitado por Tycho Brahe a Praga para que trabajara con él como asistente y calculara las nuevas órbitas de los planetas basándose en sus observaciones. Al morir Tycho, en el año 1601, fue nombrado su sucesor en el cargo de matemático imperial, puesto que ocupó hasta 1612.

Una de sus obras más importantes durante este período fue *Astronomía nova* (1609), la gran culminación de sus cuidadosos esfuerzos para calcular la órbita de Marte. Este tratado contiene la exposición de dos de las llamadas leyes de Kepler sobre el movimiento planetario. Según la primera ley, los planetas giran en órbitas elípticas con el Sol en un foco. La segunda, o regla del área, afirma que una línea imaginaria desde el Sol a un planeta recorre áreas iguales de una elipse durante intervalos iguales de tiempo. Esto significa que un planeta girará con mayor velocidad cuanto más cerca se encuentre del Sol.

En 1612 Kepler se hizo matemático de los estados de la alta Austria. Mientras vivía en Linz, publicó su *Harmonices Mundi Libri* (1619), cuya sección final contiene otro descubrimiento sobre el movimiento planetario (tercera ley): la relación entre el cubo de la distancia media de un planeta al Sol y el cuadrado del periodo de revolución del planeta es una constante y es la misma para todos los planetas.

Hacia la misma época publicó un libro llamado *Epitome Astronomiae Copernicanae* (1618-1621), que reúne todos los descubrimientos de Kepler en un tomo. Igualmente importante fue el primer libro de texto de astronomía basado en las ideas copernicanas, que durante las tres décadas siguientes tuvo una influencia capital para muchos astrónomos.

La última obra importante aparecida en vida de Kepler fueron las *Tablas rudolfinas* (1625). Basándose en los datos de Brahe, las nuevas tablas del movimiento planetario reducen los errores medios de la posición real de un planeta de 5 grados a 10 minutos. Isaac Newton se basó en las teorías y observaciones de Kepler para formular su ley de la gravitación universal.

Isaac Newton

Sir Isaac Newton (1642–1727) fue un físico, filósofo, teólogo, inventor, alquimista y matemático inglés, autor de los *Philosophiae Naturalis Principia Mathematica*, más conocidos como los Principia, donde describió la ley de gravitación universal y estableció las bases de la mecánica clásica mediante las leyes que llevan su nombre. Entre sus otros descubrimientos científicos destacan los trabajos sobre la naturaleza de la luz y la óptica (que se presentan principalmente en su obra *Opticks*) y el desarrollo del cálculo matemático.

Newton comparte con Leibniz el crédito por el desarrollo del cálculo integral y diferencial, que utilizó para formular sus leyes de la física.

También contribuyó en diversas áreas de la matemática, desarrollando el teorema del binomio y las fórmulas de Newton-Cotes.

Entre sus hallazgos científicos se encuentran el descubrimiento de que el espectro de color que se observa cuando la luz blanca pasa por un prisma es inherente a esa luz, en lugar de provenir del prisma (como había sido postulado por Roger Bacon en el siglo XIII); su argumentación sobre la posibilidad de que la luz estuviera compuesta por partículas; su desarrollo de una ley de convección térmica, que describe la tasa de enfriamiento de los objetos expuestos al aire; sus estudios sobre la velocidad del sonido en el aire; y su propuesta de una teoría sobre el origen de las estrellas. Fue también un pionero de la mecánica de fluidos, estableciendo una ley sobre la viscosidad.

Newton fue el primero en demostrar que las leyes naturales que gobiernan el movimiento en la Tierra y las que gobiernan el movimiento de los cuerpos celestes son las mismas. Es, a menudo, calificado como el científico más grande de todos los tiempos, y su obra como la culminación de la revolución científica. El matemático y físico matemático Joseph Louis Lagrange (1736–1813), comentó acerca de Newton que fue el más grande genio que ha existido y también el más afortunado dado que solo se puede encontrar una vez un sistema que rija el mundo.

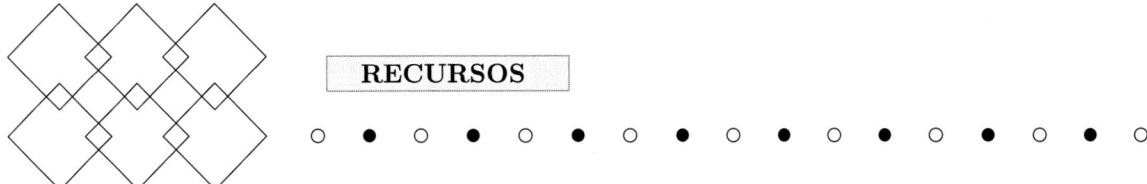

RECURSOS

Podemos encontrar gran cantidad de información en la red sobre historia de la ciencia, en general, y sobre la historia de la geometría, en particular. Citamos algunas páginas de entre las muchas que los buscadores nos sugieren.

- www.gobiernodecanarias.org/educacion/3/Usrn/fundoro/web_fcohc/005_publicaciones/seminario/geometria.htm

  Página de la Fundación Canaria Orotava de Historia de la Ciencia en la que encontramos gran cantidad de información sobre historia de la ciencia, en general, y sobre la historia de la geometría griega, en particular. Disponemos de muchos artículos para descargar sobre los personajes de la ciencia más importantes de la antigüedad.

- www.math.twsu.edu/~richardson/timeline.html

  En esta página tenemos una línea del tiempo sobre la historia de las matemáticas.

- softsurfer.com/history.htm

  Página dedicada a la historia de la geometría.

- noneuclidean.tripod.com/history.html

  Página dedicada a la historia de la geometría no euclídea.

- www.matematicas.net/paraiso/historia.php?id=menu_his

  Sección dedicada a la historia de las matemáticas dentro de la web *El Paraíso de las Matemáticas*.

- www.gap-system.org/~history/HistTopics/fractals.html

  Encontramos en esta página una breve descripción de la historia de la geometría fractal.

2 Geometría euclídea en el espacio

Hay una fuerza motriz más poderosa que el vapor, la electricidad y la energía atómica: la voluntad.
Albert Einstein (1879-1955).

Me interesa el futuro porque es el sitio donde voy a pasar el resto de mi vida.
Woody Allen (1935-).

Nunca olvido una cara, pero en su caso voy a hacer una excepción.
Groucho Marx (1890-1977).

2.1   Conceptos previos

Suponemos que el lector conoce las bases de la teoría de espacios vectoriales y que se encuentra familiarizado con los contenidos y propiedades básicas de mismos, especialmente con el concepto de base y dimensión de un espacio vectorial.

A continuación, introducimos dos conjuntos: E, que está constituido por todos los puntos del espacio ordinario, elementos que representaremos por letras mayúsculas, P, Q, R, ... y V_3, el conjunto de los vectores libres de dimensión 3 (sabemos que este conjunto constituye un espacio vectorial).

2.1.1   Vectores: definición y operaciones básicas

Muchas cantidades físicas tienen las propiedades de **magnitud** y **dirección**. Se trata de cantidades vectoriales. Una fuerza, por ejemplo, se caracteriza por su magnitud y la dirección de su acción. No podemos determinar completamente la fuerza sin una de estas propiedades.

El concepto de vector es bastante reciente en la historia de las matemáticas, ya que su término no aparece hasta el siglo XIX. Su concepto nos proporciona el marco idóneo para el cálculo de ángulos entre rectas, orientación de superficies, comportamientos dinámicos de objetos, etc.

Para obtener una representación geométrica de una cantidad vectorial, empleamos segmentos lineales dirigidos, cuya longitud y dirección representan la magnitud y la dirección, respectivamente, de la cantidad vectorial.

A partir de $\mathbb{R}$, la recta numérica real, los elementos del producto cartesiano $\mathbb{R}^2$ se asocian con puntos de un plano definido por dos rectas perpendiculares que definen un sistema de coordenadas rectangulares donde la intersección representa el origen $(0,0)$ y cada punto representado por (a,b) tiene una coordenada a en la recta horizontal (eje X) y una coordenada b en la recta vertical (eje Y).

Análogamente, podemos establecer que los elementos de $\mathbb{R}^3$ se asocian con puntos en el espacio tridimensional definido con tres rectas perpendiculares entre sí.

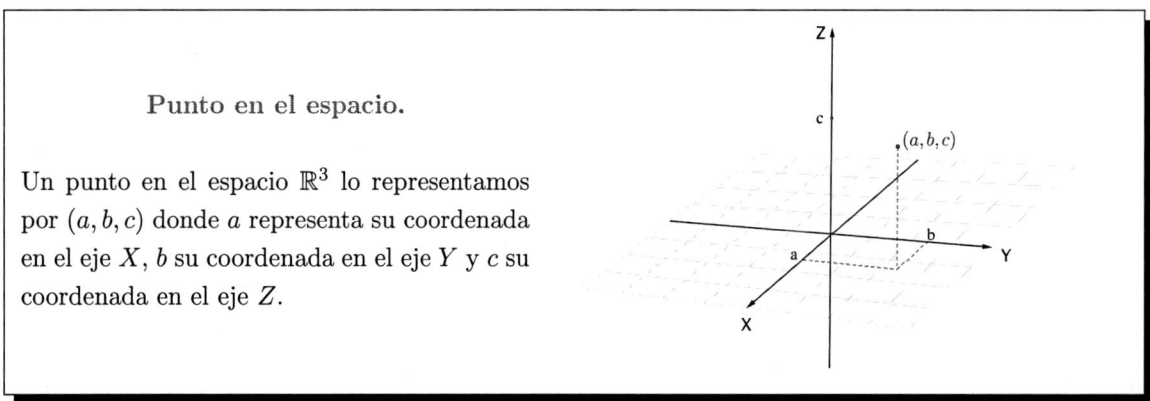

Punto en el espacio.

Un punto en el espacio $\mathbb{R}^3$ lo representamos por (a,b,c) donde a representa su coordenada en el eje X, b su coordenada en el eje Y y c su coordenada en el eje Z.

Es bien conocido que los vectores se pueden representar mediante segmentos lineales dirigidos.

Denotaremos en lo sucesivo los vectores con letras minúsculas en negrita $\boldsymbol{u}$, $\boldsymbol{v}$, $\boldsymbol{w}$, ... para diferenciarlos de los puntos, que los representaremos por letras mayúsculas A, B, C, ...

Vector en el espacio.

Los vectores los representamos mediante segmentos lineales dirigidos (flechas) donde la dirección del segmento representa la dirección del vector y la longitud de la flecha determina su magnitud.

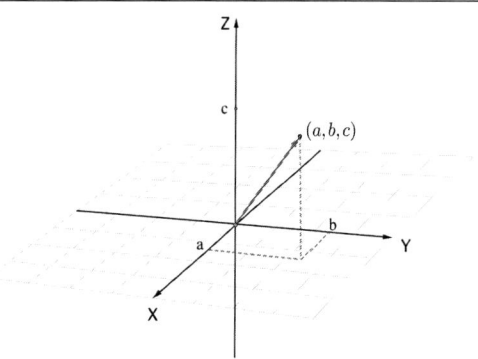

Definición 1.

Dos vectores u y v son iguales si tienen la misma longitud y sentido. El opuesto del vector v, que denotamos por $-v$ es un vector que tiene la misma longitud que v pero dirigido en el sentido opuesto.

Una vez introducida la idea de vector procedemos a definir las operaciones básicas que podemos realizar entre ellos, como son la suma, la diferencia y el producto por un escalar.

Suma. Consideremos dos vectores u y v de forma que el origen del vector v lo dibujamos donde termina el vector u. Entonces el vector suma de u y v, es decir, $u + v$ es el vector que va desde el origen de u hasta el final de v (véase la imagen).

Diferencia. Consideremos dos vectores u y v. Sustraer v del vector u, es decir, $u - v$ es lo mismo que sumarle al vector u el opuesto del vector v, es decir,

$$u - v = u + (-v).$$

Producto por un escalar. El producto de un escalar m por un vector u, expresado por mu, es un vector m veces tan largo como u y que tiene el mismo sentido que u si m es positivo y sentido opuesto si m es negativo.

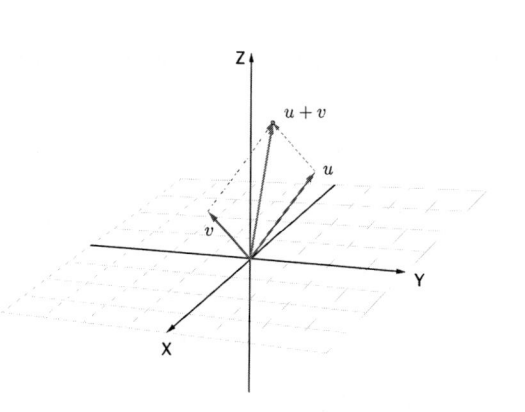

2.1.2 Los vectores en el espacio

En el sistema de coordenadas rectangulares tridimensional, los vectores unitarios desde el origen a los puntos $(1,0,0)$, $(0,1,0)$ y $(0,0,1)$ se denotan, respectivamente, por i, j y k. Cualquier vector en el espacio puede determinarse a partir de estos tres vectores unitarios. Así, un vector desde el origen hasta un cierto punto del espacio $P(a,b,c)$, viene dado por

$$\overrightarrow{OP} = u = ai + bj + ck.$$

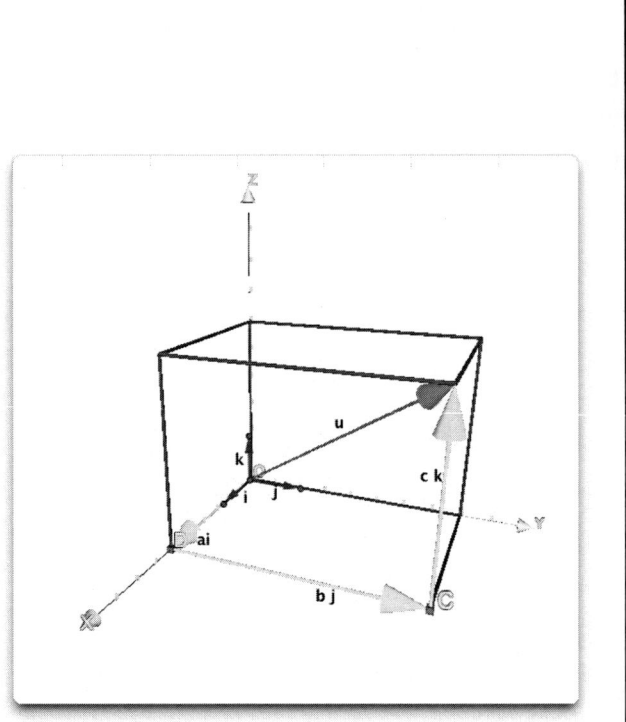

Los vectores ai, bj, ck reciben el nombre de componetes x, y y z, respectivamente, del vector u.

La longitud de u puede obtenerse utilizando las longitudes de los lados de los triángulos rectángulos que aparecen en la figura. Así, observando dicha figura podemos establecer la siguiente relación

$$
\begin{aligned}
|\overrightarrow{OP}|^2 &= |\overrightarrow{OC}|^2 + |\overrightarrow{CP}|^2 \\
&= |\overrightarrow{OD}|^2 + |\overrightarrow{DC}|^2 + |\overrightarrow{CP}|^2 \\
&= a^2 + b^2 + c^2.
\end{aligned}
$$

Consideremos los vectores u_1 y u_2 en términos de sus componentes x, y y z, es decir,

$$u_1 = a_1 i + b_1 j + c_1 k, \qquad u_2 = a_2 i + b_2 j + c_2 k.$$

Podemos establecer una expresión para la suma y la resta de vectores en función de sus componentes. Así, sumando componentes tendremos que

$$u_1 + u_2 = (a_1 + a_2)i + (b_1 + b_2)j + (c_1 + c_2)k$$

y

$$u_1 - u_2 = (a_1 - a_2)i + (b_1 - b_2)j + (c_1 + c_2)k.$$

Como ya comentamos anteriormente, si $P_1(x_1, y_1, z_1)$ y $P_2(x_2, y_2, z_2)$ son dos puntos del espacio, podemos calcular el vector que los une como

$$\overrightarrow{P_1 P_2} = (x_2 - x_1)i + (y_2 - y_1)j + (z_2 - z_1)k.$$

2.1.3 Producto escalar

Consideremos el espacio vectorial de los vectores libres, V_3, y el conjunto $\mathbb{R}$.

Definición 2 (producto escalar).

Se llama **producto escalar** a una aplicación entre los conjuntos $V_3 \times V_3$ y $\mathbb{R}$ tal que a cada pareja de vectores libres, u y v, le hacemos corresponder el número real

$$u \cdot v = |u||v| \cos \alpha, \tag{2.1}$$

siendo α el ángulo que forman en un punto cualquiera un representante de u y un representante de v, $(0 \leqslant \alpha \leqslant \pi)$.

Las consecuencias inmediatas que se extraen de la definición de producto escalar son las siguientes:

(a) El producto escalar es nulo cuando alguno de los vectores es el vector $\mathbf{0}$, o cuando dichos vectores son perpendiculares. En el primer caso uno de los módulos es cero y, en el segundo caso, se cumple que $\cos 90° = 0$.

(b) La condición necesaria y suficiente para que dos vectores, distintos del vector $\mathbf{0}$, sean perpendiculares es que su producto escalar sea cero. La condición es necesaria, puesto que si u y v son distintos del vector $\mathbf{0}$, $|u| \neq 0$ y $|v| \neq 0$, ha de ser $u \cdot v = 0$, para que

$$0 = |u||v| \cos \alpha \longrightarrow \cos \alpha = 0 \longrightarrow \alpha = 90°.$$

Y la condición es suficiente, ya que si $|u| \neq 0$, $|v| \neq 0$, y $u \cdot v = 0$, entonces se verifica que $\cos \alpha = 0$ y, por lo tanto, u y v son perpendiculares.

La tabla 2.1 resume las propiedades más importantes del producto escalar.

Propiedad	Descripción
Conmutativa	$u \cdot v = v \cdot u,$ para todo $u, v \in V_3$
Distributiva	$u \cdot (v + w) = u \cdot v + u \cdot w,\ u, v, w \in V_3$
Pseudoasociatividad	$\lambda(u \cdot v) = (\lambda u) \cdot v = u \cdot (\lambda v) = (u \cdot v)\lambda, u, v \in V_3, \lambda \in \mathbb{R}$
Desigualdad de Cauchy-Schwarz	$|u \cdot v| \leqslant |u| \cdot |v|$
Desigualdad de Minkowski	$|u + v| \leqslant |u| + |v|$

Tabla 2.1: *Algunas propiedades del producto escalar.*

Producto escalar
$u, v \in V_3$ $\qquad\qquad u \cdot v = |u||v| \cos \alpha.$

Condición de perpendicularidad de dos vectores
$u \perp v$ si y solo si $u \cdot v = 0$.

Si efectuamos el producto escalar de un vector por sí mismo tendremos

$$u \cdot u = |u||u| \cos 0 = |u||u| = |u|^2 > 0,$$

de lo que se deduce que

$$u \cdot u = |u|^2 \quad \Rightarrow \quad |u| = \sqrt{u \cdot u}.$$

En consecuencia,

$$u \cdot u > 0, \text{ si } u \neq 0, \text{ para todo } u \in V_3.$$

Definición 3 (norma de un vector).

Dado un vector $u \in V_3$, se le llama **norma** del vector u, y se representa por $\|u\|$ al número

$$\|u\| = \sqrt{u \cdot u}.$$

A partir de esta definición, es fácil comprobar que

$$\|u\| = \sqrt{u \cdot u} = \sqrt{|u|^2} = |u|,$$

lo que nos lleva a la importante conclusión de que la norma de un vector libre es igual a su módulo.

Expresión analítica del producto escalar.

Recordemos, antes de obtener una expresión analítica para el producto escalar que el conjunto de vectores $\mathcal{B} = \{u_1, u_2, u_3\}$ forman una base de V_3 si dichos vectores $\{u_1, u_2, u_3\}$ son linealmente independientes y forman un sistema generador de V_3 (es decir, si todo vector de V_3 puede escribirse como combinación lineal de estos vectores).

La expresión analítica del producto escalar la obtenemos a partir de las igualdades que establecemos a partir de un vector en función de sus coordenadas respecto de una base de V_3.

Sea $\mathcal{B} = \{u_1, u_2, u_3\}$ una base de V_3. Consideremos los vectores x e y y supongamos que

$$x = x_1 u_1 + x_2 u_2 + x_3 u_3, \qquad y = y_1 u_1 + y_2 u_2 + y_3 u_3.$$

Podemos escribir el producto escalar $x \cdot y$ como

$$
\begin{aligned}
x \cdot y &= (x_1 u_1 + x_2 u_2 + x_3 u_3) \cdot (y_1 u_1 + y_2 u_2 + y_3 u_3) = \\
&= x_1 y_1 (u_1 \cdot u_1) + x_1 y_2 (u_1 \cdot u_2) + x_1 y_3 (u_1 \cdot u_3) + \\
&+ x_2 y_1 (u_2 \cdot u_1) + x_2 y_2 (u_2 \cdot u_2) + x_2 y_3 (u_2 \cdot u_3) + \\
&+ x_3 y_1 (u_3 \cdot u_1) + x_3 y_2 (u_3 \cdot u_2) + x_3 y_3 (u_3 \cdot u_3),
\end{aligned}
$$

que se escribe matricialmente como

$$x \cdot y = \begin{bmatrix} x_1 & x_2 & x_3 \end{bmatrix} \begin{bmatrix} u_1 \cdot u_1 & u_1 \cdot u_2 & u_1 \cdot u_3 \\ u_2 \cdot u_1 & u_2 \cdot u_2 & u_2 \cdot u_3 \\ u_3 \cdot u_1 & u_3 \cdot u_2 & u_3 \cdot u_3 \end{bmatrix} \begin{bmatrix} y_1 \\ y_2 \\ y_3 \end{bmatrix}$$

o también

$$x \cdot y = \begin{bmatrix} x_1 & x_2 & x_3 \end{bmatrix} \quad A \quad \begin{bmatrix} y_1 \\ y_2 \\ y_3 \end{bmatrix},$$

siendo

$$A = \begin{bmatrix} u_1 \cdot u_1 & u_1 \cdot u_2 & u_1 \cdot u_3 \\ u_2 \cdot u_1 & u_2 \cdot u_2 & u_2 \cdot u_3 \\ u_3 \cdot u_1 & u_3 \cdot u_2 & u_3 \cdot u_3 \end{bmatrix}. \tag{2.2}$$

Definición 4 (matriz de Gram).

Consideremos $\mathcal{B} = \{u_1, u_2, u_3\}$ una base de V_3. La matriz A dada por la expresión (2.2) recibe el nombre de **matriz de la multiplicación escalar** o **matriz de Gram** respecto de la base $\mathcal{B}$.

La matriz de Gram A tiene la propiedad de ser simétrica como consecuencia de la propiedad conmutativa del producto escalar.

Como caso particular, señalemos que en V_3, la matriz de Gram del producto escalar usual, respecto de la base canónica $\mathcal{B} = \{(1,0,0),(0,1,0),(0,0,1)\}$ es la matriz identidad I_3.

Ejemplo 1 (producto escalar).

Se consideran los vectores

$$x = u_1 - 2u_2 + 3u_3 \quad y = 4u_1 - 5u_2 + 7u_3.$$

Calcule la expresión analítica del producto escalar de ambos.

SOLUCIÓN: La expresión analítica del producto escalar respecto de la base $\mathcal{B} = \{u_1, u_2, u_3\}$ es

$$\begin{aligned}
x \cdot y &= (u_1 - 2u_2 + 3u_3) \cdot (4u_1 - 5u_2 + 7u_3) = \\
&= 4\, u_1 \cdot u_1 - 5\, u_1 \cdot u_2 + 7\, u_1 \cdot u_3 - \\
&\quad - 2\, u_2 \cdot u_1 + 10\, u_2 \cdot u_2 - 14\, u_2 \cdot u_3 + \\
&\quad + 12\, u_3 \cdot u_1 - 15\, u_3 \cdot u_2 + 21\, u_3 \cdot u_3,
\end{aligned}$$

que podemos escribir matricialmente como

$$x \cdot y = \begin{bmatrix} 1 & -2 & 3 \end{bmatrix} \begin{bmatrix} u_1 \cdot u_1 & u_1 \cdot u_2 & u_1 \cdot u_3 \\ u_2 \cdot u_1 & u_2 \cdot u_2 & u_2 \cdot u_3 \\ u_3 \cdot u_1 & u_3 \cdot u_2 & u_3 \cdot u_3 \end{bmatrix} \begin{bmatrix} 4 \\ -5 \\ 7 \end{bmatrix}.$$

$\square$

Ejemplo 2.

Tomemos los vectores del ejemplo 1 y supongamos que la base $\mathcal{B} = \{u_1, u_2, u_3\}$ es tal que $\widehat{u_1 u_2} = 45°$, $\widehat{u_1 u_3} = 60°$, $\widehat{u_2 u_3} = 30°$ y $|u_1| = 3$, $|u_2| = 5$ y $|u_3| = 7$. Calcule el producto escalar de los vectores x e y.

SOLUCIÓN: Sabemos que

$$u_i \cdot u_j = |u_i||u_j|\cos(u_i, u_j),$$

por lo que podemos calcular los productos escalares de los vectores de la base.

$$
\begin{aligned}
u_1 \cdot u_1 &= 3 \cdot 3 \cdot 1 = 9. \\
u_1 \cdot u_2 = u_2 \cdot u_1 &= 3 \cdot 5 \cdot \frac{\sqrt{2}}{2} = \frac{15\sqrt{2}}{2}. \\
u_1 \cdot u_3 = u_3 \cdot u_1 &= 3 \cdot 7 \cdot \frac{1}{2} = \frac{21}{2}. \\
u_2 \cdot u_2 &= 5 \cdot 5 \cdot 1 = 25. \\
u_2 \cdot u_3 = u_3 \cdot u_2 &= 5 \cdot 7 \cdot \frac{\sqrt{3}}{2} = \frac{35\sqrt{3}}{2}. \\
u_3 \cdot u_3 &= 7 \cdot 7 \cdot 1 = 49.
\end{aligned}
$$

Escrito matricialmente,

$$
x \cdot y = \begin{bmatrix} 1 & -2 & 3 \end{bmatrix} \begin{bmatrix} 9 & \dfrac{15\sqrt{2}}{2} & \dfrac{21}{2} \\ \dfrac{15\sqrt{2}}{2} & 25 & \dfrac{35\sqrt{3}}{2} \\ \dfrac{21}{2} & \dfrac{35\sqrt{3}}{2} & 49 \end{bmatrix} \begin{bmatrix} 4 \\ -5 \\ 7 \end{bmatrix}.
$$

En este ejemplo, la matriz de Gram del producto escalar es

$$
A = \begin{bmatrix} 9 & \dfrac{15\sqrt{2}}{2} & \dfrac{21}{2} \\ \dfrac{15\sqrt{2}}{2} & 25 & \dfrac{35\sqrt{3}}{2} \\ \dfrac{21}{2} & \dfrac{35\sqrt{3}}{2} & 49 \end{bmatrix}.
$$

□

Ejemplo 3.

Halle el módulo del vector $x = u_1 + 3u_2 - 5u_3$ respecto de la base del ejemplo anterior.

SOLUCIÓN: Como $|x|^2 = x \cdot x$, tendremos que

$$|x|^2 = (u_1 + 3u_2 - 5u_3) \cdot (u_1 + 3u_2 - 5u_3) =$$

$$
= \begin{bmatrix} 1 & 3 & -5 \end{bmatrix} \begin{bmatrix} 9 & \dfrac{15\sqrt{2}}{2} & \dfrac{21}{2} \\ \dfrac{15\sqrt{2}}{2} & 25 & \dfrac{35\sqrt{3}}{2} \\ \dfrac{21}{2} & \dfrac{35\sqrt{3}}{2} & 49 \end{bmatrix} \begin{bmatrix} 1 \\ 3 \\ -5 \end{bmatrix} = \frac{2.393 + 90\sqrt{2} - 525\sqrt{3}}{2}
$$

luego

$$|x| = \sqrt{\frac{2.393 + 90\sqrt{2} - 525\sqrt{3}}{2}}.$$

$\square$

2.1.4 Ortogonalidad y ortonormalización

Sin ninguna duda, el concepto de ortogonalidad entre vectores, rectas, planos ... constituye uno de los pilares sobre los que se asienta la geometía analítica.

En esta sección vamos a estudiar un procedimiento para crear bases de vectores con la propiedad de que sean ortogonales entre sí. Estas bases de vectores ortogonales son interesantes en geometría analítica puesto que simplifican la mayoría de cálculos que realizamos habitualmente.

Definición 5 (vector unitario).

Un vector x se dice **unitario** cuando su módulo es la unidad, $|x| = 1$.

Si $x \neq 0$, entonces $\dfrac{x}{\|x\|}$ es un vector unitario ya que

$$\left\| \frac{x}{\|x\|} \right\| = \sqrt{\frac{x}{\|x\|} \cdot \frac{x}{\|x\|}} = \sqrt{\left(\frac{1}{\|x\|^2} x \cdot x \right)} = \sqrt{\left(\frac{x^2}{\|x\|^2} \right)} = 1,$$

con lo que $\dfrac{x}{\|x\|}$ es unitario. Este cálculo nos proporciona un método sencillo para convertir cualquier vector en unitario.

Definición 6 (base ortogonal).

Una base $\mathcal{B} = \{u_1, u_2, u_3\}$ se llama **ortogonal** cuando se verifica que todo vector de la misma es ortogonal o perpendicular a los demás, es decir

$$\mathcal{B} = \{u_1, u_2, u_3\} \quad \text{ortogonal} \quad \Longleftrightarrow \quad u_1 \perp u_2, u_1 \perp u_3, u_2 \perp u_3.$$

Una base $\mathcal{B} = \{u_1, u_2, u_3\}$ se llama **métrica** u **ortonormal** cuando se cumple que es ortogonal y sus vectores son unitarios.

Podemos expresar la definición 6 diciendo que

$$\mathcal{B} = \{u_1, u_2, u_3\} \quad \text{ortonormal} \quad \Longleftrightarrow \quad \begin{cases} |u_i| & = & 1, & i = 1, 2, 3 \\ u_i \cdot u_j & = & 0, & i \neq j \\ u_i \cdot u_i & = & 1, & i = 1, 2, 3. \end{cases}$$

Vector proyección ortogonal.

Dados dos vectores $\boldsymbol{u}, \boldsymbol{v} \in V_3$ llamamos
vector proyección de $\boldsymbol{u}$ sobre $\boldsymbol{v}$, y lo denotamos por $proy_{\boldsymbol{v}}\boldsymbol{u}$, al vector

$$proy_{\boldsymbol{v}}\boldsymbol{u} = \frac{\boldsymbol{u} \cdot \boldsymbol{v}}{|\boldsymbol{v}|^2}\boldsymbol{v}.$$

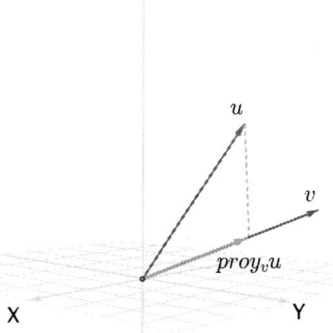

Veamos un ejemplo de cálculo de un vector proyección.

Ejemplo 4.

Halle la proyección ortogonal del vector $\boldsymbol{x}(2, 1, -4)$ sobre el vector $\boldsymbol{y}(-5, 0, 2)$.

SOLUCIÓN: Calculamos, en primer lugar,

$$\frac{\boldsymbol{x} \cdot \boldsymbol{y}}{|y|^2}\boldsymbol{y} = -\frac{18}{29}.$$

Entonces

$$proy_{\boldsymbol{y}}\boldsymbol{x} = -\frac{18}{29}(-5, 0, 2). \qquad \square$$

Una vez introducido el concepto de proyección ortogonal de un vector, se trata de estudiar la expresión
analítica del producto escalar de dos vectores referidos a una base ortonormal. Escribimos la expresión
analítica del producto escalar de los vectores

$$\boldsymbol{x} = x_1\boldsymbol{u_1} + x_2\boldsymbol{u_2} + x_3\boldsymbol{u_3}, \qquad \boldsymbol{y} = y_1\boldsymbol{u_1} + y_2\boldsymbol{u_2} + y_3\boldsymbol{u_3},$$

referida a una base $\mathcal{B} = \{\boldsymbol{u_1}, \boldsymbol{u_2}, \boldsymbol{u_3}\}$ ortonormal. Dicha expresión será

$$\boldsymbol{x} \cdot \boldsymbol{y} = \begin{bmatrix} x_1 & x_2 & x_3 \end{bmatrix} \begin{bmatrix} 1 & 0 & 0 \\ 0 & 1 & 0 \\ 0 & 0 & 1 \end{bmatrix} \begin{bmatrix} y_1 \\ y_2 \\ y_3 \end{bmatrix} = x_1y_1 + x_2y_2 + x_3y_3.$$

Esta última expresión,

$$\boldsymbol{x} \cdot \boldsymbol{y} = x_1y_1 + x_2y_2 + x_3y_3 \tag{2.3}$$

es muy importante puesto que nos permite concluir que el producto escalar de dos vectores referidos a
una base ortonormal no es más que el producto de sus componentes en dicha base.

> **Producto escalar**
>
> $x, y \in V_3$ $\qquad\qquad\qquad\qquad x \cdot y = x_1 y_1 + x_2 y_2 + x_3 y_3.$

Como podemos observar, la expresión del producto escalar es mucho más sencilla cuando la base que tomamos es ortonormal, por lo que parece mucho más lógico utilizar normalmente dichas bases.

Algo similar ocurre cuando se calcula el módulo de un vector $x = x_1 u_1 + x_2 u_2 + x_3 u_3$ referido a una base ortonormal, ya que

$$|x| = \sqrt{x \cdot x} = \sqrt{x_1^2 + x_2^2 + x_3^2}.$$

Debido a la sencillez en las expresiones al trabajar con bases ortonormales, puede resultar interesante establecer algún método para conseguir bases de este tipo. Existen diversos procedimientos para conseguir la ortonormalización de un conjunto de vectores. Estudiamos el método de Gram-Schmidt.

Puesto que vamos a estudiar el método de Gram-Schmidt para un espacio vectorial general de dimensión n, conviene recordar algunas definiciones básicas.

Recordemos que el **espacio afín** n-dimensional es el espacio ordinario de puntos n-dimensional cuando se ha definido una aplicación tal que a dos cualesquiera de dichos puntos les hacemos corresponder un vector libre de n componentes del espacio vectorial V_n.

Definición 7 (espacio vectorial euclídeo).

Llamamos **espacio vectorial euclídeo** n-dimensional al espacio vectorial real V_n de los vectores libres de n componentes al que añadimos una operación externa llamada producto escalar.

A partir de la definición de espacio vectorial euclídeo, construimos el espacio euclídeo.

Definición 8 (espacio euclídeo).

Se llama **espacio afín euclídeo** n-dimensional o *espacio euclídeo* al espacio afín n-dimensional cuando el espacio vectorial real asociado V_n es un espacio vectorial euclídeo. A dicho espacio lo representaremos por E_n.

Notemos que, de esta forma, el espacio afín se ha enriquecido notablemente, ya que su espacio vectorial asociado dispone de un producto escalar, lo que supone que vamos a ser capaces de definir una métrica o distancia para poder medir áreas, volúmenes, distancias, etc.

A partir de estas definiciones, podemos establecer el método de Gram-Schmidt para la ortogonalización de un conjunto de vectores. Para ello consideraremos un espacio vectorial euclídeo de dimensión finita n. Posteriormente, particularizaremos para el caso en que trabajemos en V_3.

Teorema 1 (teorema de Gram-Schmidt).

Sea $(V_n, \cdot)$ un espacio vectorial euclídeo de dimensión finita y sea $\mathcal{B} = \{v_1, v_2, \ldots, v_n\}$ una base de V_n. Consideremos los vectores

$$u_1 = v_1$$

$$u_k = v_k - \sum_{i=1}^{k-1} \frac{v_k \cdot u_i}{\|u_i\|^2} u_i, \quad 1 < k \leqslant n.$$

Entonces, $(u_1, u_2, \cdots, u_n)$ es una base ortogonal.

DEMOSTRACIÓN: Evidentemente los vectores construidos de esta forma u_i no son nulos (el conjunto de vectores de la base no sería linealmente independiente). Por tanto, habrá que comprobar que cada vector construido es ortogonal a los anteriores. Sea $q < k$, entonces

$$u_k \cdot u_q = \left(v_k - \sum_{i=1}^{k-1} \frac{v_k \cdot u_i}{\|u_i\|^2} u_i \right) \cdot u_q =$$

$$= v_k \cdot u_q - \sum_{i=1}^{k-1} \frac{v_k \cdot u_i}{\|u_i\|^2} u_i \cdot u_q. \tag{2.4}$$

Ahora bien, $u_i \cdot u_q = 0$, salvo cuando $i = q$, por lo que

$$\sum_{i=1}^{k-1} \frac{v_k \cdot u_i}{\|u_i\|^2} u_i \cdot u_q = \frac{v_k \cdot u_q}{\|u_q\|^2} u_q \cdot u_q = v_k \cdot u_q$$

y sustituyendo en la expresión (2.4) resulta que $u_k \cdot u_q = 0$, como queríamos demostrar. $\qquad\square$

La gran potencia e importancia del teorema de Gram-Schmidt radica en que no solamente garantiza la existencia de bases de vectores ortogonales, sino que proporciona un método para construirlas.

Consideremos ahora el espacio vectorial euclídeo de dimensión 3, $(V_3, \cdot)$ y analicemos el proceso de ortogonalización de Gram-Schmidt.

Para ello, consideramos una base $\mathcal{B} = \{v_1, v_2, v_3\}$ de $(V_3, \cdot)$ y obtengamos una base de vectores ortogonal.

- En primer lugar se elige $u_1 = v_1$.
- Ahora se elige $u_2 = v_2 + \alpha_{21} u_1$ con la condición de que $u_2 \cdot u_1 = 0$, para lo que necesitamos que

$$u_2 \cdot u_1 = v_2 \cdot u_1 + \alpha_{21} u_1 \cdot u_1 = 0,$$

por lo que despejando el escalar, tendremos que

$$\alpha_{21} = \frac{-v_2 \cdot u_1}{\|u_1\|^2}.$$

Por consiguiente,

$$u_2 = v_2 - \frac{v_2 \cdot u_1}{\|u_1\|^2} u_1.$$

- Ahora se elige $u_3 = v_3 + \alpha_{31} u_1 + \alpha_{32} u_2$ con la condición de que $u_3 \cdot u_1 = u_3 \cdot u_2 = 0$, para lo que se necesita que

$$u_3 \cdot u_1 = v_3 \cdot u_1 + \alpha_{31} u_1 \cdot u_1 + 0 = 0,$$

$$u_3 \cdot u_2 = v_3 \cdot u_2 + 0 + \alpha_{32} u_2 \cdot u_2 = 0.$$

Despejando las cantidades escalares

$$\alpha_{31} = \frac{-v_3 \cdot u_1}{\|u_1\|^2}, \qquad \alpha_{32} = \frac{-v_3 \cdot u_2}{\|u_2\|^2}.$$

Por tanto,

$$u_3 = v_3 - \frac{v_3 \cdot u_1}{\|u_1\|^2} u_1 - \frac{v_3 \cdot u_2}{\|u_2\|^2} u_2.$$

De esta forma hemos obtenido un conjunto de vectores que forman una base ortogonal. Para obtener una base ortonormal, se aplicaría el proceso de normalización usual (dividir las componentes por el módulo), después de aplicar el procedimiento Gram-Schmidt.

Ejemplo 5 (base ortonormal).

Consideremos un subespacio S de $\mathbb{R}^4$ generado por el conjunto de vectores

$$\mathcal{B} = \{v_1(1,1,0,0), v_2(1,-1,1,1), v_3(-1,0,2,1)\}$$

que es linealmente independiente; consecuentemente forman una base del subespacio S. Se pide que construya una base de S ortonormal.

SOLUCIÓN: Aplicamos el procedimiento de Gram Schmidt dado por el teorema 1.

- $u_1 = v_1 = (1,1,0,0).$
- $u_2 = v_2 - \dfrac{v_2 \cdot u_1}{\|u_1\|^2} u_1 = v_2 - \dfrac{0}{2} u_1 = (1,-1,1,1).$
- $u_3 = v_3 - \dfrac{v_3 \cdot u_1}{\|u_1\|^2} u_1 - \dfrac{v_3 \cdot u_2}{\|u_2\|^2} u_2 = v_3 - \dfrac{-1}{2} u_1 - \dfrac{2}{4} u_2 = \left(-1, 1, \dfrac{3}{2}, \dfrac{1}{2}\right).$

Una base ortogonal de S es

$$\mathcal{B} = \left\{ u_1(1,1,0,0), u_2(1,-1,1,1), u_3\left(-1,1,\frac{3}{2},\frac{1}{2}\right)\right\}.$$

Para normalizar la base hacemos

- $w_1 = \dfrac{u_1}{\|u_1\|} = \left(\dfrac{1}{\sqrt{2}}, \dfrac{1}{\sqrt{2}}, 0, 0\right).$
- $w_2 = \dfrac{u_2}{\|u_2\|} = \left(\dfrac{1}{2}, \dfrac{-1}{2}, \dfrac{1}{2}, \dfrac{1}{2}\right).$
- $w_3 = \dfrac{u_3}{\|u_3\|} = \left(\dfrac{-\sqrt{2}}{3}, \dfrac{\sqrt{2}}{3}, \dfrac{\sqrt{2}}{2}, \dfrac{\sqrt{2}}{6}\right),$

con lo que hemos construido una base ortonormal

$$\mathcal{B}' = \left\{ w_1\left(\frac{1}{\sqrt{2}}, \frac{1}{\sqrt{2}}, 0, 0\right), w_2\left(\frac{1}{2}, \frac{-1}{2}, \frac{1}{2}, \frac{1}{2}\right), w_3\left(\frac{-\sqrt{2}}{3}, \frac{\sqrt{2}}{3}, \frac{\sqrt{2}}{2}, \frac{\sqrt{2}}{6}\right)\right\}.$$

$\square$

2.1.5 Producto vectorial

Recordemos que el producto escalar entre dos vectores es una operación cuyo resultado es un número real. Introducimos en esta sección una nueva operación entre vectores llamada **producto vectorial** en la que ahora el resultado ya no va a ser un número sino otro vector del espacio.

En consecuencia, si V_3 es el espacio vectorial real de los vectores libres, vamos a definir una nueva operación, esta vez interna, entre los elementos de V_3.

Definición 9 (Producto vectorial).

Se llama **producto vectorial** a una aplicación entre los conjuntos $V_3 \times V_3$ y V_3 tal que a toda pareja de vectores x e y le hacemos corresponder un vector $x \wedge y$ tal que

(a) $|x \wedge y| = |x||y| \operatorname{sen}(x, y)$.

(b) La dirección del vector $x \wedge y$ es perpendicular al plano definido por x e y.

(c) El sentido del vector $(x \wedge y)$ es perpendicular al plano definido por la terna de vectores $\{x, y, x \wedge y\}$ es la misma que la que definen los vectores básicos $\{u_1, u_2, u_3\}$.

El sentido del vector $x \wedge y$, producto vectorial de los vectores x e y, viene determinado por la *ley del sacacorchos*: el sentido del vector $x \wedge y$ es el de avance de un sacacorchos que gire intentando llevar el vector x a la posición del vector y según un ángulo menor de 180°.

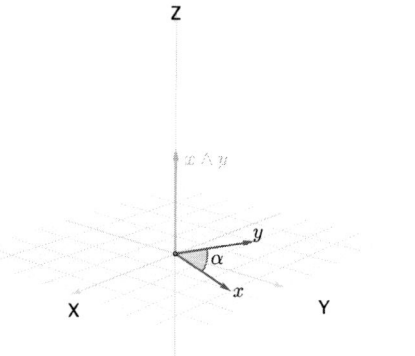

Resumimos algunas propiedades importantes del producto vectorial. Las demostraciones las podemos encontrar en cualquier libro de texto de geometría de los que aparecen en la bibliografía.

Propiedades del producto vectorial

(a) **El producto vectorial no es conmutativo**.

(b) $x \wedge 0 = 0$, para todo $x \in V_3$.

(c) x es paralelo a y, $x \wedge y = 0$.

(d) Si x e y son perpendiculares,

$$|x \wedge y| = |x||y|.$$

(e) $\lambda x \wedge y = (\lambda x) \wedge y = x \wedge (\lambda y)$.

(f) $(x + y) \wedge z = x \wedge z + y \wedge z$.

Expresión analítica del producto vectorial

Sea $\mathcal{B} = \{u_1, u_2, u_3\}$ una base de V_3. Consideremos los vectores x e y y supongamos que

$$x = x_1 u_1 + x_2 u_2 + x_3 u_3, \qquad y = y_1 u_1 + y_2 u_2 + y_3 u_3.$$

Entonces, su producto vectorial puede calcularse de la forma

$$x \wedge y = \begin{vmatrix} u_1 & u_2 & u_3 \\ x_1 & x_2 & x_3 \\ y_1 & y_2 & y_3 \end{vmatrix}. \tag{2.5}$$

Interpretación geométrica del producto vectorial

El módulo del producto vectorial de los vectores x e y es igual al área del paralelogramo construido con un representante de x y uno de y por un punto.

Ejemplo 6 (producto vectorial).

Calcule el producto vectorial de los vectores

$$x = 2u_1 - 3u_2 - 5u_3, \quad y = 7u_1 + u_2 - 9u_3$$

suponiendo que la base es ortonormal.

SOLUCIÓN: Utilizando la expresión (2.5) podemos calcular muy fácilmente el producto vectorial como

$$x \wedge y = \begin{vmatrix} u_1 & u_2 & u_3 \\ 2 & -3 & -5 \\ 7 & 1 & -9 \end{vmatrix} = 32u_1 - 17u_2 + 23u_3.$$

$\square$

2.1.6 Producto mixto

Comenzamos definiendo una nueva operación externa en el espacio vectorial V_3.

Definición 10 (producto mixto).

Se llama **producto mixto** a una aplicación entre los conjuntos $V_3 \times V_3 \times V_3$ tal que a toda terna de vectores x, y y z le hacemos corresponder el número real

$$[x, y, z] = x \cdot (y \wedge z).$$

Sea $\mathcal{B} = \{u_1, u_2, u_3\}$ una base de V_3 métrica u ortonormal y consideremos los vectores x, y y z, siendo

$$x = x_1 u_1 + x_2 u_2 + x_3 u_3, \quad y = y_1 u_1 + y_2 u_2 + y_3 u_3, \quad x = z_1 u_1 + z_2 u_2 + z_3 u_3.$$

Entonces

$$\begin{aligned}
\boldsymbol{x} \cdot (\boldsymbol{y} \wedge \boldsymbol{z}) &= (x_1\boldsymbol{u_1} + x_2\boldsymbol{u_2} + x_3\boldsymbol{u_3}) \cdot \\
&\quad \cdot \ [(y_1\boldsymbol{u_1} + y_2\boldsymbol{u_2} + y_3\boldsymbol{u_3}) \wedge (z_1\boldsymbol{u_1} + z_2\boldsymbol{u_2} + z_3\boldsymbol{u_3})] = \\
&= (x_1\boldsymbol{u_1} + x_2\boldsymbol{u_2} + x_3\boldsymbol{u_3}) \cdot \\
&\quad \cdot \ [(y_2z_3 - y_3z_2)\boldsymbol{u_1} + (y_3z_1 - y_1z_3)\boldsymbol{u_2} + (y_1z_2 - y_2z_1)\boldsymbol{u_3}] = \\
&= x_1(y_2z_3 - y_3z_2) + x_2(y_3z_1 - y_1z_3) + x_3(y_1z_2 - y_2z_1) = \\
&= x_1 \begin{vmatrix} y_2 & y_3 \\ z_2 & z_3 \end{vmatrix} + x_2 \begin{vmatrix} y_3 & y_1 \\ z_3 & z_1 \end{vmatrix} + x_3 \begin{vmatrix} y_1 & y_2 \\ z_1 & z_2 \end{vmatrix} = \\
&= \begin{vmatrix} x_1 & x_2 & x_3 \\ y_1 & y_2 & y_3 \\ z_1 & z_2 & z_3 \end{vmatrix}.
\end{aligned}$$

Así,

$$[\boldsymbol{x}, \boldsymbol{y}, \boldsymbol{z}] = \boldsymbol{x} \cdot (\boldsymbol{y} \wedge \boldsymbol{z}) = \begin{vmatrix} x_1 & x_2 & x_3 \\ y_1 & y_2 & y_3 \\ z_1 & z_2 & z_3 \end{vmatrix}, \tag{2.6}$$

concluyendo que el producto mixto de tres vectores es igual al determinante cuyas filas están constituidas por las coordenadas de dichos vectores.

Propiedades del producto mixto

(a) $\boldsymbol{x} \cdot (\boldsymbol{y} \wedge \boldsymbol{z}) = (\boldsymbol{x} \wedge \boldsymbol{y}) \cdot \boldsymbol{z}$.

(b) $[\boldsymbol{x}, \boldsymbol{y}, \boldsymbol{z}] = [\boldsymbol{y}, \boldsymbol{z}, \boldsymbol{x}] = [\boldsymbol{z}, \boldsymbol{x}, \boldsymbol{y}] = -[\boldsymbol{y}, \boldsymbol{x}, \boldsymbol{z}] = -[\boldsymbol{x}, \boldsymbol{z}, \boldsymbol{y}] = -[\boldsymbol{z}, \boldsymbol{y}, \boldsymbol{x}]$.

(c) $[\boldsymbol{x} + \boldsymbol{x}', \boldsymbol{y}, \boldsymbol{z}] = [\boldsymbol{x}, \boldsymbol{y}, \boldsymbol{z}] + [\boldsymbol{x}', \boldsymbol{y}, \boldsymbol{z}]$.

(d) $[\lambda\boldsymbol{x}, \boldsymbol{y}, \boldsymbol{z}] = \lambda[\boldsymbol{x}, \boldsymbol{y}, \boldsymbol{z}]$.

(e) $[\boldsymbol{x}, \boldsymbol{y}, \boldsymbol{z}] = 0$ si y solo si $\boldsymbol{x}, \boldsymbol{y}, \boldsymbol{z}$ son linealmente dependientes.

Además de las propiedades fundamentales del producto mixto, nos interesa conocer la idea geométrica que hay detrás de esta operación, es decir, su interpretación geométrica.

Interpretación geométrica del producto mixto

El valor absoluto del producto mixto de tres vectores es igual al volumen del paralelepípedo construido sobre dichos vectores, ya que el número obtenido como producto escalar de los vectores $\boldsymbol{x}$ e $\boldsymbol{y} \wedge \boldsymbol{z}$ puede ser negativo.

Ejemplo 7 (producto mixto).

Calcule el producto mixto de los vectores

$$x = 3u_1 - u_2 + 5u_3, \qquad y = 2u_1 - u_2 - 9u_3, \quad z = u_1 + u_2 + u_3,$$

suponiendo que la base es ortonormal.

SOLUCIÓN: Utilizando la expresión (2.6) podemos calcular muy fácilmente el producto mixto como

$$[x, y, z] = x \cdot (y \wedge z) = \begin{vmatrix} 3 & -1 & 5 \\ 2 & -1 & -9 \\ 1 & 1 & 1 \end{vmatrix} = 50.$$

$\square$

2.2 Rectas y planos en el espacio

Antes de estudiar las propiedades básicas de rectas y planos, conviene establecer un mecanismo práctico para obtener las coordenadas de un vector libre en el espacio a partir de sus puntos origen y final. Resulta un procedimiento muy sencillo pero muy utilizado en geometría analítica.

Vector a partir de dos puntos.

Consideremos un sistema de referencia $R = \{O, u_1, u_2, u_3\}$ y los puntos $P(x', y', z')$ y $Q(x'', y'', z'')$, como el que aparece en la figura.

$$\overrightarrow{PQ} = \overrightarrow{OQ} - \overrightarrow{OP}.$$

$$\overrightarrow{PQ} = Q - P = (x'' - x', y'' - y', z'' - z').$$

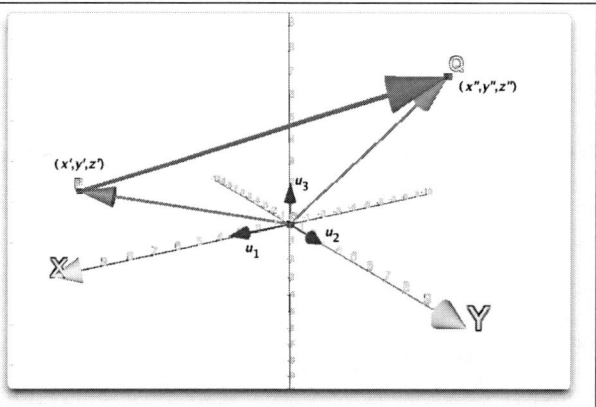

2.2.1 La recta en el espacio

Consideremos un sistema de referencia $R = \{O, u_1, u_2, u_3\}$ y una recta queda determinada por un punto $P(a, b, c)$ y una dirección, la del vector libre $v(\alpha, \beta, \gamma)$, como se visualiza en la figura 2.1.

Si $X(x, y, z)$ es un punto genérico de la recta, se verifica la ecuación

$$\overrightarrow{OX} = \overrightarrow{OP} + \lambda v,$$

que constituye la llamada **ecuación vectorial** de la recta r. Realizando operaciones sobre esta ecuación vectorial obtenemos las distintas ecuaciones de la recta.

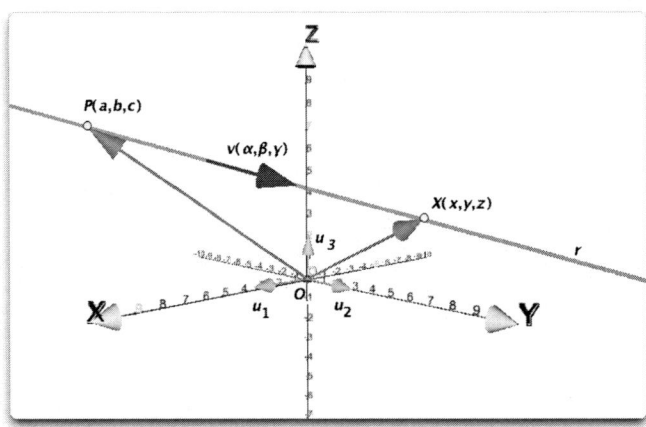

Figura 2.1: *La recta en el espacio.*

Ecuación	Expresión algebraica	
Ecuación vectorial	$\overrightarrow{OX} = \overrightarrow{OP} + \lambda \boldsymbol{v}.$	
Ecuación paramétrica	$\left. \begin{aligned} x &= a + \lambda\alpha \\ y &= b + \lambda\beta \\ z &= c + \lambda\gamma \end{aligned} \right\}.$	(2.7)
Ecuación continua	$\dfrac{x-a}{\alpha} = \dfrac{y-b}{\beta} = \dfrac{z-c}{\gamma}.$	
Ecuación implícita	$\left. \begin{aligned} Ax + By + Cz + D &= 0 \\ A'x + B'y + C'z + D' &= 0 \end{aligned} \right\}.$	(2.8)

Tabla 2.2: *Ecuaciones de la recta en el espacio.*

La tabla 2.2 resume los distintos tipos de ecuaciones de la recta en el espacio.

2.2.2   El plano en el espacio

Consideremos un sistema de referencia $R = \{\boldsymbol{O}, \boldsymbol{u_1}, \boldsymbol{u_2}, \boldsymbol{u_3}\}$. Un plano queda determinado por un punto $P(a, b, c)$ y dos direcciones, la de los vectores libres $\boldsymbol{v}(\alpha, \beta, \gamma)$ y $\boldsymbol{w}(\rho, \epsilon, \varphi)$, como se visualiza en la

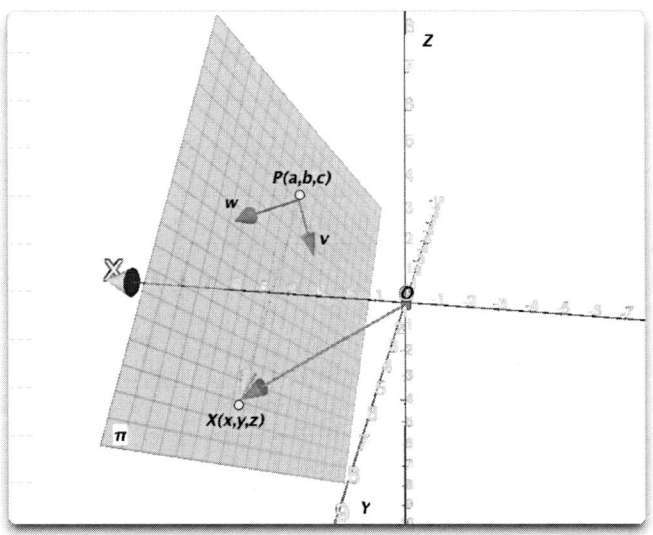

Figura 2.2: *El plano en el espacio.*

figura 2.2.

Si $X(x, y, z)$ es un punto genérico del plano, entonces

$$\overrightarrow{OX} = \overrightarrow{OP} + \overrightarrow{PX},$$

pero

$$\overrightarrow{PX} = \lambda v + \mu w,$$

donde hemos expresado el vector $\overrightarrow{PX}$ en función de los vectores v y w. Por lo tanto, podemos escribir

$$\overrightarrow{OX} = \overrightarrow{OP} + \lambda v + \mu w. \tag{2.9}$$

La tabla 2.3 resume los distintos tipos de ecuaciones del plano en el espacio.

Antes de entrar en el estudio de las posiciones relativas entre rectas y planos, conviene recordar una propiedad que es de suma importancia en la geometría analítica, como es la relación existente entre la ecuación de un plano y su vector perpendicular. Lo vemos analíticamente con un ejemplo.

Ejemplo 8.

Halle la ecuación del plano que pasa por el punto $Q(1, 2, 3)$ y tiene como vector perpendicular $p(2, -1, 4)$.

SOLUCIÓN: Consideremos $X(x, y, z)$ un punto genérico del plano.

El vector $\overrightarrow{QX} = (x - 1, y - 2, z - 3)$ está en el plano.

El vector $p(2, -1, 4)$ es perpendicular al plano.

Los vectores p y $\overrightarrow{QX}$ son perpendiculares, por lo que su producto escalar será cero, es decir,

$$p \cdot \overrightarrow{QX} = (2, -1, 4) \cdot (x - 1, y - 2, z - 3) = 0$$

Ecuación	Expresión algebraica
Ecuación vectorial	$\overrightarrow{OX} = \overrightarrow{OP} + \lambda v + \mu w.$
Ecuación paramétrica	$\left.\begin{array}{rcccccc} x & = & a & + & \lambda\alpha & + & \mu\rho \\ y & = & b & + & \lambda\beta & + & \mu\epsilon \\ z & = & c & + & \lambda\gamma & + & \mu\varphi \end{array}\right\}.$ \qquad (2.10)
Ecuación implícita o cartesiana	$Ax + By + Cz + D = 0.$ \qquad (2.11)

Tabla 2.3: *Ecuaciones del plano en el espacio.*

de donde

$$2x - y + 4z - 12 = 0.$$ □

Vector perpendicular a un plano.
El plano dibujado en la figura viene dado por la ecuación

$$\overrightarrow{OX} = \overrightarrow{OP} + \lambda v + \mu w.$$

Su ecuación general es

$$Ax + By + Cz + D = 0.$$

Entonces, los coeficientes A, B, C de la ecuación cartesiana del plano representan las coordenadas (A, B, C) de un vector perpendicular a dicho plano.

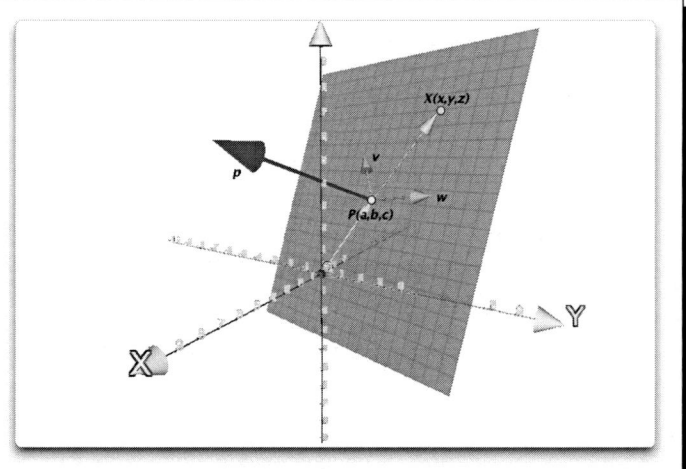

2.2.3　Posiciones relativas de dos rectas

Intuitivamente, dos rectas en el espacio solo pueden tener cuatro posiciones distintas:

(a) Las dos rectas se cortan en un punto, es decir, son secantes (véase la figura 2.4(a)).

(b) Las dos rectas coinciden punto a punto, son coincidentes.

(c) Las dos rectas son paralelas.

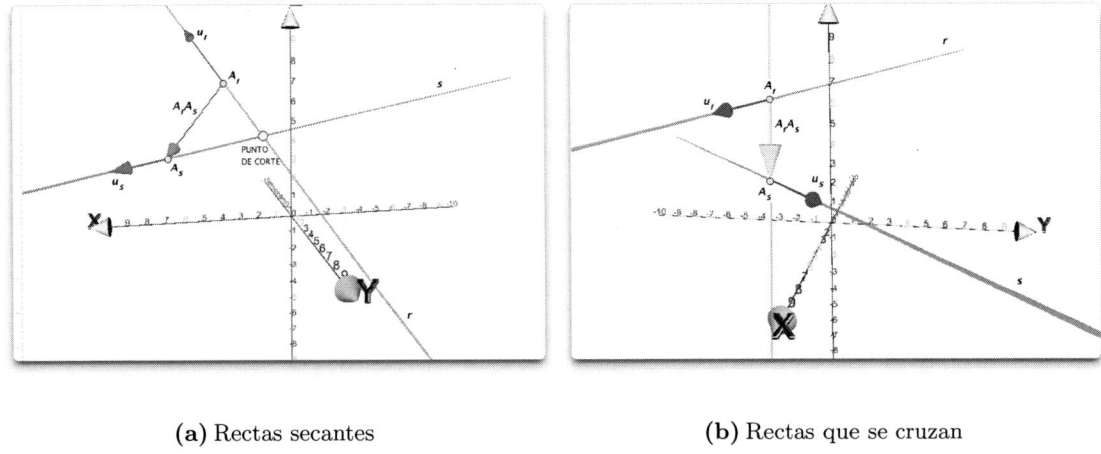

(a) Rectas secantes

(b) Rectas que se cruzan

Figura 2.3: *Posiciones relativas de rectas.*

(d) Las dos rectas se cruzan (véase la figura 2.4(b)).

Sean dos rectas r y s definidas por sus ecuaciones implícitas

$$r \begin{cases} Ax + By + Cz + D = 0 \\ A'x + B'y + C'z + D' = 0 \end{cases}, \qquad s \begin{cases} Hx + Jy + Kz + T = 0 \\ H'x + J'y + K'z + T' = 0. \end{cases}$$

Consideramos el sistema que forman las cuatro ecuaciones que definen las dos rectas

$$\left. \begin{aligned} Ax + By + Cz + D &= 0 \\ A'x + B'y + C'z + D' &= 0 \\ Hx + Jy + Kz + T &= 0 \\ H'x + J'y + K'z + T' &= 0 \end{aligned} \right\}.$$

Tenemos un sistema de cuatro ecuaciones con tres incógnitas. De aquí en adelante en todos los estudios que realizamos sobre posiciones relativas de rectas y planos denotaremos por M a la matriz de coeficientes del sistema, mientras que M^* representará la matriz ampliada del sistema (matriz de coeficientes y vector columna de términos independientes).

La discusión de este sistema nos proporciona la solución del problema de posiciones relativas entre rectas.

Notemos que el rango mínimo que puede tener la matriz del sistema es 2 debido a que dos ecuaciones del sistema representan una recta, por lo que no tiene sentido un rango inferior a 2, ya que no tendríamos las ecuaciones de dos rectas. Evidentemente, un rango de 2 en la matriz M representa que las dos rectas son coincidentes o paralelas.

La tabla 2.4 resume todos los casos posibles y su significado geométrico.

Los símbolos utilizados en la tabla 2.4 son: *CI, sistema compatible indeterminado*, **CD**, *sistema compatible determinado* e **In**, *sistema incompatible*.

	Rango M	Rango M^*	Sistema	Posición de las rectas
Caso 1	2	2	CI	Coincidentes
Caso 2	2	3	In	Paralelas
Caso 3	3	3	CD	Secantes
Caso 4	3	4	In	Se cruzan

Tabla 2.4: *Posiciones relativas de dos rectas.*

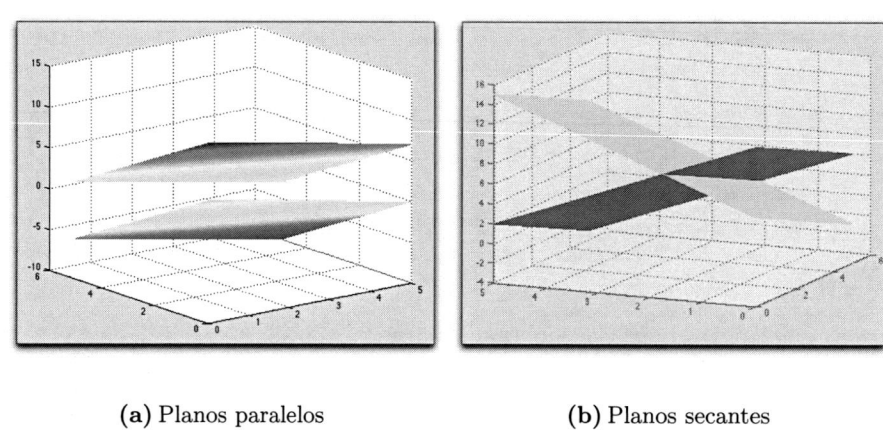

(a) Planos paralelos　　　　　　　　　　　(b) Planos secantes

Figura 2.4: *Posiciones relativas de planos.*

2.2.4　Posiciones relativas de dos planos

Desde un punto de vista intuitivo, dos planos en el espacio afín pueden ser coincidentes, con lo que tenemos el mismo plano, pueden ser secantes, es decir, se cortan en una recta o, por último, pueden no tener ningún punto en común, lo que significa que son paralelos.

Consideremos los planos

$$\begin{aligned} \alpha : Ax + By + Cz + D &= 0 \\ \beta : A'x + B'y + C'z + D' &= 0, \end{aligned}$$

que forman un sistema lineal con dos ecuaciones y tres incógnitas. Resolviendo dicho sistema obtenemos la solución al problema de la posición relativa entre dos planos.

Es evidente que dos planos no pueden cortarse en un punto. Desde el punto de vista algebraico esto es evidente puesto que el número de incógnitas es mayor que el número de ecuaciones, por lo que el sistema no puede ser compatible determinado (una única solución).

Para que los planos se corten en una recta los rangos de M y de M^* deben coincidir y ser igual a 2. Si el rango de ambas matrices coincide y es igual a 1, significa que los dos planos son coincidentes, mientras que si los rangos son distintos (rango de $M = 1$ y rango de $M^* = 2$) entonces el sistema es compatible indeterminado, no tiene solución, lo que geométricamente significa planos paralelos.

2.2.5 Posiciones relativas de tres planos

Sean los planos

$$
\begin{aligned}
\alpha : Ax + By + Cz + D &= 0 \\
\beta : A'x + B'y + C'z + D' &= 0 \\
\gamma : A''x + B''y + C''z + D'' &= 0.
\end{aligned}
$$

El estudio geométrico de la posición relativa de tres planos lo convertimos en el estudio de un sistema de tres ecuaciones con tres incógnitas y todos los casos posibles, aplicando el Teorema de Rouché-Frobenius.

Geométricamente, tres planos pueden estar en siete posiciones distintas:

(a) Los tres planos tienen un único punto en común.

(b) Los tres planos se cortan según una recta r.

(c) Los tres planos son coincidentes.

(d) Los tres planos se cortan dos a dos.

(e) Dos planos son paralelos y el tercero corta a ambos.

(f) Los tres planos son paralelos.

(g) Dos planos coinciden y el tercero es paralelo a ambos.

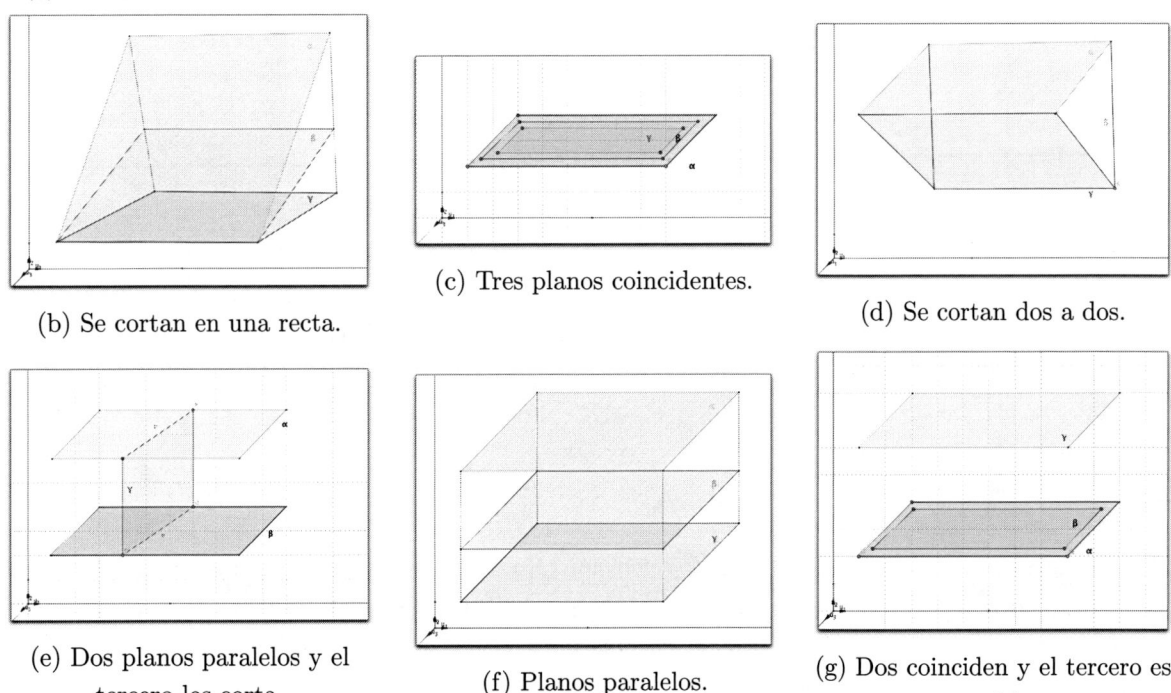

(b) Se cortan en una recta.

(c) Tres planos coincidentes.

(d) Se cortan dos a dos.

(e) Dos planos paralelos y el tercero los corta.

(f) Planos paralelos.

(g) Dos coinciden y el tercero es paralelo.

Notemos en este caso que tenemos tres ecuaciones con tres incógnitas, representando los tres planos. La discusión es compleja puesto que los rangos de la matriz del sistema, M y de la matriz ampliada, M^*, pueden variar desde 1 hasta 3, por lo que pueden darse cinco posibilidades.

La tabla 2.5 resume un estudio detallado de los distintos casos que se presentan en el estudio de las posiciones relativas de tres planos, atendiendo a los valores del rango de las matrices del sistema.

	Rango M	Rango M^*	Posición de los planos
Caso 1	3	3	Secantes. Se cortan en 1 punto
Caso 2	2	3	Planos secantes dos a dos
			Dos planos paralelos cortados por el otro
Caso 3	2	2	Planos secantes y distintos
			Dos coincidentes y uno secante
Caso 4	1	2	Planos paralelos distintos dos a dos
			Planos paralelos y dos coincidentes
Caso 5	1	1	Planos coincidentes

Tabla 2.5: *Posiciones relativas de tres planos.*

2.2.6 Posiciones relativas de recta y plano

Cuando nos planteamos, desde el punto de vista geométrico, cuáles pueden ser las posiciones que pueden adoptar una recta r y un plano α, concluimos las siguientes posibilidades:

(a) La recta corta al plano en un punto.

(b) La recta está en el plano

(c) La recta es paralela al plano.

Dada la recta

$$r \equiv \begin{cases} Ax + By + Cz + D = 0 \\ A'x + B'y + C'z + D' = 0 \end{cases}$$

y el plano

$$\alpha \equiv Hx + Ky + Jz + T = 0,$$

consideramos el sistema lineal de tres ecuaciones y tres incógnitas que forman

$$\left. \begin{array}{r} Ax + By + Cz + D = 0 \\ A'x + B'y + C'z + D' = 0 \\ Hx + Ky + Jz + T = 0. \end{array} \right\}$$

Aplicamos el teorema de Rouché para su resolución. En este caso, es sencilla la discusión del sistema puesto que tenemos el mismo número de ecuaciones que de incógnitas, tres. El único caso que se puede dar de incompatibilidad es que la matriz del sistema tenga rango dos y la ampliada tres.

No contemplamos el caso en que la matriz del sistema M tenga rango 1, puesto que es imposible ya que expresamos la ecuación de la recta como la intersección de dos planos, es decir, como intersección de dos ecuaciones de la forma $Ax + By + Cz + D = 0$. En consecuencia, no puede haber dos ecuaciones linealmente dependientes de la tercera.

Una vez aplicado el teorema de Rouché y estudiados todos los casos posibles, podemos establecer una clasificación como la que aparece en la tabla 2.6.

	Rango M	Rango M^*	Posición de los planos
Caso 1	3	3	Secantes. Se cortan en 1 punto
Caso 2	2	3	Plano y recta son paralelos
Caso 3	2	2	La recta está en el plano

Tabla 2.6: *Posiciones relativas de recta y plano.*

2.3 Distancias en el espacio

Comenzamos definiendo el concepto de distancia en un espacio cualquiera.

Definición 11 (distancia).

Sea A un conjunto no vacío, se llama **distancia** a una aplicación entre los conjuntos $A \times A$ y $\mathbb{R}^+ \cup 0$ tal que a toda pareja (x, y) de elementos de A le hace corresponder un número real $d(x, y)$ tal que se verifican los siguientes axiomas:

(a) $d(x, y) = 0$ si y solo si $x = y$, para todo $x, y \in A$.

(b) $d(x, y) = d(y, x)$, para todo $x, y \in A$.

(c) $d(x, y) \leqslant d(x, z) + d(z, y)$, para todo $x, y, z \in A$.

Es natural y lógico que la distancia entre dos puntos del espacio sea el módulo del vector cuyos extremos son dichos puntos.

Ejemplo 9 (distancia euclídea).

Analíticamente, establecemos que si los puntos son $X(x_1, x_2, x_3)$ e $Y(y_1, y_2, y_3)$, el vector $\overrightarrow{XY}$ tiene como coordenadas

$$\overrightarrow{XY} = Y - X = (y_1 - x_1, y_2 - x_2, y_3 - x_3).$$

Por lo tanto, la distancia entre X e Y es

$$d(X, Y) = |\overrightarrow{XY}| = \sqrt{(y_1 - x_1)^2 + (y_2 - x_2)^2 + (y_3 - x_3)^2}, \qquad (2.12)$$

suponiendo que la base es ortonormal.

La expresión (2.12) es muy importante puesto que nos proporciona una forma sencilla de calcular la distancia entre dos puntos del espacio por medio de sus coordenadas.

Antes de entrar en el estudio de las distancias entre los distintos elementos geométricos estudiados, conviene determinar las condiciones fundamentales de perpendicularidad y paralelismo entre planos y rectas.

Consideremos los planos

$$\pi \equiv Ax + By + Cz + D = 0,$$

cuyo vector perpendicular es $p(A, B, C)$, y

$$\pi' \equiv A'x + B'y + C'z + D' = 0,$$

cuyo vector perpendicular es $p'(A', B', C')$.

Consideremos las rectas

$$r \equiv \frac{x-a}{\alpha} = \frac{y-b}{\beta} = \frac{z-c}{\gamma},$$

cuyo vector director es $v(\alpha, \beta, \gamma)$, y

$$r' \equiv \frac{x-a'}{\alpha'} = \frac{y-b'}{\beta'} = \frac{z-c'}{\gamma'},$$

cuyo vector director es $v'(\alpha', \beta', \gamma')$.

Podemos resumir en el siguiente cuadro las condiciones fundamentales de paralelismo y perpendicularidad entre planos, rectas y plano-recta.

Dos planos

$$\pi \| \pi' \iff p \| p' \iff \frac{A}{A'} = \frac{B}{B'} = \frac{C}{C'}.$$

$$\pi \perp \pi' \iff p \perp p' \iff AA' + BB' + CC' = 0.$$

Dos rectas

$$r \| r' \iff v \| v' \iff \frac{\alpha}{\alpha'} = \frac{\beta}{\beta'} = \frac{\gamma}{\gamma'}.$$

$$r \perp r' \iff v \perp v' \iff \alpha\alpha' + \beta\beta' + \gamma\gamma' = 0.$$

Recta y plano

$$r \| \pi \iff v \perp p \iff A\alpha + B\beta + C\gamma = 0.$$

$$r \perp \pi \iff v \| p \iff \frac{A}{\alpha} = \frac{B}{\beta} = \frac{C}{\gamma}.$$

2.3.1   Distancia de un punto a un plano

Consideremos el plano $\pi \equiv Ax + By + Cz + D = 0$ y el punto $R(a, b, c)$.

Distancia punto-plano.

Para hallar la distancia de R a π trazamos, por R una recta perpendicular al plano, que lo corta en R'; entonces, $d = |\overrightarrow{RR'}|$, como podemos ver en la figura.

Distancia del punto (a, b, c) **al plano** $Ax + By + Cz + D = 0$

$$d = \left| \frac{Aa + Bb + Cc + D}{\sqrt{A^2 + B^2 + C^2}} \right|.$$

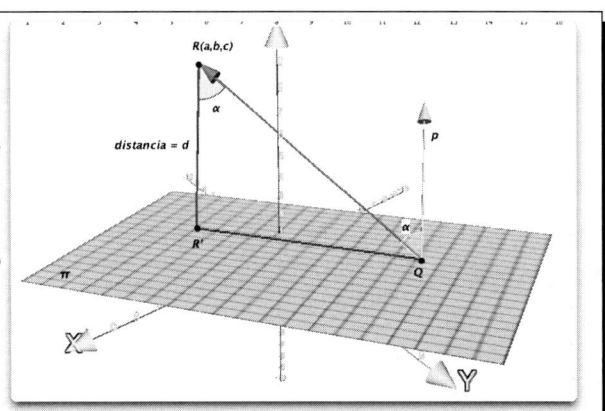

2.3.2 Distancia de un punto a una recta

Deseamos hallar la distancia del punto $R(h, k, l)$ a la recta

$$r \equiv \frac{x - a}{\alpha} = \frac{y - b}{\beta} = \frac{z - c}{\gamma}.$$

Distancia punto-recta.

Si trazamos por R un plano π, perpendicular a r, la distancia buscada es $d = |\overrightarrow{RR'}|$, siendo R' el punto en el que r corta a π, punto que se obtiene resolviendo el sistema de tres ecuaciones formado por la ecuación de π y las dos ecuaciones implícitas de r.

La distancia vendrá dada por la expresión

$$d = \frac{|\boldsymbol{v} \wedge \overrightarrow{PR}|}{|\boldsymbol{v}|}. \qquad (2.13)$$

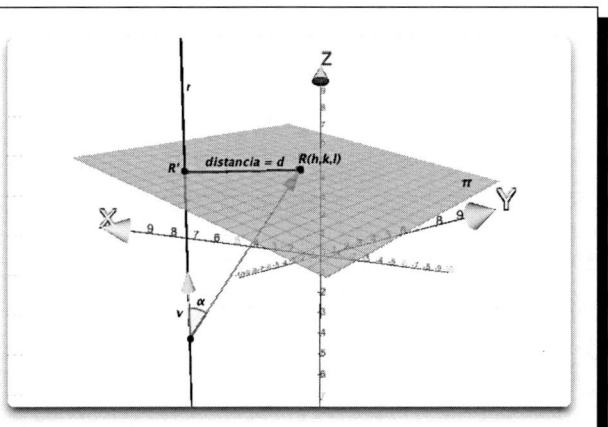

Ejemplo 10 (distancia de un punto a una recta).

Halle la distancia del punto $R(2, 3, 5)$ a la recta

$$r \equiv \frac{x - 1}{4} = \frac{y - 2}{3} = \frac{z + 1}{7}.$$

SOLUCIÓN: Resolvemos este ejercicio de forma constructiva, sin tener en cuenta la expresión (2.13).

(a) En primer lugar, hallamos la ecuación del plano π que contiene a R y que es perpendicular a r.

Para ello debemos de tener en cuenta que conocemos un punto del mismo, R y un vector perpendicular a él, v (el vector de r, ya que $r \perp \pi$).

Si $X(x, y, z)$ es un punto genérico del plano, el vector $\overrightarrow{RX}$ está en el plano, luego $\overrightarrow{RX} \perp v$, lo que nos lleva a que su producto escalar es cero, así que $\overrightarrow{RX} \cdot v = 0$, es decir,

$$(x - 2, y - 3, z - 5) \cdot (4, 3, 7) = 0,$$

luego el plano queda representado por la ecuación

$$\pi \equiv 4x + 3y + 7z - 52 = 0.$$

(b) En segundo lugar, calculamos el punto R', que es la intersección del plano π y la recta r. Para ello, resolvemos el sistema de tres ecuaciones correspondiente al plano y a las ecuaciones cartesianas de la recta, que son

$$r \equiv \begin{cases} 3x - 4y + 5 &=& 0 \\ 7y - 3z - 17 &=& 0. \end{cases}$$

Resolviendo el sistema

$$r \equiv \begin{cases} 4x + 3y + 7z - 52 &=& 0 \\ 3x - 4y + 5 &=& 0 \\ 7y - 3z - 17 &=& 0, \end{cases}$$

obtenemos la solución, que es

$$R'\left(\frac{135}{37}, \frac{295}{74}, \frac{269}{74} \right).$$

(c) Finalmente, la distancia entre el punto R y la recta r viene dada por el módulo del vector $\overrightarrow{RR'}$,

$$d = |\overrightarrow{RX}| = \sqrt{\left(\frac{135}{37} - 2 \right)^2 + \left(\frac{295}{74} - 3 \right)^2 + \left(\frac{269}{74} - 5 \right)^2}. \qquad \square$$

2.3.3   Distancia entre dos rectas

El estudio de la distancia entre dos rectas presenta dos casos distintos, dependiendo de que las rectas sean paralelas o se crucen. Notemos que es fácilmente detectable si dos rectas son paralelas extrayendo de sus ecuaciones los vectores directores de las mismas y comprobando si son o no proporcionales.

(a) *Las rectas son paralelas.*

Distancia recta-recta.

Sean las rectas r y r' cuya distancia queremos hallar. En este caso, basta con obtener el plano π perpendicular a ambas rectas; dicho plano las cortará en los puntos R y R' y entonces la distancia buscada será

$$d = |\overrightarrow{RR'}|$$

como se desprende de la figura.

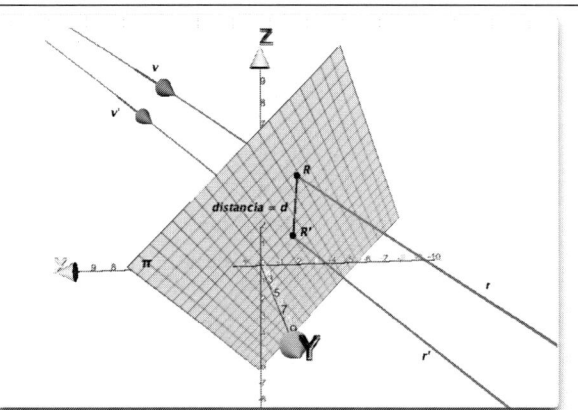

Ejemplo 11 (distancia entre rectas paralelas).

Calcule la distancia entre las rectas

$$r \equiv \frac{x-2}{3} = \frac{y-1}{4} = \frac{z-2}{1}, \qquad r' \equiv \frac{x-1}{3} = \frac{y-1}{4} = \frac{z-3}{1}.$$

SOLUCIÓN: Seguimos los pasos siguientes:

(1) En primer lugar, hallamos el plano π, perpendicular a ambas rectas. Un vector perpendicular a π es $\boldsymbol{v}(3,4,1)$ y un punto de r es $R(2,1,2)$, punto por el que va a pasar π (lo mismo se puede hacer para cualquier otro punto de r).

Si $X(x,y,z)$ es un punto genérico de π, entonces el vector $\overrightarrow{RX}$ está en π y será, por tanto, perpendicular al vector $\boldsymbol{v}(3,4,1)$, luego el producto escalar de estos vectores será cero:

$$\begin{aligned}
\overrightarrow{RX} \cdot \boldsymbol{v} &= (x-2, y-1, z-2) \cdot (3,4,1) \\
&= 3(x-2) + 4(y-1) + 1(z-2) = 0,
\end{aligned}$$

de donde

$$3x + 4y + z - 12 = 0 \equiv \pi.$$

(2) En segundo lugar, obtenemos la intersección de r' con π, es decir, el punto R'. La recta r' en forma paramétrica es

$$\begin{aligned}
x &= 3t + 1 \\
y &= 4t + 1 \\
z &= t + 3,
\end{aligned} \tag{2.14}$$

que sustituyendo en la ecuación del plano π nos queda la expresión

$$3(3t+1) + 4(4t+1) + (t+3) - 12 = 0.$$

Despejando t de forma adecuada, se llega a que $t = \frac{1}{13}$.

Ya únicamente queda sustituir en la expresión (2.14) el valor de t para obtener

$$
\begin{aligned}
x &= 3 \cdot \left(\tfrac{1}{13}\right) + 1 &= \tfrac{16}{13} \\
y &= 4 \cdot \left(\tfrac{1}{13}\right) + 1 &= \tfrac{17}{13} \\
z &= \frac{1}{13} + 3 &= \tfrac{40}{13}
\end{aligned}
$$

es decir, el punto $Q(\dfrac{16}{13}, \dfrac{17}{13}, \dfrac{40}{13})$.

(3) Finalmente, la distancia entre r y r' es

$$
d = |\overrightarrow{RR'}| = \sqrt{\left(\frac{16}{13} - 2\right)^2 + \left(\frac{17}{13} - 1\right)^2 + \left(\frac{40}{13} - 2\right)^2}
$$

$$
= \frac{2}{13}\sqrt{123}. \qquad \qquad \square
$$

(b) *Las rectas se cruzan.*

Estudiamos ahora el caso general en que dos rectas se cruzan en el espacio.

Consideramos las rectas de ecuaciones

$$
r \equiv \frac{x - a}{\alpha} = \frac{y - b}{\beta} = \frac{z - c}{\gamma}, \qquad r' \equiv \frac{x - a'}{\alpha'} = \frac{y - b'}{\beta'} = \frac{z - c'}{\gamma'}.
$$

Distancia recta-recta.

Sea s la recta perpendicular común a r y a r'. Entonces el vector de s, $\boldsymbol{w}$, será perpendicular al vector de r, $\boldsymbol{v}$, y al vector de r', $\boldsymbol{v'}$ (véase la figura), luego

$$
\boldsymbol{w} = \boldsymbol{v} \wedge \boldsymbol{v'}.
$$

La distancia entre r y r' es igual a la proyección del vector $\overrightarrow{PQ}$, siendo P un punto cualquiera de r, y Q un punto cualquiera de r', sobre la dirección de la perpendicular común. Por tanto,

$$
d = \left| \frac{\left[\overrightarrow{PQ}, \boldsymbol{v}, \boldsymbol{v'}\right]}{|\boldsymbol{v} \wedge \boldsymbol{v'}|} \right|. \qquad (2.15)
$$

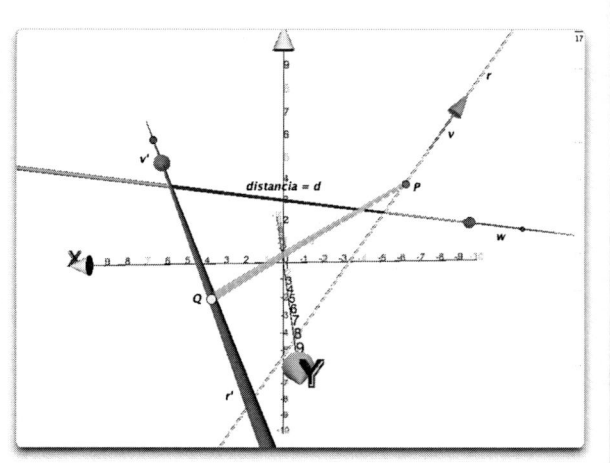

Para acabar con los problemas de distancias notemos que existe un procedimiento de cálculo muy utilizado en geometría analítica en el espacio que consiste en el cálculo de una recta perpendicular común a dos rectas que se cruzan, y que está involucrado en el problema de distancias entre rectas.

Consideremos las rectas

$$
r \equiv \frac{x - a}{\alpha} = \frac{y - b}{\beta} = \frac{z - c}{\gamma}, \qquad r' \equiv \frac{x - a'}{\alpha'} = \frac{y - b'}{\beta'} = \frac{z - c'}{\gamma'}
$$

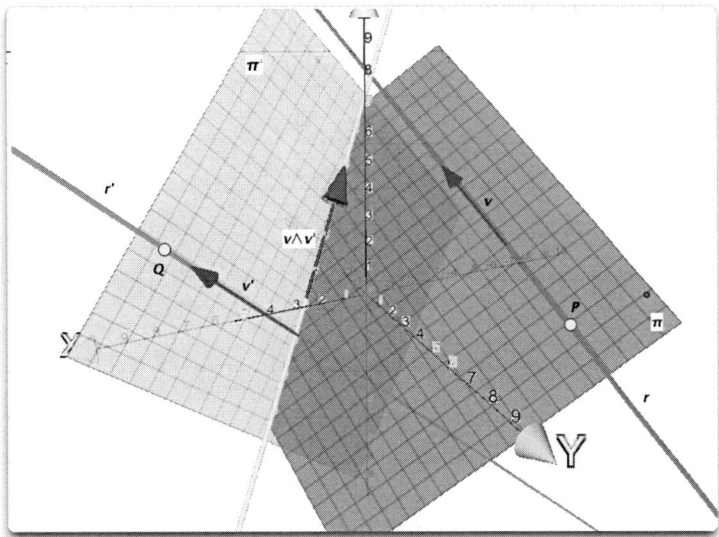

Figura 2.5: *Perpendicular común a dos rectas que se cruzan.*

y supongamos que se cruzan.

La recta perpendicular común a estas rectas o, lo que es lo mismo, la recta de color amarillo que aparece en la figura 2.5, sobre la que se mide la distancia entre r y r', es la recta que pertenece a los planos siguientes:

- Plano π: contiene a la recta r y su vector característico es perpendicular a los vectores v y $v \wedge v'$.
- Plano π': contiene a la recta r' y su vector característico es perpendicular a los vectores v' y $v \wedge v'$.

Por tanto, la recta buscada s será la intersección de los planos π y π'.

Después de realizar los cálculos oportunos, podemos obtener las ecuaciones implícitas o cartesianas de s, que son

$$s \equiv \begin{cases} \overrightarrow{PX} \cdot [v \wedge (v \wedge v')] &= 0 \\ \overrightarrow{QX} \cdot [v' \wedge (v \wedge v')] &= 0. \end{cases}$$

Ejemplo 12.

Determine la distancia entre las rectas

$$r \equiv \frac{x-2}{3} = \frac{y-1}{2} = \frac{z+5}{7}, \qquad r' \equiv \frac{x+1}{4} = \frac{y-3}{5} = \frac{z-1}{1}.$$

SOLUCIÓN: Tenemos los siguientes datos que podemos extraer de las rectas:

(a) Un punto cualquiera de r, que es $P(2,1,-5)$.

(b) Un punto cualquiera de r', que es $Q(-1,3,1)$.

(c) Un vector $\overrightarrow{PQ}(-1-2, 3-1, 1-(-5)) = (-3,2,6)$.

(d) Un vector de r, $v(3,2,7)$.

(e) Un vector de r', $v'(4,5,1)$.

Por lo tanto, utilizando (2.15), la distancia entre r y r' será:

$$d = \left| \frac{\left[\overrightarrow{PQ}, \boldsymbol{v}, \boldsymbol{v'} \right]}{|\boldsymbol{v} \wedge \boldsymbol{v'}|} \right| = \left| \frac{\begin{vmatrix} -3 & 2 & 6 \\ 3 & 2 & 7 \\ 4 & 5 & 1 \end{vmatrix}}{\mathrm{mod} \begin{vmatrix} u_1 & u_2 & u_3 \\ 3 & 2 & 7 \\ 4 & 5 & 1 \end{vmatrix}} \right| =$$

$$\left| \frac{\begin{vmatrix} -3 & 2 & 6 \\ 3 & 2 & 7 \\ 4 & 5 & 1 \end{vmatrix}}{\sqrt{\begin{vmatrix} 2 & 7 \\ 5 & 1 \end{vmatrix}^2 + \begin{vmatrix} 7 & 3 \\ 1 & 4 \end{vmatrix}^2 + \begin{vmatrix} 3 & 2 \\ 4 & 5 \end{vmatrix}^2}} \right| = \left| \frac{191}{\sqrt{1763}} \right|.$$

$\square$

2.4 Ángulos

2.4.1 Ángulo de dos planos

Estudiamos en esta sección el modo en que se calcula el ángulo dentre dos planos, tanto desde el punto de vista geométrico como analítico.

Consideremos los planos

$$\pi \equiv Ax + By + Cz + D = 0,$$

cuyo vector perpendicular es $\boldsymbol{p}(A, B, C)$, y

$$\pi' \equiv A'x + B'y + C'z + D' = 0,$$

cuyo vector perpendicular es $\boldsymbol{p'}(A', B', C')$.

> **Definición 12** (ángulo que forman dos planos).
>
> Se llama **ángulo de dos planos** al menor de los diedros que dichos planos forman al cortarse.

El ángulo que forman los planos π y π' es igual o suplementario al ángulo que forman los vectores $\boldsymbol{p}$ y $\boldsymbol{p'}$ como se aprecia en la figura 2.6.

Por lo tanto,

$$\cos \alpha = \left| \frac{\boldsymbol{p} \cdot \boldsymbol{p'}}{|\boldsymbol{p}||\boldsymbol{p'}|} \right| = \frac{|AA' + BB' + CC'|}{\sqrt{A^2 + B^2 + C^2}\sqrt{A'^2 + B'^2 + C'^2}}. \tag{2.16}$$

La expresión (2.16) es de una gran importancia en geometría analítica puesto que nos proporciona un modo sencillo para calcular el ángulo que forman dos vectores. En este caso, los vectores se encuentran

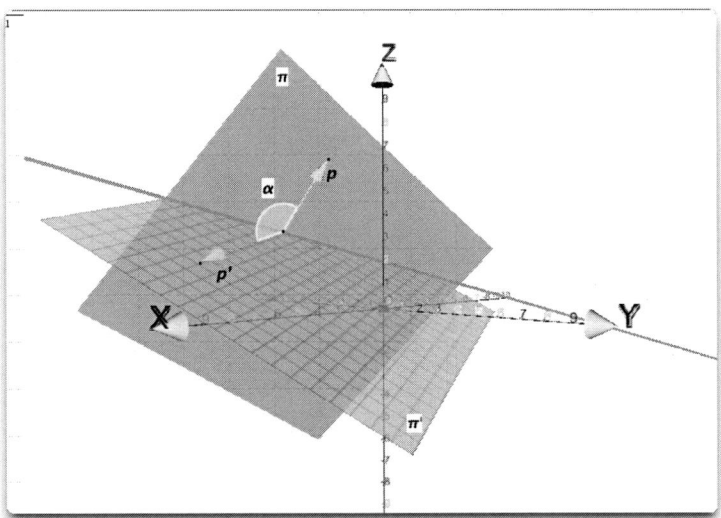

Figura 2.6: *Ángulo entre dos planos.*

asociados a sendos planos y, por consiguiente, podemos obtener el ángulo de dos planos mediante esta expresión. Pero es importante recalcar que dicha expresión va mucho más allá de lo que representa el cálculo del ángulo entre dos planos.

2.4.2 Ángulo de dos rectas

Consideremos las rectas

$$r \equiv \frac{x-a}{\alpha} = \frac{y-b}{\beta} = \frac{z-c}{\gamma},$$

cuyo vector director es $\boldsymbol{v}(\alpha, \beta, \gamma)$, y

$$r' \equiv \frac{x-a'}{\alpha'} = \frac{y-b'}{\beta'} = \frac{z-c'}{\gamma'},$$

cuyo vector director es $\boldsymbol{v}'(\alpha', \beta', \gamma')$.

Definición 13 (ángulo entre dos rectas).

Se llama **ángulo de dos rectas** al menor de los ángulos que forman sus paralelas por un punto cualquiera. El ángulo de dos rectas es el de sus vectores de dirección por lo que, si α es dicho ángulo,

$$\cos \alpha = \frac{\boldsymbol{v} \cdot \boldsymbol{v}'}{|\boldsymbol{v}||\boldsymbol{v}'|} = \frac{\alpha\alpha' + \beta\beta' + \gamma\gamma'}{\sqrt{\alpha^2 + \beta^2 + \gamma^2}\sqrt{\alpha'^2 + \beta'^2 + \gamma'^2}}. \tag{2.17}$$

2.4.3 Ángulo de recta y plano

Sea la recta

$$r \equiv \frac{x-a}{\alpha} = \frac{y-b}{\beta} = \frac{z-c}{\gamma},$$

cuyo vector director es $v(\alpha, \beta, \gamma)$, y el plano

$$\pi \equiv Ax + By + Cz + D = 0,$$

uno de cuyos vectores perpendiculares es $p(A, B, C)$.

Definición 14 (ángulo recta-plano).

El ángulo que forma una recta con un plano es el ángulo formado por dicha recta con su proyección ortogonal sobre el plano.

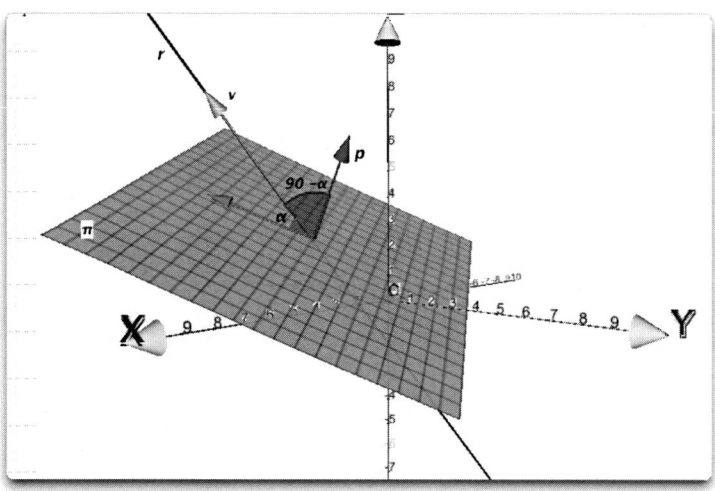

Figura 2.7: *Ángulo entre recta y plano.*

Como dicho ángulo es complementario del ángulo que forman la recta y una perpendicular al plano (véase la figura 2.7), si obtenemos el coseno de este último ángulo, (que es el que forman los vectores v y p), hemos calculado el seno del ángulo pedido. Así,

$$\operatorname{sen}\alpha = \cos(90 - \alpha) = \frac{A\alpha + B\beta + C\gamma}{\sqrt{A^2 + B^2 + C^2}\sqrt{\alpha'^2 + \beta'^2 + \gamma'^2}}. \tag{2.18}$$

2.5 Otros sistemas coordenados en el espacio

La geometría analítica se basa en una correspondencia entre las curvas estudiadas por la geometría y las ecuaciones estudiadas por el álgebra, lo que permite reformular los problemas geométricos en términos algebraicos. Esta correspondencia se basa, a su vez, en la correspondencia que establecieron simultáneamente Descartes y Pierre de Fermat entre los puntos del plano y los pares ordenados de números: **las coordenadas**.

Se cuenta que el origen de las coordenadas cartesianas fue realmente sosegado: un día, acostado en su cama de mañana, mientras observaba el movimiento de una mosca por el techo, Descartes ideó la forma de representar un punto mediante un par de números que indicasen su distancia respecto de dos de las paredes del cuarto. Independientemente de la veracidad de esta historia o no, lo cierto es que el sistema de coordenadas que Descartes expuso en su obra *La Geometrie* no era exactamente como el que utilizamos habitualmente, ya que solo el eje horizontal era dado, el otro no era necesariamente perpendicular. Además, solo se consideraba las curvas dentro del primer cuadrante.

Fermat también proporcionó los primeros avances en geometría analítica y utilizó, preferentemente, ejes perpendiculares.

Una vez establecida la correspondencia entre puntos y coordenadas, el siguiente concepto necesario para el desarrollo de la geometría analítica es el de *lugar geométrico*, ya manejado por autores antiguos, como Apolonio. Consiste en considerar conjuntos formados por los puntos que cumplen unas determinadas condiciones. Si estas condiciones se expresan como una relación entre las coordenadas de un punto genérico, tenemos la ecuación de una curva.

En algunos casos, las ecuaciones obtenidas mediante las coordenadas cartesianas son muy farragosas. Isaac Newton, en su obra *Método de Fluxiones*, presentó ocho tipos distintos de sistemas de coordenadas, de los que el séptimo de ellos es el que hoy conocemos como **coordenadas polares**. Algunos de estos sistemas son mucho más naturales que el cartesiano, ya que se trata de localizar un punto mediante su distancia (módulo) al lugar que se elija como origen de coordenadas y su orientación (argumento) respecto de una semirrecta que hemos elegido como ángulo cero.

Estudiamos brevemente dos de estos sistemas de coordenadas en el espacio: el sistema de **coordenadas cilíndricas** y el sistema de **coordenadas esféricas**.

2.5.1 Coordenadas cilíndricas

Las coordenadas cilíndricas son un sistema de coordenadas para definir la posición de un punto del espacio mediante un ángulo, una distancia con respecto a un eje y una altura en la dirección del eje.

El sistema de coordenadas cilíndricas es muy conveniente en aquellos casos en que se tratan problemas que tienen simetría de tipo cilíndrico o acimutal. Se trata de una versión en tres dimensiones de las coordenadas polares de la geometría analítica plana.

Un punto en el espacio puede representarse mediante las tres cantidades que aparecen dibujadas en la figura 2.8.

Dichas cantidades son:

- r, que llamamos **radio** y es la distancia radial entre P y el origen.
- θ, es el llamado **ángulo acimutal** o simplemente **acimut**. Es igual al ángulo que forma el eje i y el segmento resultante de unir el origen de coordenadas con la proyección del punto P sobre el plano ij.
- z, es la coordenada z del sistema cartesiano.

Las coordenadas cartesianas (x, y, z) de un punto P con coordenadas cilíndricas (r, θ, z) pueden ser calculadas mediante el conjunto de ecuaciones

$$
\begin{aligned}
x &= r\cos\theta \\
y &= r\,\mathrm{sen}\,\theta \\
z &= z.
\end{aligned}
$$

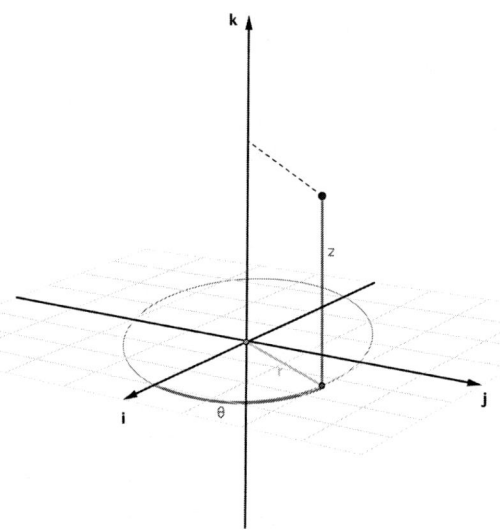

Figura 2.8: *Coordenadas cilíndricas de un punto P.*

2.5.2   Coordenadas esféricas

El sistema de coordenadas esféricas se basa en la misma idea que las coordenadas polares en el plano y se utiliza para determinar la posición espacial de un punto mediante una distancia y dos ángulos.

Un punto en el espacio puede representarse mediante las tres cantidades que aparecen dibujadas en la figura 2.9.

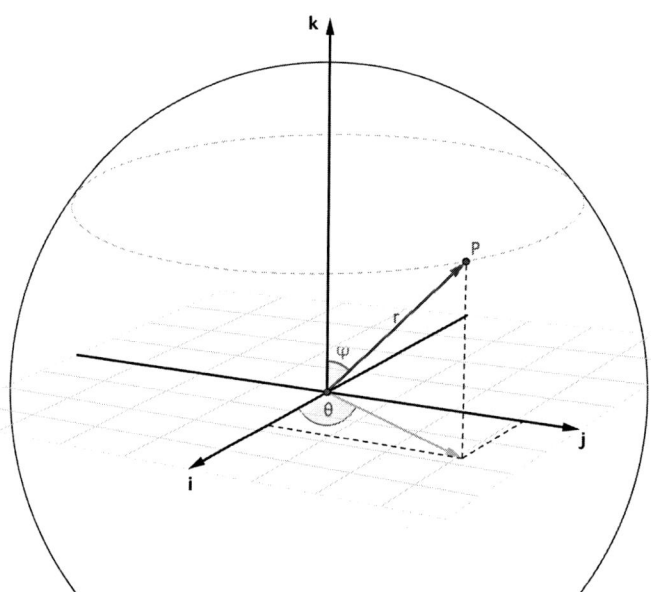

Figura 2.9: *Coordenadas esféricas de un punto P.*

Dichas cantidades son:

- r, que llamamos **radio** y es la distancia entre P y el origen.
- θ, es el llamado **ángulo acimutal** o simplemente **acimut**. Es igual al ángulo que forma el eje i y el segmento resultante de unir el origen de coordenadas con la proyección del punto P sobre el plano ij.
- φ, es el llamado **ángulo polar** o ángulo que forman el eje k con la línea que une P con el origen de coordenadas. Siempre se verifica que $0 \leqslant \varphi \leqslant \pi$.

Las coordenadas cartesianas (x, y, z) de un punto P cuyas coordenadas esféricas son (r, θ, φ) pueden obtenerse mediante el conjunto de ecuaciones

$$
\begin{aligned}
x &= r \operatorname{sen} \varphi \cos \theta \\
y &= r \operatorname{sen} \varphi \operatorname{sen} \theta \\
z &= \cos \varphi.
\end{aligned}
$$

El uso más evidente de las coordenadas esféricas lo constituye la geografía. Para identificar un punto de la superficie terrestre indicamos su **latitud** y su **longitud**. La latitud es la altura respecto al ecuador. Este ángulo es el complementario de la coordenada polar angular (por lo cual a ésta se la llama también colatitud). La latitud, en lugar de variar de 0 (en el Polo Norte) a π (en el Polo Sur) lo hace desde 90° a $-90°$.

La longitud es la distancia angular respecto a un meridiano fijo (el de Greenwich). Equivale a la coordenada acimutal φ.

La coordenada radial corresponde a la distancia al centro de la Tierra. La altitud z de un punto de la superficie equivale al valor de $r = z + R_T$ con R_T el radio de la Tierra (suponiendo esta una esfera, lo que es solo una aproximación).

2.6 Aplicaciones

Códigos detectores de errores

A lo largo de la historia, las personas han utilizado distintos *códigos* para transmitir información, siendo el código morse, con su sistema de puntos y rayas, uno de los ejemplos más conocidos.

La aparición de los ordenadores a mediados del siglo XX generó la necesidad de transmitir cantidades inmensas de datos de forma rápida y precisa. Muchos avances tecnológicos dependen de los códigos, encontrándolos en la vida diaria, muchas veces sin tener consciencia de ello: comunicaciones vía satélite, reproductores de discos compactos, el código EAN (*European Article Number*) que aparece en los códigos de barras de la mayoría de productos que encontramos en el supermercado, el ISBN (*International Standard Book Number*) que se encuentra en cada libro, o el CCC (Código de Cuenta Cliente) utilizado por los bancos y cajas de ahorro, son solo algunos ejemplos de códigos.

En esta sección utilizamos vectores para diseñar códigos que permiten detectar los posibles errores que se pueden presentar durante la transmisión de los datos. En capítulos posteriores construiremos códigos que no solo podrán detectar errores, sino también corregirlos.

Los vectores que aparecen en el estudio de los códigos no son los familiares de $\mathbb{R}^n$ sino vectores cuyas componentes son elementos de un determinado conjunto finito. Además, se basan en una aritmética diferente a la de los números reales, llamada *aritmética modular*, que desarrollamos en esta sección.

Debido a que los ordenadores representan los datos mediante secuencias de 0 y 1 (es decir, secuencias de *bits*[1]), comenzamos estudiando los **códigos binarios** que consisten en vectores cuyas componentes pueden ser solamente 0 o 1. En este contexto, debemos modificar las reglas habituales de la aritmética, ya que el resultado de una operación con escalares debe ser un 0 o un 1. Así, la adición y multiplicación de escalares se efectúa de acuerdo con las tablas siguientes:

$+_2$	0	1
0	0	1
1	1	0

$\cdot_2$	0	1
0	0	0
1	0	1

Con estas operaciones, el conjunto de escalares $\{0, 1\}$ se denota por $\mathbb{Z}_2$ y recibe el nombre de conjunto de los **enteros módulo** 2.

Así, en $\mathbb{Z}_2$ tenemos que:

- $1 +_2 0 +_2 1 +_2 1 = 1$
- $(1 +_2 1 +_2 0 +_2 1) \cdot_2 (1 +_2 0 +_2 1) = 1 \cdot_2 0 = 0$

Denotamos por $\mathbb{Z}_2^n$ el conjunto de n-tuplas binarias, es decir,

$$\mathbb{Z}_2^n = \big\{ (u_1, u_2, \ldots, u_n) \mid u_i \in \mathbb{Z}_2 \text{ para } i = 1, 2, \ldots, n \big\}.$$

---

[1] Un *bit*, abreviación de *bi*nary digi*t*, es un 0 o un 1.

Los elementos de $\mathbb{Z}_2^n$ también se llaman **vectores binarios** de longitud n.

Claramente, el número de vectores binarios de longitud n, es decir, el número de elementos de $\mathbb{Z}_2^n$, es 2^n.

La adición y multiplicación por un escalar se realizan componente a componente (módulo 2). Así, si $\boldsymbol{u} = (1,0,1,1,0)$ y $\boldsymbol{v} = (1,1,0,1,0)$ son dos vectores binarios de longitud 5, entonces

$$\boldsymbol{u} +_2 \boldsymbol{v} = (1,0,1,1,0) +_2 (1,1,0,1,0)$$
$$= (1 +_2 1, 0 +_2 1, 1 +_2 0, 1 +_2 1, 0 +_2 0)$$
$$= (0,1,1,0,0).$$

En cambio,

$$0\boldsymbol{u} = \boldsymbol{0} \qquad \text{y} \qquad 1\boldsymbol{u} = \boldsymbol{u}.$$

Finalmente,

$$\langle \boldsymbol{u}, \boldsymbol{v} \rangle = 1 \cdot_2 1 +_2 0 \cdot_2 1 +_2 1 \cdot_2 0 +_2 1 \cdot_2 1 +_2 0 \cdot_2 0$$
$$= 1 +_2 0 +_2 0 +_2 1 +_2 0 = 0.$$

Definición 15 (código binario).

Un **código binario** $\mathcal{C}$ de longitud n es un subconjunto de $\mathbb{Z}_2^n$. Los elementos de $\mathcal{C}$ se llaman **vectores código** o **palabras código**.

Definición 16 (codificación).

Llamamos **codificación** al proceso por el que transformamos un cierto mensaje (consistente en palabras, números o símbolos) en vectores código. Llamamos **decodificación** al proceso por el que recuperamos el mensaje a partir de los vectores código.

Supongamos que ya hemos codificado un mensaje como un conjunto de vectores código de un código binario. Ahora deseamos enviar dichos vectores a través de un canal (tal como un radiotransmisor, una línea telefónica, un cable de fibra óptica, un láser de CD, etc.). Desafortunadamente, como consecuencia del *ruido* (interferencias eléctricas, suciedad, etc.) al que está sometido el canal, pueden aparecer errores, es decir, algún 0 se puede cambiar por un 1 o viceversa. El ejemplo siguiente muestra una forma de protegernos frente a tales problemas:

MENSAJE	norte	sur	este	oeste
CÓDIGO	$(0,0)$	$(0,1)$	$(1,0)$	$(1,1)$

Tabla 2.7: *Código binario de longitud 2 del ejemplo 13.*

MENSAJE	norte	sur	este	oeste
CÓDIGO	$(0,0,0)$	$(0,1,1)$	$(1,0,1)$	$(1,1,0)$

Tabla 2.8: *Código binario de longitud 3 del ejemplo 13.*

Ejemplo 13 (código detector de errores).

Deseamos codificar y transmitir un mensaje formado por una de las palabras siguientes: norte, sur, este y oeste. Para ello decidimos utilizar los cuatro vectores de $\mathbb{Z}_2^2$ tal como indicamos en la tabla 2.7. Si el receptor también dispone de la tabla 2.7 y el mensaje codificado se transmite sin errores, entonces la decodificación es trivial.

Supongamos ahora que, como consecuencia del ruido, se produce un error en la transmisión, es decir, una de las componentes del vector código ha cambiando. En la práctica, la probabilidad de cometer errores es insignificantemente pequeña. Así, si el emisor envía el mensaje "norte" codificado como $(0,0)$ pero el receptor recibe el vector $(1,0)$, entonces decodifica el mensaje recibido como "este" que es incorrecto. Incluso en el caso de que el receptor pudiera saber que ha ocurrido un error, no sabría si el vector código correcto enviado fue $(0,0)$ o $(1,1)$.

Para poder detectar errores, codificamos los mensajes como vectores de $\mathbb{Z}_2^3$, es decir, mediante vectores binarios de longitud 3, tal como indicamos en la tabla 2.8. De esta forma, si el emisor envía el mensaje "norte" codificado como $(0,0,0)$ y se produce un error en la transmisión, entonces el receptor recibirá uno de los vectores $(0,0,1)$, $(0,1,0)$ o $(1,0,0)$ y, por tanto, sabrá que se ha producido un error ya que ninguno de estos vectores es un vector código. Sin embargo, no sabrá en qué componente se ha producido el error (¿por qué?), con lo que deberá solicitar la retransmisión del mensaje.

El código definido por la tabla 2.8 es un **código detector de un error** porque permite detectar un error, aunque no permite su corrección. Notemos que dicho código se ha obtenido añadiendo a cada una de las palabras código de la tabla 2.7 una componente extra de manera que el número total de 1 de la nueva palabra código sea par. Se trata pues, de un **código de control de paridad**.

En general, si el mensaje que queremos codificar corresponde al vector binario $b = (b_1, b_2, \ldots, b_n) \in \mathbb{Z}_2^n$, entonces el vector código de control de paridad es $v = (b_1, b_2, \ldots, b_n, d) \in \mathbb{Z}_2^{n+1}$, donde el dígito de control d se elige de modo que

$$b_1 +_2 b_2 +_2 \cdots +_2 b_{n+1} +_2 d = 0 \quad \text{en} \quad \mathbb{Z}_2$$

o equivalentemente

$$\langle \mathbf{1}, v \rangle = 0,$$

donde $\mathbf{1}$ es el vector de longitud $n+1$ con todas las componentes iguales a 1. Decimos que $\mathbf{1}$ es el **vector de control de paridad** ya que si el receptor recibe el vector u y $\langle \mathbf{1}, u \rangle = 1$, entonces podemos afirmar que ha ocurrido un error.

Podemos generalizar la aritmética módulo 2 a cualquier entero q. Así, el conjunto de los enteros módulo q es

$$\mathbb{Z}_q = \{0, 1, 2, \ldots, q-1\}$$

con la adición y la multiplicación definidas como

$$a +_q b = (a+b) \bmod q \qquad \text{y} \qquad a \cdot_q b = (a \cdot b) \bmod q.$$

Así, la suma y el producto de dos elementos de $\mathbb{Z}_q$ es también un elemento de $\mathbb{Z}_q$ con lo que $\mathbb{Z}_q$ es **cerrado** para dichas operaciones.

Por ejemplo, para $q = 5$ las tablas de la adición y la multiplicación son

$+_q$	0	1	2	3	4
0	0	1	2	3	4
1	1	2	3	4	0
2	2	3	4	0	1
3	3	4	0	1	2
4	4	0	1	2	3

$\cdot_q$	0	1	2	3	4
0	0	0	0	0	0
1	0	1	2	3	4
2	0	2	4	1	3
3	0	3	1	4	2
4	0	4	3	2	1

Es fácil comprobar que si q es un número primo, entonces $\mathbb{Z}_q$ se comporta en muchos aspectos como $\mathbb{R}$: podemos sumar, restar, multiplicar y dividir (por elementos no nulos); en otras palabras, $(\mathbb{Z}_q, +_q, \cdot_q)$ satisface las propiedades de un cuerpo.

La extensión de la suma y la multiplicación de $\mathbb{Z}_q$ a la suma de vectores y producto de un escalar por un vector es directa. Así, en $\mathbb{Z}_5^4$ si

$$\boldsymbol{u} = (2, 0, 1, 3), \quad \boldsymbol{v} = (3, 1, 0, 4) \quad \text{y} \quad \alpha = 3$$

entonces

$$\boldsymbol{u} +_5 \boldsymbol{v} = (2 +_5 3, 0 +_5 1, 1 +_5 0, 3 +_5 4) = (0, 1, 1, 2),$$

$$\alpha\boldsymbol{u} = (3 \cdot_5 2, 3 \cdot_5 0, 3 \cdot_5 1, 3 \cdot_5 3) = (1, 0, 3, 4)$$

y

$$\langle \boldsymbol{u}, \boldsymbol{v} \rangle = 2 \cdot_5 3 +_5 0 \cdot_5 1 +_5 1 \cdot_5 0 +_5 3 \cdot_5 4 = 1 +_5 0 +_5 0 +_5 2 = 3.$$

En general, nos referiremos a los vectores de $\mathbb{Z}_q^n$ como vectores q-arios de longitud n.

Además, escribiremos $+$ y $\cdot$ en lugar de $+_q$ y $\cdot_q$ respectivamente, cuando no haya posibilidad de confusión con el entero q que estemos considerando.

Terminamos esta sección con la descripción de un código que permite detectar errores simples.

Ejemplo 14 (ISBN).

Cada libro tiene asociado un número llamado ISBN (*International Standard Book Number*) formado por diez dígitos. Los siguientes son algunos ejemplos de ISBN

0-13-067464-6, 0-444-85193-3, 3-540-97450-4, 3-540-00706-7,

84-8454-081-2, 84-404-8586-7, 84-89727-35-X, 968-880-799-0.

El primer grupo representa el país de edición del libro, el segundo representa la editorial, el tercero es el número que la editorial asigna al libro y el último dígito es redundante. Los guiones tienen como única finalidad facilitar la lectura, pero son ignorados desde un punto de vista formal.

Para que

$$d_1 d_2 d_3 d_4 d_5 d_6 d_7 d_8 d_9 d_{10}$$

sea un ISBN debe cumplir las dos condiciones siguientes:

- $0 \leq d_i \leq 9$ para $i = 1, 2, 3, 4, 5, 6, 7, 8, 9$.
- $d_{10} = (d_1 + 2d_2 + 3d_3 + 4d_4 + 5d_5 + 6d_6 + 7d_7 + 8d_8 + 9d_9) \bmod 11$. Si $d_{10} = 10$, escribimos X en lugar de 10 ya que, para evitar confusiones, es preferible que cada componente de un ISBN sea un solo dígito.

Notemos que al ser $-1 = 10 \bmod 11$ (¿por qué?), podemos escribir la última expresión como

$$d_1 + 2d_2 + 3d_3 + 4d_4 + 5d_5 + 6d_6 + 7d_7 + 8d_8 + 9d_9 + 10d_{10} = 0$$

con las operaciones realizadas en $\mathbb{Z}_{11}$, o equivalentemente

$$\langle (d_1, d_2, d_3, d_4, d_5, d_6, d_7, d_8, d_9, d_{10}), (1, 2, 3, 4, 5, 6, 7, 8, 9, 10) \rangle = 0$$

es decir $(1, 2, 3, 4, 5, 6, 7, 8, 9, 10)$ es el vector de control del código ISBN.

Ahora para averiguar si 84-08-04214-9 y 0-521-59374-1 corresponden a ISBN correctos, calculamos en $\mathbb{Z}_{11}$

$$1 \cdot 8 + 2 \cdot 4 + 3 \cdot 0 + 4 \cdot 8 + 5 \cdot 0 + 6 \cdot 4 + 7 \cdot 2 + 8 \cdot 1 + 9 \cdot 4 + 10 \cdot 9 = 0$$

y

$$1 \cdot 0 + 2 \cdot 5 + 3 \cdot 2 + 4 \cdot 1 + 5 \cdot 5 + 6 \cdot 9 + 7 \cdot 3 + 8 \cdot 7 + 9 \cdot 4 + 10 \cdot 1 = 2$$

con lo que el primer número representa un ISBN correcto, mientras que el segundo no lo es.

En el año 2007 se modificó el código original ISBN de 10 dígitos, que pasó a ser de 13 dígitos. Ahora está formado por cinco grupos de dígitos, en lugar de cuatro. Para los libros, el primer grupo de números es el 978, que identifica el producto libro. El dígito de control también ha cambiado en muchos casos, puesto que hay que recalcular el código. Cuando la capacidad actual del prefijo 978 se agote, se seguirá con el 979.

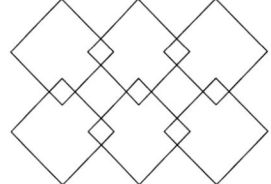

Dimensiones superiores

○ ● ○ ● ○ ● ○ ● ○ ● ○ ● ○ ● ○ ● ○

2.6.1 La cuarta dimensión

Una recta es de dimensión uno porque para situarse sobre una recta es suficiente un solo número. Se trata de la abscisa de un punto, negativa a la izquierda de un origen y positiva a su derecha.

El plano es de dimensión dos porque para situarse en un plano se pueden trazar dos rectas perpendiculares en el mismo y localizar los puntos en relación con estos dos ejes: son la abscisa y la ordenada.

El espacio en el que nos movemos es de dimensión tres. Todo punto del espacio puede, por consiguiente, ser localizado por medio de tres números denotados tradicionalmente como x, y, z.

Por supuesto que nos gustaría continuar así, pero no es posible trazar un cuarto eje perpendicular a los tres precedentes; no es una sorpresa, ya que el espacio físico en el que vivimos es de dimensión 3 y no es ahí donde hay que ir a buscar la cuarta dimensión, sino más bien en nuestra imaginación.

Edwin Abbott (Londres, 1838-1926), profesor, escritor y teólogo inglés, es conocido por ser el autor de la sátira matemática *Flatland, romance of many dimensions* (*Planilandia, una novela de muchas dimensiones*, 1884). Flatland es un cuento de las aventuras de un cuadrado en un mundo bidimensional. En él Abbott intenta popularizar las nociones de geometría multidimensional pero el libro es también una sátira inteligente de los valores sociales, morales, y religiosos del período.

Ludwig Schläfli (1814-1895) nos propone diversos métodos para intentar comprender y visualizar objetos cuadrimensionales en un espacio tridimensional. Es algo parecido a lo que habría que hacer para explicarle a un ser bidimensional cómo es un objeto tridimensional.

Planilandia: Una novela de muchas dimensiones, es una genial novela satírica de 1884 escrita por Edwin Abbott bajo el seudónimo *A Square*. El libro habla acerca de un mundo bidimensional llamado Planilandia. El narrador, un humilde cuadrado, nos guía a través de algunas de las implicaciones de su vida en dos dimensiones. Se ha realizado una película en 2007 llamada *Flatland* basada en esta novela. En la página *www.flatlandthefilm.com/* encontramos información sobre esta película y hay un enlace para descargarnos la novela de forma gratuita.

Desde el punto de vista matemático, podemos simplemente decretar que un punto del espacio de dimensión 4 es, ni más ni menos, el dato de cuatro números x, y, z, t, donde cada número representa una coordenada. El inconveniente de abordar así la cuarta dimensión es que no visualizamos gran cosa, pero es un procedimiento completamente lógico. También podemos intentar copiar las definiciones habituales en dimensión 2 y 3 para intentar definir objetos en cuatro dimensiones.

El símplice.
El segmento tiene dos extremos y está en dimensión 1. El triángulo tienen tres vértices y está en dimensión 2. El tetraedro tiene cuatro y está en dimensión 3. Es tentador pensar que existe un objeto en el espacio de dimensión 4 con cinco vértices que continúa con la serie. En el triángulo y en el tetraedro hay una arista que une cada dos vértices. Si intentamos hacer esto para los cinco vértices, observamos que necesitamos diez aristas. Después intentamos naturalmente colocar caras triangulares para cada terna de vértices. Encontramos también diez. Y luego, seguimos colocando un tetraedro para cada cuaterna de vértices. El objeto que acabamos de construir no tiene una naturaleza muy clara..., conocemos sus vértices, aristas, caras, caras tridimensionales, pero no lo vemos todavía muy bien. Dicho objeto es un **símplice**.

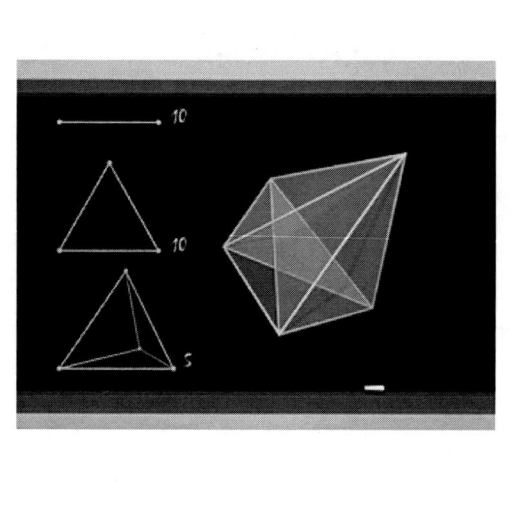

2.6.2 Los poliedros de Schläfli

Los polígonos se trazan en el plano y los poliedros en el espacio de dimensión 3. Los objetos análogos en dimensión 4 (¡o más!) reciben el nombre general de **politopos**, aunque a menudo se les llama también poliedros, sin más.

Jos Leys, Étienne Ghys y Aurélien Alvarez han creado un conjunto de vídeos magníficos llamados *Dimensions* que nos van dirigiendo poco a poco hacia la cuarta dimensión. Han sido traducidos a varios idiomas y pueden incluso verse online en la página web *www.dimensions-math.org*.

Así como Platón habló de los poliedros regulares en el espacio usual de dimensión 3, Schläfli describió los poliedros regulares en el espacio de dimensión 4. Algunos tienen una riqueza inimaginable. Tenemos aquí una de las más bellas contribuciones de Schläfli: la descripción precisa de los seis poliedros regulares en dimensión 4. Como están en dimensión 4, tienen vértices, aristas, caras planas y caras de dimensión 3, lo que resulta muy complicado desde el punto de vista visual.

En la tabla 2.9 se indica el nombre de cada poliedro, con su número de vértices, aristas, caras planas y caras.

Nombre simple	Vértices	Aristas	Caras 2D	Caras 3D
Símplice	5	10	10 triángulos	5 tetraedros
Hipercubo	16	32	24 cuadrados	8 cubos
16	8	24	32 triángulos	16 tetraedros
24	24	96	96 triángulos	24 octaedros
120	600	1200	720 pentágonos	120 dodecaedros
600	120	720	1200 triángulos	600 tetraedros

Tabla 2.9: *Poliedros de Schläfli.*

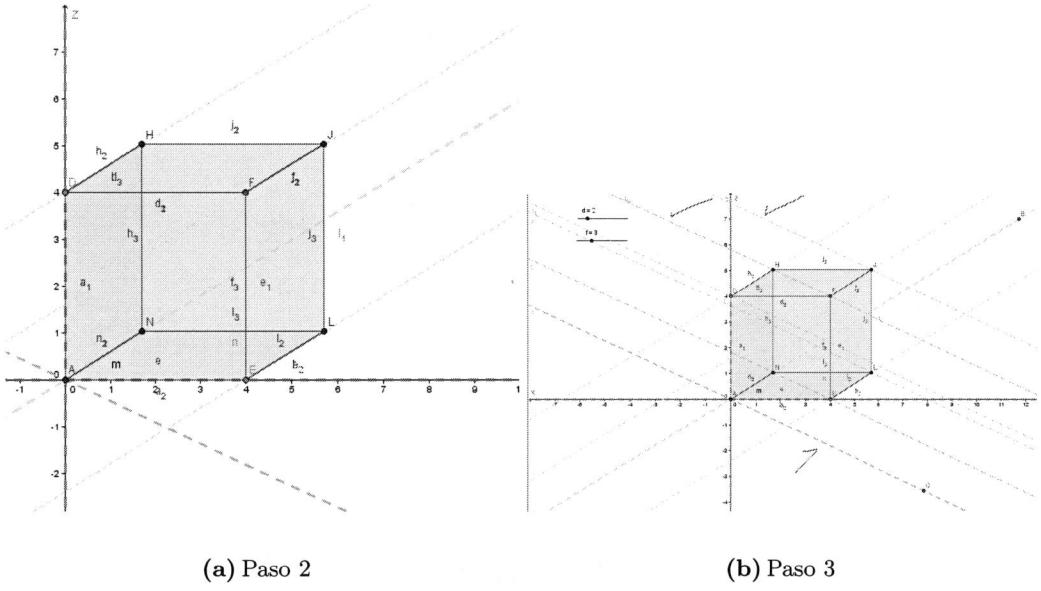

(a) Paso 2   (b) Paso 3

Figura 2.10: *Construcción de un hipercubo.*

Un hipercubo con GeoGebra. (hipercubo.ggb)

Vamos a crear con la ayuda de GeoGebra (www.geogebra.org) un hipercubo.

Los poliedros en cuatro dimensiones pueden representarse con la ayuda de cuatro ejes de coordenadas. Tomamos los ejes de las tres dimensiones (X, Y, Z) y además creamos uno, por ejemplo t, a cualquier ángulo de los otros tres.

Los pasos que seguimos para la construcción del hipercubo los podemos resumir así.

Paso 1. Dibujamos los cuatro ejes, X, Y, Z, t.

Paso 2. Dibujamos la figura del cubo en tres dimensiones ignorando el eje t, (véase la figura 2.10(a)).

Paso 3. Por cada vértice de la figura se trazan paralelas al eje t que pasen por dichos puntos, véase la

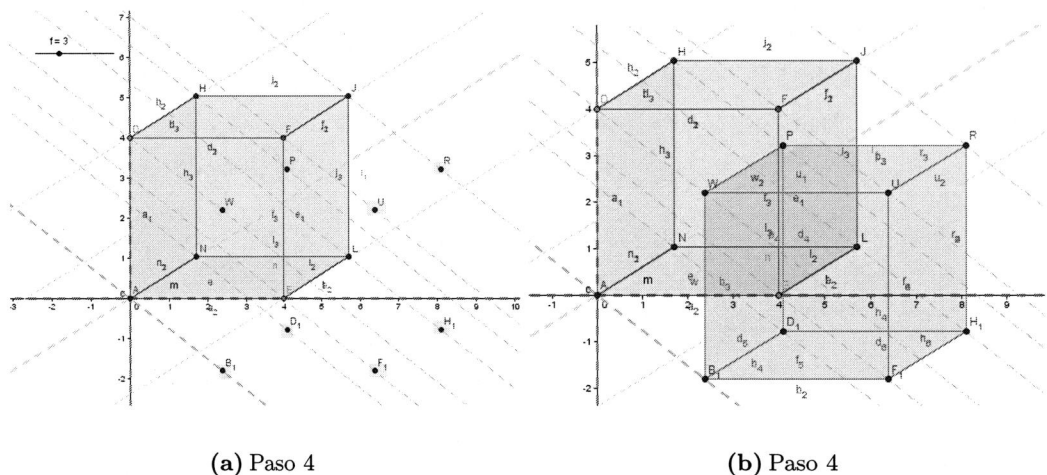

(a) Paso 4   (b) Paso 4

Figura 2.11: *Construcción de un hipercubo.*

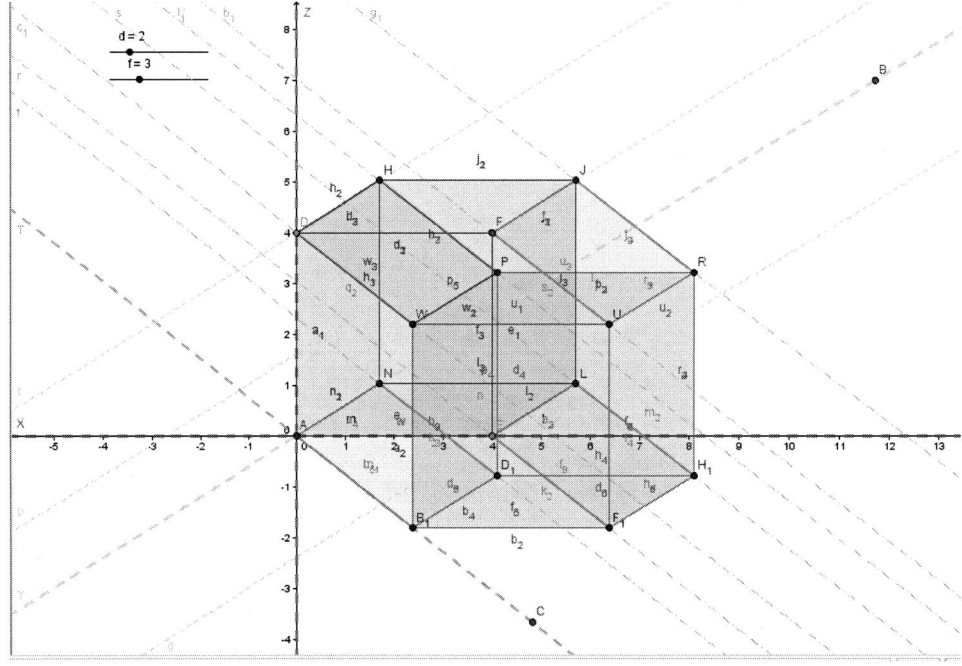

Figura 2.12: *Imagen final de la construcción del hipercubo.*

figura 2.10(b).

Paso 4. Elegimos una distancia cualquiera d y, a esa distancia de cada vértice en su recta, colocamos un punto. Es como si trasladásemos la figura(una copia de ella) a una distancia d siguiendo el eje t. (Puntos marcados, como se muestra en la figura 2.11).

Paso 5. Unimos cada vértice original con su homólogo (figura 2.12).

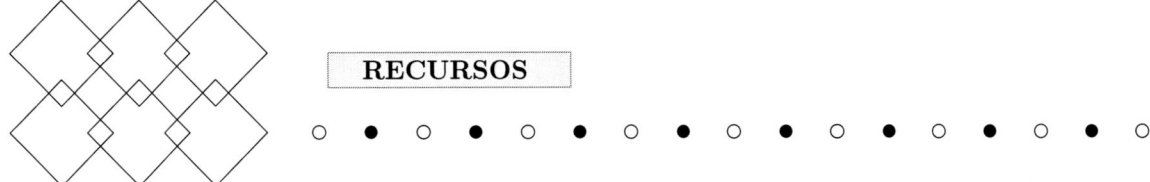

RECURSOS

Del tema de geometría analítica existen innumerables recursos e información adicional en la red digna de tener en cuenta. A continuación, enumeramos algunas páginas web que consideramos interesantes y cuyos contenidos están relacionados con los conceptos y contenidos tratados en este capítulo.

- `www.dimensions-math.org`

  Ya hemos comentado que en esta página encontramos un conjunto de nueve capítulos dedicados a la comprensión de la geometría de la cuarta dimensión. Son capítulos extraordinarios en los que los autores realizan una serie de animaciones y explicaciones que van desde los conceptos más básicos hasta conceptos tan complejos como la teoría de fibraciones. Podemos descargarnos los vídeos o contemplarlos online. Sin duda es un recurso visual magnífico.

- `www.epsilones.com/paginas/t-historias1.html`

  En esta página se presentan distintas *historias matemáticas* que resultan bastante curiosas. De forma amena se introducen distintos temas entre los que se encuentran las distintas dimensiones del mundo físico, el origen de los sistemas coordenados, historia de la geometría antigua, etc.

- `www.geoan.com/`

  Aquí encontramos apuntes, ejercicios y problemas relacionados con la Geometría Analítica. Podemos encontrar un buen número de problemas del espacio afín y el espacio euclídeo, así como de cónicas.

- `www.astronomia.org/doc/esfcel.pdf`

  Esta es una referencia a un documento que podemos descargar libremente cuyo título es Sistemas de Coordenadas en la esfera celeste y cuyo autor es Carlos Amengual. Se trata de un documento muy didáctico para comprender el modo en que podemos orientarnos en la esfera celeste, comenzando por los conceptos más básicos y haciendo un recorrido exhaustivo por los diferentes sistemas de coordenadas que se utilizan en astronomía de posición.

- `www.elcielodelmes.com/Curso_iniciacion/curso_1.php`

  En esta página podemos ver un curso de introducción a la astronomía de posición, desde los contenidos más básicos. Existen un buen número de gráficas que ayudan a clarificar los conceptos.

- `recursostic.educacion.es/descartes/web/`

  En esta web encontramos el proyecto Descartes, que tiene como principal objetivo promover nuevas formas de enseñanza y aprendizaje de las Matemáticas integrando las TIC en el aula como una herramienta didáctica. Ofrece materiales didácticos para el aprendizaje de las matemáticas en todos niveles de la educación, disponiendo de un *applet* para crear páginas interactivas de matemáticas.

- `www.wikimatematica.org/index.php?title=Página_Principal`

  Una wikipedia, pero de matemáticas. Se organiza la información por cursos o por temas. Uno de los temas generales que aparecen es el de la geometría analítica.

2.7 Ejercicios propuestos

Problema 2.1: *Consideremos la recta r a la que pertenecen los puntos $A(1,6,-3)$ y $B(0,1,9)$. Determine las ecuaciones vectorial, paramétrica, continua e implícita de la misma.*

Problema 2.2: *Halle las coordenadas de los vértices de un paralelepípedo, sabiendo que uno de ellos se encuentra en el punto $A(6,3,-2)$ y que los lados son vectores que pertenecen a los vectores libres $a(8,-1,6)$, $b(7,-3,4)$ y $c(1,0,2)$.*

Problema 2.3: *Se consideran, en el espacio afín tridimensional, los sistemas de referencia $\mathcal{R} = \{O, u_1, u_2, u_3\}$, y $\mathcal{R}' = \{O', v_1, v_2, v_3\}$ tales que $O'(-1,6,2)$ y $v_1 = u_1 + 3u_2 + u_3$, $v_1 = -u_1$ y $v_3 = 2u_1 + 5u_2 + 7u_3$. Si un plano α tiene por ecuación*

$$2x - y + 3z - 5 = 0$$

con respecto a $\mathcal{R}$, ¿cuál es su ecuación con respecto a $\mathcal{R}'$?

Problema 2.4: *Calcule la ecuación del plano que pasa por la recta*

$$r \equiv \frac{x-1}{3} = \frac{y+2}{-1} = z$$

y por el punto $P(-1,-2,5)$.

Problema 2.5: *Obtenga el plano π que pasa por la intersección de los planos*

$$\begin{aligned} \alpha &\equiv x - y - z + 3 = 0 \\ \beta &\equiv x + 2y - 3z + 5 = 0 \end{aligned}$$

y es paralelo a la recta

$$r \equiv \frac{x-5}{8} = \frac{y}{-3} = \frac{z}{2}.$$

Problema 2.6: *Estudie la posición relativa de los planos*

$$\begin{aligned} \alpha &\equiv x + y - z + 5 = 0 \\ \beta &\equiv 3x - 3y + 4z - 3 = 0 \\ \gamma &\equiv 2x + 2y - 2z + 9 = 0 \end{aligned}$$

Problema 2.7: *Construya, aplicando el teorema de Gram-Schmidt, una base ortogonal para $\mathbb{R}^3$ que contenga el vector $v_1(1,2,3)$.*

Problema 2.8: *Se considera el plano*

$$\alpha \equiv x - y - az + 5 = 0$$

y la recta

$$r \equiv \frac{x-2}{3} = \frac{y}{-5} = \frac{z}{2}.$$

Determine el valor de a para que el plano y la recta sean paralelos.

Problema 2.9: *Demuestre que si $\mathcal{B} = \{u_1, u_2, u_3\}$ es una base ortonormal del espacio vectorial euclídeo de dimensión 3, todo vector de dicho espacio puede escribirse como combinación lineal de $\{u_1, u_2, u_3\}$ de la siguiente forma*

$$x = (xu_1)u_1 + (xu_2)u_2 + (xu_3)u_3,$$

que se conoce como fórmula de Parseval.

Problema 2.10: *Conocidas las coordenadas $A(a,a')$, $B(b,b')$ y $C(c,c')$ de los vértices de un triángulo, determine vectorialmente las coordenadas de su baricentro (punto donde se cortan sus medianas).*

Problema 2.11: *Calcule el área de un triángulo $\triangle ABC$ tal que $A(2,3,5)$, $B(-2,7,2)$ y $C(4,3,-2)$.*

Problema 2.12: *Demuestre que para todo a, b de V_3, se verifica que*

$$|a \wedge b|^2 + (a \cdot b)^2 = (|a||b|)^2 = |a|^2|b|^2.$$

Problema 2.13: *Se consideran las rectas*

$$r \equiv \frac{x-1}{3} = y = \frac{z-2}{2}, \qquad r' \equiv \begin{cases} x = t \\ y = t+2 \\ z = -3t+4 \end{cases}$$

y los planos

$$\pi \equiv x + 3y - z + 2 = 0, \qquad \pi' \equiv x + 4y + 3z - 7 = 0.$$

Obtenga los ángulos de r y r', de r y π y de π y π'.

Problema 2.14: *Sea d una distancia en un conjunto no vacío X. Se define la aplicación $d' : X \longrightarrow \mathbb{R}$ como*

$$d'(x,y) = \frac{d(x,y)}{1 + d(x,y)}, \qquad \text{para todo } x, y \in X.$$

Demuestre que d' es una distancia.

Problema 2.15: *Halle la ecuación del plano π que pasa por el punto $P(1,2,3)$, es perpendicular a*

$$\pi' \equiv x + y - 3z + 2 = 0$$

y es paralelo a la recta

$$r \equiv \begin{cases} x & = & 3t + 2 \\ y & = & t - 5 \\ z & = & -t. \end{cases}$$

Problema 2.16: *Escriba la ecuación del plano π al que pertenecen los puntos $A(1,2,3)$ y $B(-2,-3,5)$, y que es perpendicular al plano*

$$\pi' \equiv x - y - z + 5 = 0.$$

Problema 2.17: *Calcule la distancia del punto $P(1,2,3)$ a la recta*

$$r \equiv \frac{x-3}{2} = \frac{y-1}{1} = \frac{z}{1}.$$

Problema 2.18: *Escriba las ecuaciones de una recta r, que se apoya en las rectas*

$$s \equiv \begin{cases} x & = & t + 2 \\ y & = & -3t + 1 \\ z & = & t \end{cases}$$

y

$$t \equiv \frac{x-1}{3} = y = \frac{z+5}{2}$$

y que es paralela a la recta

$$l \equiv x = y = \frac{z+5}{-2}.$$

Problema 2.19: *Calcule la distancia entre las rectas*

$$r \equiv \frac{x+1}{5} = y = \frac{z-1}{1}$$

y

$$s \equiv \begin{cases} x & = & 2t + 1 \\ y & = & t - 2 \\ z & = & 3t + 4. \end{cases}$$

Problema 2.20: *Dadas las rectas del ejercicio anterior, r y s, determine las ecuaciones de la recta sobre la que se mide la distancia entre dichas rectas.*

Problema 2.21: *Halle el punto simétrico de $P(1,2,3)$ respecto del plano*

$$\pi \equiv x + y - 2z + 5 = 0.$$

Problema 2.22: *Determine analíticamente el punto simétrico de $P(1,2,3)$ respecto de la recta*

$$x = y = \frac{z+5}{3}.$$

Problema 2.23: *Encuentre un punto de la recta*

$$\frac{x}{2} = y = \frac{z}{3}.$$

que equidiste de los planos

$$\pi \equiv x + y + \sqrt{2}z - 3 = 0, \qquad \pi' \equiv 3x - 4z + 1 = 0.$$

Problema 2.24: *En un cubo de arista a se considera una diagonal D del mismo y una diagonal d de una de sus caras, de tal forma que las rectas d y D se crucen. Calcule la distancia entre d y D.*

Problema 2.25: (a) *Consideremos una esfera de ecuación*

$$(x-a)^2 + (y-b)^2 + (z-c)^2 = r^2$$

que tiene su centro en $C(a,b,c)$ y radio r. Consideremos $P_0(x_0, y_0, z_0)$ un punto cualquiera de dicha esfera. Determine el plano tangente a la esfera en dicho punto P_0.

(b) *Dada la ecuación de la esfera*

$$x^2 + y^2 + z^2 - 2x - 4y - 6z + 11 = 0$$

halle la ecuación del plano tangente en el punto $P_0(2,1,4)$.

Problema 2.26: *Halle la proyección del plano que pasa por $P(2,1,-1)$ y $Q(-3,0,2)$ y es perpendicular al plano que proyecta ortogonalmente la recta PQ sobre el plano $z = 0$.*

Problema 2.27: *Calcule el área del triángulo cuyos vértices son las intersecciones del plano $\pi : x + 2y + 3z - 1 = 0$ con los ejes coordenados.*

Problema 2.28: *Investigue si son o no coplanarios los puntos $A(1,0,2)$, $B(4,0,1)$, $C(3,0,0)$ y $D(0,5,0)$.*

Problema 2.29: *Halle la recta que pasa por el punto $A(1,1,1)$, está contenida en el plano $\pi : x + y + z = 3$ y es perpendicular a la recta de ecuación*

$$r : \{x = 2z + 3, y = -z + 4\}.$$

Problema 2.30: *Obtenga la recta r_1 simétrica de la recta*

$$r : \{x = y = z\}$$

respecto de la recta

$$r : \{1 - x = 2y = z - 3\}.$$

Problema 2.31: *Dadas las rectas*

$$\frac{x+1}{3} = \frac{y-3}{0} = \frac{z-2}{2}$$

y

$$\{x = 3 + \mu, y = 3 + 2\mu, z = -1 + 2\mu\}.$$

Entonces,

(a) *Estudie su posición relativa.*

(b) *Halle una recta que se apoye en ambas y sea perpendicular a ellas.*

(c) *Halle los puntos de las rectas que se encuentran en esa perpendicular común.*

(d) *Calcule la distancia mínima entre estas dos rectas.*

Problema 2.32: *Un rayo luminoso que está en el plano determinado por el punto $A(1,1,1)$ y la recta*

$$r : \frac{x-1}{1} = \frac{y-2}{1} = \frac{z+1}{2}$$

parte del punto A y se refleja en la recta r, incidiendo en ella en el punto $R(2,3,1)$. Se pregunta si el rayo reflejado ilumina el punto $Q(2,2,3)$. Justifique de una forma razonada la respuesta.

Problema 2.33: *Se considera el plano $\pi : x - y - az + 5 = 0$ y la recta*

$$r : \frac{x-2}{3} = \frac{y}{-5} = \frac{z}{2}.$$

Calcule el valor de a para que la recta y el plano sean paralelos.

3 Transformaciones geométricas

Si he conseguido ver más lejos es porque me he aupado en hombros de gigantes.
Isaac Newton (1642-1727).

La historia hace ilustrado al hombre; la poesía, ingenioso; las matemáticas, sutil...
Francis Bacon (1561-1626).

Podrán callarnos, pero no pueden impedir que tengamos nuestras propias opiniones.
Ana Frank (1929-1945).

Las transformaciones en el plano y en el espacio son utilizadas para escalar, rotar y modificar formas geométricas y objetos. Aunque la notación algebraica es básica para estudiar las transformaciones, veremos que nos resultará muy útil expresar las distintas transformaciones geométricas mediante matrices cuadradas. La comodidad y la facilidad que nos ofrece la aritmética matricial es una gran ventaja en el estudio de las transformaciones geométricas.

3.1 Transformaciones en el plano

Las coordenadas cartesianas nos proporcionan una relación unívoca entre el número y la forma, de manera que cuando modificamos las coordenadas de una determinada forma, estamos modificando su geometría.

Consideremos un punto cualquiera del plano $P(x, y)$, cuyas coordenadas cartesianas son x e y, respectivamente. Si aplicamos la operación

$$x' = x + 3$$

creamos un nuevo punto $P'(x', y)$ situado tres unidades a la derecha de P.

Análogamente, si aplicamos la operación

$$y' = y + 1$$

creamos un nuevo punto $P'(x, y')$ desplazando el punto original P una unidad verticalmente.

Si aplicamos las operaciones

$$x' = x + 3$$
$$y' = y + 1$$

a cada uno de los puntos de una determinada figura obtenemos una forma trasladada tres unidades respecto del eje X y una respecto del eje Y. Hemos realizado una transformación geométrica sobre un objeto.

● ○ Traslación ―――――――――――――――――――――――――――――――― ● ○

Si aplicamos a un punto $P(x, y)$ la relación

$$x' = x + a$$
$$y' = y + b$$

lo que hacemos es desplazar el punto P a una nueva posición, cuyas coordenadas son ahora $P'(x', y')$.

Traslación en el plano de vector (a, b).

$$x' = x + a$$
$$y' = y + b. \tag{3.1}$$

● ○ Escalado _____● ○

En el escalado distinguimos dos casos, según consideremos el punto origen $(0,0)$ o bien otro punto cualquiera del plano.

Escalado respecto del origen $(0,0)$. Si ahora aplicamos a cualquier objeto bidimensional una transformación de la forma

$$
\begin{aligned}
x' &= 2x \\
y' &= 2y
\end{aligned}
\tag{3.2}
$$

lo que obtenemos es una figura que ha sido escalada respecto del original un factor de dos unidades. Mediante la transformación (3.2) se produce un escalado de dos unidades tanto horizontal como verticalmente. Notemos que un punto localizado en el origen no resulta afectado por esta transformación.

En general, en el escalado respecto al origen, multiplicamos las coordenadas de un punto por dos factores de escala, por ejemplo, a y b, de manera que la transformación que sufren las coordenadas de $P(x,y)$ es

$$
\begin{aligned}
x' &= ax \\
y' &= by.
\end{aligned}
$$

Podemos escribir matricialmente el escalado respecto al origen mediante el producto matricial

$$P' = P \cdot E,$$

donde

$$P'(x',y'), \quad P(x,y), \quad E = \begin{bmatrix} a & 0 \\ 0 & b \end{bmatrix}.$$

Dependiendo de los valores de a y b tenemos:

- Si $a, b > 1$ se aumenta el tamaño.
- Si $a, b < 1$ se disminuye el tamaño.
- Si $a = b$ se produce un escalado uniforme. Si a y b son distintos, se dice que el escalado es diferencial.

Escalado horizontal y vertical $((a,b))$.
$$
\begin{aligned}
x' &= ax \\
y' &= by.
\end{aligned}
$$

Escalado general. El escalado general se define respecto a un punto fijo que ya no es el origen $(0,0)$.

La técnica que se utiliza consiste en realizar primero una traslación de ese punto al origen y, después, aplicar un escalado respecto al origen. En otras palabras, hacemos lo que se conoce con el nombre de **composición de transformaciones**, de las que hablaremos más en profundidad en una sección posterior.

• ○ Reflejo ——————————————————————————————— **•** ○

Existe otro tipo de transformación en el plano que consiste en reflejar una determinada figura respecto al eje X o respecto al eje Y. Así, por ejemplo, si queremos reflejar una forma respecto al eje Y basta con invertir el signo de la coordenada x, es decir, tendremos que aplicar la transformación

$$x' = -x$$
$$y' = y,$$

mientras que si queremos reflejar una forma respecto al eje X, basta con invertir el signo en sus coordenada y, es decir, tendremos que aplicar la transformación

$$x' = x$$
$$y' = -y.$$

• ○ Rotación ————————————————————————————— **•** ○

En esta transformación la posición de un punto es rotada respecto a un punto fijo. Nuevamente, dependiendo de si el punto es el origen o un punto cualquiera del plano, estamos ante una **rotación respecto del origen** o una **rotación general**.

Rotación respecto del origen. En este caso, la posición de un punto cualquiera $P(x,y)$ es rotado respecto del origen de coordenadas. Es decir, la rotación viene dada por el eje de rotación (eje Z) y un cierto ángulo θ.

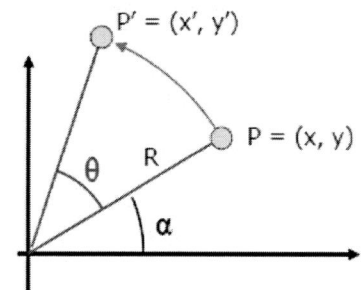

Rotación respecto de $(0,0)$.
Las coordenadas del nuevo punto $P'(x',y')$ vienen dadas por

$$x' = x\cos\theta - y\,\mathrm{sen}\,\theta$$
$$y' = x\,\mathrm{sen}\,\theta + y\cos\theta.$$

Podemos escribir matricialmente la rotación de ángulo θ de un punto $P(x,y)$ respecto del origen mediante el producto matricial

$$P' = P \cdot R,$$

donde R es la llamada matriz de rotación, que viene dada por

$$R = \begin{bmatrix} \cos\theta & \mathrm{sen}\,\theta \\ -\mathrm{sen}\,\theta & \cos\theta \end{bmatrix}.$$

Rotación general. Igual que en el caso del escalado general, volvemos a aplicar la técnica de la composición de transformaciones, realizando primero una traslación desde el punto al origen seguida por una rotación de ángulo θ respecto del origen.

3.2 Coordenadas homogéneas

Un buen número de aplicaciones informáticas requieren secuencias de transformaciones geométricas. Por ejemplo, una animación se basa en que los objetos se trasladen y roten en cada uno de sus fotogramas. En este caso nos interesa disponer de un modelo que nos permita realizar secuencias o composiciones de transformaciones de forma rápida y eficiente.

Lo que buscamos es una técnica que nos permita combinar las transformaciones para obtener directamente las coordenadas finales a partir de las iniciales. Dicha técnica se basa en el uso de lo que llamamos **coordenadas homogéneas**.

Las coordenadas homogéneas surgieron en el siglo XIX cuando fueron propuestas por Möbius, Fenerbach, Bobillier y Plücker. Möbius las llamó coordenas baricéntricas.

Básicamente, las coordenadas homogéneas definen un punto en el plano utilizando tres coordenadas en lugar de dos. Para un punto P de coordenadas (c_1, c_2) existe un punto homogéneo (x, y, t) tal que $c_1 = x/t$ e $c_2 = y/t$.

Por ejemplo, el punto $(3, 4)$ tiene coordenadas homogéneas $(6, 8, 2)$, ya que $3 = 6/2$ y $4 = 8/2$. Sin embargo, $(6, 8, 2)$ no es el único punto homogéneo de $(3, 4)$. También lo son $(12, 16, 4)$, $(15, 20, 5)$ y $(300, 400, 100)$.

La razón por la que este sistema de coordenadas se llama *homogéneo* es porque es posible transformar funciones de tipo $f(x, y)$ en la forma $f(x/t, y/t)$ sin modificar el grado de la curva.

Así, podemos imaginar que una colección de puntos homogéneos de la forma (x, y, t) existe en el plano XY donde t es la coordenada Z, como se ilustra en la figura 3.1. Vemos en la figura que las coordenadas homogéneas pueden visualizarse como planos en el espacio tridimensional donde, por simplicidad, normalmente particularizamos en $t = 1$.

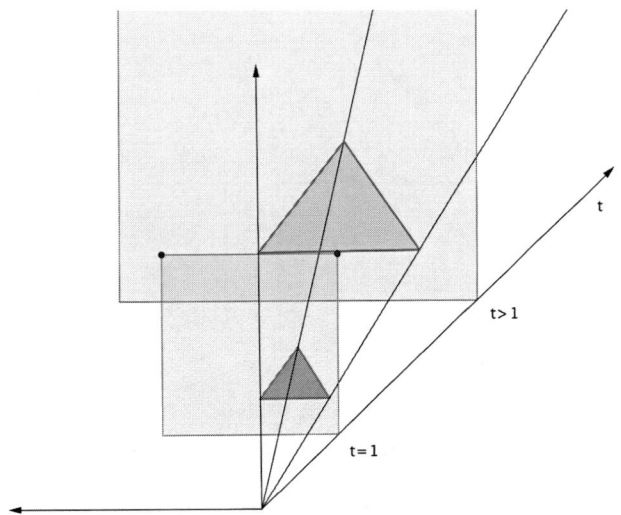

Figura 3.1: *Coordenadas homogéneas en el espacio.*

La figura 3.1 nos muestra el triángulo en el plano $t = 1$ y un triángulo similar de mayor tamaño para un cierto $t > 1$. De esta forma, en lugar de trabajar en dos dimensiones podemos trabajar en un plano

XY arbitrario en el espacio en tres dimensiones. Básicamente, la misión de la coordenada t es escalar las coordenadas x e y. Por simplicidad, parece una buena idea tomar $t = 1$, lo que significa que el punto (x, y) tiene coordenadas homogéneas $(x, y, 1)$, lo que significa que no es necesario realizar un escalado.

Entonces, si sustituimos las coordenadas homogéneas 3D por las tradicionales coordenadas cartesianas 2D, debemos añadir un 1 a cada par (x, y).

A continuación, estudiaremos la forma en que podemos expresar los distintos tipos de transformaciones en función de las coordenadas homogéneas.

3.2.1 Traslación en el plano

La notación algebraica para realizar una traslación en el plano es

$$
\begin{aligned}
x' &= x + t_x \\
y' &= y + t_y.
\end{aligned}
$$

Utilizando matrices y coordenadas homogéneas podemos escribir la traslación de la forma

$$
\begin{bmatrix} x' \\ y' \\ 1 \end{bmatrix} = \begin{bmatrix} 1 & 0 & t_x \\ 0 & 1 & t_y \\ 0 & 0 & 1 \end{bmatrix} \begin{bmatrix} x \\ y \\ 1 \end{bmatrix}.
$$

3.2.2 Escalado en el plano

La notación algebraica para realizar un escalado en el plano es

$$
\begin{aligned}
x' &= s_x x \\
y' &= s_y y.
\end{aligned}
$$

Utilizando matrices y coordenadas homogéneas podemos escribir la traslación de la forma

$$
\begin{bmatrix} x' \\ y' \\ 1 \end{bmatrix} = \begin{bmatrix} s_x & 0 & 0 \\ 0 & s_y & 0 \\ 0 & 0 & 1 \end{bmatrix} \begin{bmatrix} x \\ y \\ 1 \end{bmatrix}.
$$

Recordemos que la acción de escalado es relativa al origen, con lo que el punto $(0, 0)$ permanece invariante. El resto de puntos se mueven alejándose del origen. Si queremos escalar respecto de otro punto (p_x, p_y) basta con que trasladarnos el punto origen al punto (p_x, p_y), después hacemos el escalado y, por último, sumamos (p_x, p_y) para compensar la operación inicial.

Algebraicamente, podemos resumir estas operaciones mediante las ecuaciones

$$
\begin{aligned}
x' &= s_x(x - p_x) + p_x \\
y' &= s_y(y - p_y) + p_y.
\end{aligned}
$$

Esta expresión puede simplificarse como

$$x' = s_x x + p_x(1 - s_x)$$

$$y' = s_y y + p_y(1 - s_y).$$

Utilizando la notación matricial y las coordenadas homogéneas podemos escribir el escalado respecto del punto (p_x, p_y) como

$$\begin{bmatrix} x' \\ y' \\ 1 \end{bmatrix} = \begin{bmatrix} s_x & 0 & p_x(1 - s_x) \\ 0 & s_y & p_y(1 - s_y) \\ 0 & 0 & 1 \end{bmatrix} \begin{bmatrix} x \\ y \\ 1 \end{bmatrix}.$$

Ejemplo 15.

Supongamos que queremos escalar una determinada figura dos unidades respecto del punto $(1, 1)$. Obtenga la expresión de esta transformación.

SOLUCIÓN: Sabemos que la expresión para una transformación de este tipo es

$$\begin{bmatrix} x' \\ y' \\ 1 \end{bmatrix} = \begin{bmatrix} s_x & 0 & p_x(1 - s_x) \\ 0 & s_y & p_y(1 - s_y) \\ 0 & 0 & 1 \end{bmatrix} \begin{bmatrix} x \\ y \\ 1 \end{bmatrix}.$$

En nuestro caso, como $(p_x, p_y) = (1, 1)$, se tiene que la transformación viene dada por

$$\begin{bmatrix} x' \\ y' \\ 1 \end{bmatrix} = \begin{bmatrix} 2 & 0 & -1 \\ 0 & 2 & -1 \\ 0 & 0 & 1 \end{bmatrix} \begin{bmatrix} x \\ y \\ 1 \end{bmatrix}. \qquad \square$$

3.2.3   Reflejando figuras en el plano

Utilizando la notación matricial y las coordenadas homogéneas, podemos expresar la transformación que refleja una figura respecto del eje Y de la forma

$$\begin{bmatrix} x' \\ y' \\ 1 \end{bmatrix} = \begin{bmatrix} -1 & 0 & 0 \\ 0 & 1 & 0 \\ 0 & 0 & 1 \end{bmatrix} \begin{bmatrix} x \\ y \\ 1 \end{bmatrix},$$

mientras que si reflejamos ahora respecto del eje X la expresión es

$$\begin{bmatrix} x' \\ y' \\ 1 \end{bmatrix} = \begin{bmatrix} 1 & 0 & 0 \\ 0 & -1 & 0 \\ 0 & 0 & 1 \end{bmatrix} \begin{bmatrix} x \\ y \\ 1 \end{bmatrix}.$$

Sin embargo, si queremos hacer que la figura se refleje respecto de otro eje la cuestión se complica un poco más. Podemos comprobarlo con un ejemplo.

Ejemplo 16.

Supongamos que se desea reflejar una determinada figura respecto del eje $X = 1$. Determine la expresión de esta transformación.

SOLUCIÓN: Sabemos que el proceso consta de varias etapas. La primera será restar 1 de la coordenada x. Esto produce que el eje $X = 1$ sea coincidente con el eje Y. Después debemos realizar la transformación en sí, que consiste en el cambio de signo de la nueva coordenada x. Finalmente, añadimos una unidad para compensar la resta inicial. Algebraicamente estos tres pasos se resumen así:

$$x_1 = x - 1 \quad \longmapsto \quad x_2 = -(x-1) \quad \longmapsto \quad x' = -(x-1) + 1,$$

que podemos simplificar escribiendo la transformación (en notación algebraica)

$$x' = -x + 2$$
$$y' = y$$

o, en forma matricial,

$$\begin{bmatrix} x' \\ y' \\ 1 \end{bmatrix} = \begin{bmatrix} -1 & 0 & 2 \\ 0 & 1 & 0 \\ 0 & 0 & 1 \end{bmatrix} \begin{bmatrix} x \\ y \\ 1 \end{bmatrix}.$$

$\square$

En general, a partir del ejemplo anterior, podemos deducir que, para reflejar una forma geométrica respecto de un eje vertical de la forma $X = a_x$, es necesaria realizar la siguiente transformación

$$x' = -(x - a_x) + a_x = -x + 2a_x$$
$$y' = y$$

o, en forma matricial,

$$\begin{bmatrix} x' \\ y' \\ 1 \end{bmatrix} = \begin{bmatrix} -1 & 0 & 2a_x \\ 0 & 1 & 0 \\ 0 & 0 & 1 \end{bmatrix} \begin{bmatrix} x \\ y \\ 1 \end{bmatrix}.$$

De forma absolutamente análoga, si queremos reflejar una figura respecto de un eje X arbitrario, de la forma $y = a_y$, realizaremos la transformación

$$x' = x$$
$$y' = -(y - a_y) + a_y = -y + 2a_y$$

o, en forma matricial,

$$\begin{bmatrix} x' \\ y' \\ 1 \end{bmatrix} = \begin{bmatrix} 1 & 0 & 0 \\ 0 & -1 & 2a_y \\ 0 & 0 & 1 \end{bmatrix} \begin{bmatrix} x \\ y \\ 1 \end{bmatrix}.$$

3.2.4 Rotaciones en el plano

Queremos rotar un punto $P(x, y)$ un ángulo θ respecto del origen de coordenadas, pasando a ser su posición después del giro $P'(x', y')$.

Las ecuaciones de la rotación son

$$
\begin{aligned}
x' &= R\cos(\alpha + \theta) \\
y' &= R\operatorname{sen}(\alpha + \theta),
\end{aligned}
$$

por lo que podemos escribir

$$
\begin{aligned}
x' &= R(\cos(\alpha)\cos(\theta) - \operatorname{sen}(\alpha)\operatorname{sen}(\theta)) \\
y' &= R(\operatorname{sen}(\alpha)\cos(\theta) + \cos(\alpha)\operatorname{sen}(\theta)),
\end{aligned}
$$

$$
\begin{aligned}
x' &= R\left(\frac{x}{R}\cos(\theta) - \frac{y}{R}\operatorname{sen}(\theta))\right) \\
y' &= R\left(\frac{y}{R}\cos(\theta) + \frac{x}{R}\operatorname{sen}(\theta))\right),
\end{aligned}
$$

$$
\begin{aligned}
x' &= x\cos(\theta) - y\operatorname{sen}(\theta) \\
y' &= x\operatorname{sen}(\theta) + y\cos(\theta).
\end{aligned}
$$

Escrito matricialmente

$$
\begin{bmatrix} x' \\ y' \\ 1 \end{bmatrix} = \begin{bmatrix} \cos(\theta) & -\operatorname{sen}(\theta) & 0 \\ \operatorname{sen}(\theta) & \cos(\theta) & 0 \\ 0 & 0 & 1 \end{bmatrix} \begin{bmatrix} x \\ y \\ 1 \end{bmatrix}.
$$

Ejemplo 17.

Supongamos que se desea rotar un punto $P(x, y)$ un ángulo recto. Entonces la transformación vendrá dada por la expresión

$$
\begin{bmatrix} x' \\ y' \\ 1 \end{bmatrix} = \begin{bmatrix} 0 & -1 & 0 \\ 1 & 0 & 0 \\ 0 & 0 & 1 \end{bmatrix} \begin{bmatrix} x \\ y \\ 1 \end{bmatrix}.
$$

Rotación de un punto (x, y) respecto de otro punto $P(p_x, p_y)$.

Para rotar un punto (x, y) respecto de otro punto $P(p_x, p_y)$ primero restamos $P(p_x, p_y)$ de las coordenadas (x, y). Esto nos permite realizar la rotación respecto del origen. Posteriormente, aplicamos las ecuaciones de la transformación y, para terminar, sumamos $P(p_x, p_y)$ para compensar la resta inicial.

Podemos resumir este procedimiento en los siguientes pasos:

(a) Restamos $P(p_x, p_y)$:

$$x_1 = (x - p_x)$$
$$y_1 = (y - p_y).$$

(b) Rotamos un ángulo θ respecto del origen:

$$x_2 = (x - p_x)\cos(\theta) - (y - p_y)\operatorname{sen}(\theta)$$
$$y_2 = (x - p_x)\operatorname{sen}(\theta) + (y - p_y)\cos(\theta).$$

(c) Añadimos $P(p_x, p_y)$:

$$x' = (x - p_x)\cos(\theta) - (y - p_y)\operatorname{sen}(\theta) + p_x$$
$$y' = (x - p_x)\operatorname{sen}(\theta) + (y - p_y)\cos(\theta) + p_y.$$

Podemos simplificar la última expresión de la forma:

$$x' = x\cos(\theta) - y\operatorname{sen}(\theta) + p_x(1 - \cos(\theta)) + p_y\operatorname{sen}(\theta)$$
$$y' = x\operatorname{sen}(\theta) + y\cos(\theta) + p_y(1 - \cos(\theta)) - p_x\operatorname{sen}(\theta).$$

que podemos escribir en forma matricial como

$$\begin{bmatrix} x' \\ y' \\ 1 \end{bmatrix} = \begin{bmatrix} \cos(\theta) & -\operatorname{sen}(\theta) & p_x(1 - \cos(\theta)) + p_y\operatorname{sen}(\theta) \\ \operatorname{sen}(\theta) & \cos(\theta) & p_y(1 - \cos(\theta)) - p_x\operatorname{sen}(\theta) \\ 0 & 0 & 1 \end{bmatrix} \begin{bmatrix} x \\ y \\ 1 \end{bmatrix}.$$

Ejemplo 18.

Supongamos que se pretende rotar un punto $P(2, 1)$ un ángulo recto alrededor del punto $(1, 1)$. La transformación vendrá dada por

$$\begin{bmatrix} x' \\ y' \\ 1 \end{bmatrix} = \begin{bmatrix} 0 & -1 & 2 \\ 1 & 0 & 0 \\ 0 & 0 & 1 \end{bmatrix} \begin{bmatrix} 2 \\ 1 \\ 1 \end{bmatrix} = (1, 2).$$

Las transformaciones estudiadas hasta ahora se llaman **transformaciones afines** ya que las líneas paralelas permanecen paralelas después de realizar la transformación.

En la tabla 3.1 se muestra un resumen de las transformaciones estudiadas en el plano, con sus ecuaciones algebraicas y en formato de coordenadas homogéneas.

En la figura 3.2 hemos representado en GeoGebra el polígono formado por los puntos $ABCDEFG$ y lo hemos coloreado de color verde. Sobre dicho polígono hemos efectuado las transformaciones siguientes en el plano:

Transformación	Expresión matricial
Traslación de vector (t_x, t_y). $$\begin{aligned} x' &= x + t_x \\ y' &= y + t_y. \end{aligned}$$	$$\begin{bmatrix} x' \\ y' \\ 1 \end{bmatrix} = \begin{bmatrix} 1 & 0 & t_x \\ 0 & 1 & t_y \\ 0 & 0 & 1 \end{bmatrix} \begin{bmatrix} x \\ y \\ 1 \end{bmatrix}.$$
Escalado respecto al punto (p_x, p_y). $$\begin{aligned} x' &= s_x x + p_x(1 - s_x) \\ y' &= s_y y + p_y(1 - s_y). \end{aligned}$$	$$\begin{bmatrix} x' \\ y' \\ 1 \end{bmatrix} = \begin{bmatrix} s_x & 0 & p_x(1-s_x) \\ 0 & s_y & p_y(1-s_y) \\ 0 & 0 & 1 \end{bmatrix} \begin{bmatrix} x \\ y \\ 1 \end{bmatrix}.$$
Reflejo respecto eje $X = a_x$. $$\begin{aligned} x' &= -x + 2a_x \\ y' &= y. \end{aligned}$$	$$\begin{bmatrix} x' \\ y' \\ 1 \end{bmatrix} = \begin{bmatrix} -1 & 0 & 2a_x \\ 0 & 1 & 0 \\ 0 & 0 & 1 \end{bmatrix} \begin{bmatrix} x \\ y \\ 1 \end{bmatrix}.$$
Reflejo respecto eje $Y = a_y$. $$\begin{aligned} x' &= x \\ y' &= -y + 2a_y. \end{aligned}$$	$$\begin{bmatrix} x' \\ y' \\ 1 \end{bmatrix} = \begin{bmatrix} 1 & 0 & 0 \\ 0 & -1 & 2a_y \\ 0 & 0 & 1 \end{bmatrix} \begin{bmatrix} x \\ y \\ 1 \end{bmatrix}.$$
Rotación ángulo θ **respecto** (p_x, p_y). $$\begin{aligned} x' &= x\cos(\theta) - y\,\text{sen}(\theta) + p_x(1 - \cos(\theta)) + p_y\,\text{sen}(\theta) \\ y' &= x\,\text{sen}(\theta) + y\cos(\theta) + p_y(1 - \cos(\theta)) - p_x\,\text{sen}(\theta) \end{aligned}$$	$$\begin{bmatrix} x' \\ y' \\ 1 \end{bmatrix} = \begin{bmatrix} \cos(\theta) & -\text{sen}(\theta) & p_x(1-\cos(\theta)) + p_y\,\text{sen}(\theta) \\ \text{sen}(\theta) & \cos(\theta) & p_y(1-\cos(\theta)) - p_x\,\text{sen}(\theta) \\ 0 & 0 & 1 \end{bmatrix} \begin{bmatrix} x \\ y \\ 1 \end{bmatrix}.$$

Tabla 3.1: *Resumen de transformaciones en el plano.*

- Un escalado ($\times 2$) que ha producido la figura $A'B'C'D'E'F'G'$ en color ocre.
- Un giro de 90 grados que ha producido la figura $A_1'B_1'C_1'D_1'E_1'F_1'G_1'$ en el segundo cuadrante.
- Una traslación de vector $\boldsymbol{u}$ que ha producido la figura $A_2'B_2'C_2'D_2'E_2'F_2'G_2'$ en color rojo.

Transformaciones con GeoGebra.

GeoGebra dispone de diversas herramientas que producen transformaciones geométricas sobre puntos, rectas, secciones cónicas, polígonos e imágenes.

En la página web del programa (más concretamente, en el espacio dedicado a materiales), existen

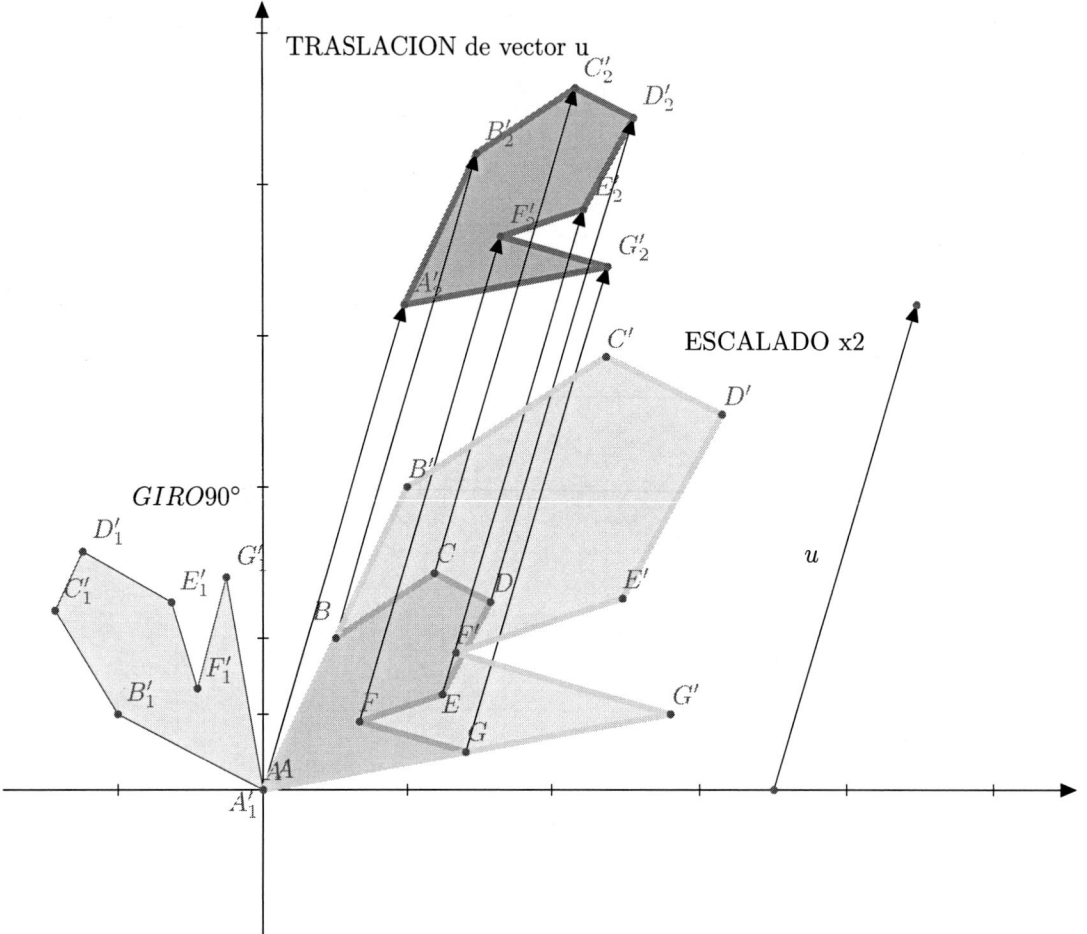

Figura 3.2: *Transformaciones geométricas sobre un polígono.*

diversas aportaciones y construcciones en las que se ponen de manifiesto las enormes posibilidades del software respecto al tema de las transformcaciones geométricas en el plano.

La página web http://geometriadinamica.es/ está dedicada a la geometría dinámica dinámica y a las matemáticas interactivas. En el apartado de geometría dinámica tenemos un conjunto de apartados de geometría plana en los que podemos encontrar construcciones interactivas relacionadas con transformaciones geométricas, cónicas, triángulos, geometría analítica, etc. En la página de Manuel Sada http://docentes.educacion.navarra.es/~msadaall/geogebra/ encontramos muchos recursos didácticos relacionados con GeoGebra, así como una sección dedicada a las transformaciones en el plano. La página de José Antonio Mora también es intersante (jmora7.com).

En la tabla 3.2 hemos resumido las distintas opciones y herramientas con sus iconos correspondientes para realizar distintos tipos de transformaciones geométricas sobre objetos geométricos diversos. Notemos que GeoGebra realiza transformaciones sobre puntos, rectas, cónicas, etc.

Icono	Transformación geométrica
	Homotecia desde un Punto por un Factor de Escala. Permite realizar una homotecia sobre un objeto seleccionado un cierto factor de escala k.
	Refleja Objeto en Recta. Seleccionamos el objeto y al hacer clic sobre la recta se establece el eje de simetría a través del que se hace la reflexión.
	Refleja Objeto por Punto. Ahora se refleja el objeto a través de un punto.
	Refleja Punto en Circunferencia. Permite reflejar un punto por una circunferencia.
	Rota Objeto en torno a Punto, el Ángulo indicado. Seleccionamos un objeto, el punto centro de rotación y aparece una ventana en la que introducimos el ángulo.
	Traslada Objeto por un Vector. Seleccionamos el objeto y el vector de traslación.

Tabla 3.2: *Opciones de GeoGebra para realizar transformaciones geométricas.*

3.3 Composición de transformaciones

Al comienzo de la sección en la que se introdujeron las coordenadas homogéneas se comentó la importancia de las mismas para realizar composición de transformaciones, técnica de vital importancia en animación, diseño asistido por ordenador, CAD, etc.

En coordenadas homogéneas, la composición de transformaciones se realiza de una forma natural mediante el producto de matrices. La gran ventaja que presenta el que podamos asociar una matriz a una transformación es que podemos hacer uso del cálculo matricial y sus características.

Veamos algunos casos de composición de transformaciones que nos permitan asimilar el método de cálculo.

Ejemplo 19 (composición de traslaciones).

Supongamos que a un punto $P(x, y)$ queremos aplicarle dos traslaciones sucesivas, T_1 y T_2 cuyos parámetros de traslación son, respectivamente, $T_1 = (t_{x1}, t_{y_1})$ y $T_2 = (t_{x2}, t_{y_2})$. La composición de las dos traslaciones vendrá dada por

$$P' = P \cdot T_1, \qquad P'' = P' \cdot T_2$$

por lo que podemos escribir

$$P'' = P' \cdot T_2 = P \cdot T_1 \cdot T_2 = P \cdot T,$$

donde T es la composición de las dos traslaciones, es decir, $T = T_1 \cdot T_2$.
Matricialmente lo podemos escribir como:

$$T = \begin{pmatrix} 1 & 0 & 0 \\ 0 & 1 & 0 \\ t_{x1} & 0 & 1 \end{pmatrix} \cdot \begin{pmatrix} 1 & 0 & 0 \\ 0 & 1 & 0 \\ t_{x2} & t_{y1} & 1 \end{pmatrix} = \begin{pmatrix} 1 & 0 & 0 \\ 0 & 1 & 0 \\ t_{x1}+t_{x2} & t_{y2} & 1 \end{pmatrix}.$$

En el siguiente ejemplo componemos dos rotaciones, de ángulos α y θ.

Ejemplo 20 (composición de rotaciones).

Supongamos que a un punto $P(x, y)$ queremos aplicarle dos rotaciones sucesivas R_1 y R_2, de ángulos α y θ. La composición de las dos rotaciones vendrá dada por

$$P' = P \cdot R_1, \qquad P'' = P' \cdot R_2$$

por lo que podemos escribir

$$P'' = P' \cdot R_2 = P \cdot R_1 \cdot R_2 = P \cdot R,$$

donde R es la composición de las dos traslaciones, es decir, $R = R_1 \cdot R_2$.
Matricialmente lo podemos escribir como:

$$R = \begin{pmatrix} \cos\theta & \operatorname{sen}\theta & 0 \\ -\operatorname{sen}\theta & \cos\theta & 0 \\ 0 & 0 & 1 \end{pmatrix} \cdot \begin{pmatrix} \cos\alpha & \operatorname{sen}\alpha & 0 \\ -\operatorname{sen}\alpha & \cos\alpha & 0 \\ 0 & 0 & 1 \end{pmatrix} \qquad (3.3)$$

$$= \begin{pmatrix} \cos(\alpha+\theta) & \operatorname{sen}(\alpha+\theta) & 0 \\ -\operatorname{sen}(\alpha+\theta) & \cos(\alpha+\theta) & 0 \\ 0 & 0 & 1 \end{pmatrix}. \qquad (3.4)$$

Ahora mostramos un ejemplo de composición de dos escalados.

Ejemplo 21 (composición de escalados).

Supongamos que a un punto $P(x, y)$ queremos aplicarle dos escalados sucesivos E_1 y E_2, de parámetros (a, b) y (a', b'). La composición de los dos escalados vendrá dada por

$$P' = P \cdot E_1, \qquad P'' = P' \cdot E_2$$

por lo que podemos escribir

$$P'' = P' \cdot E_2 = P \cdot E_1 \cdot E_2 = P \cdot E,$$

donde E es la composición de los dos escalados, es decir, $E = E_1 \cdot E_2$.
Matricialmente lo podemos escribir como:

$$E = \begin{pmatrix} a & 0 & 0 \\ 0 & b & 0 \\ 0 & 0 & 1 \end{pmatrix} \cdot \begin{pmatrix} a' & 0 & 0 \\ 0 & b' & 0 \\ 0 & 0 & 1 \end{pmatrix} = \begin{pmatrix} aa' & 0 & 0 \\ 0 & bb' & 0 \\ 0 & 0 & 1 \end{pmatrix}.$$

3.4 Transformaciones en el espacio

Para estudiar las transformaciones en el espacio utilizamos los mismos razonamientos que para el caso anterior, en el plano. El escalado y la traslación son básicamente idénticas, mientras que ahora en la rotación en tres dimensiones debemos rotar respecto de un eje.

3.4.1 Traslación en el espacio

Simplemente generalizamos a tres dimensiones la traslación en el plano.

Traslación de vector $((t_x, t_y, t_z))$.

$$\begin{bmatrix} x' \\ y' \\ z' \\ 1 \end{bmatrix} = \begin{bmatrix} 1 & 0 & 0 & t_x \\ 0 & 1 & 0 & t_y \\ 0 & 0 & 1 & t_z \\ 0 & 0 & 0 & 1 \end{bmatrix} \begin{bmatrix} x \\ y \\ z \\ 1 \end{bmatrix}.$$

3.4.2 Escalado en el espacio

La transformación geométrica de escalar una figura en el espacio es totalmente similar a la del plano considerando una coordenada nueva.

Recordemos que, del mismo modo que sucedía en el plano, la acción de escalado es relativa al origen, es decir, el punto $(0,0,0)$ permanece invariante. Si queremos escalar respecto de otro punto (p_x, p_y, p_z) basta con que traslademos el punto origen al punto (p_x, p_y, p_z), después hacemos el escalado y, por último, sumamos (p_x, p_y, p_z) para compensar la operación inicial.

Escalado respecto $((p_x, p_y, p_z))$.

$$x' = s_x(x - p_x) + p_x$$
$$y' = s_y(y - p_y) + p_y$$
$$z' = s_z(z - p_z) + p_z$$

$$\begin{bmatrix} x' \\ y' \\ z' \\ 1 \end{bmatrix} = \begin{bmatrix} s_x & 0 & 0 & p_x(1 - s_x) \\ 0 & s_y & 0 & p_y(1 - s_y) \\ 0 & 0 & s_z & p_z(1 - s_z) \\ 0 & 0 & 0 & 1 \end{bmatrix} \begin{bmatrix} x \\ y \\ z \\ 1 \end{bmatrix}.$$

3.4.3 Rotaciones en el espacio

Así como en el plano rotábamos un punto un cierto ángulo θ respecto de un punto fijo, ahora la situación se complica: en tres dimensiones, un objeto es rotado respecto de un eje. Tomamos, por simplicidad, como el eje de rotación alguno de los ejes coordenados.

Recordemos que una rotación en dos dimensiones venía determinada por la expresión

$$\begin{bmatrix} x' \\ y' \\ 1 \end{bmatrix} = \begin{bmatrix} \cos(\theta) & -\operatorname{sen}(\theta) & 0 \\ \operatorname{sen}(\theta) & \cos(\theta) & 0 \\ 0 & 0 & 1 \end{bmatrix} \begin{bmatrix} x \\ y \\ 1 \end{bmatrix}.$$

Esta transformación en el plano podemos interpretarla en el espacio tridimensional si pensamos en la rotación de un punto en el espacio, por ejemplo, $P(x, y, z)$ sobre un plano paralelo al plano xy.

Las ecuaciones de la rotación son

$$x' = x\cos(\theta) - y\operatorname{sen}(\theta)$$
$$y' = x\operatorname{sen}(\theta) + y\cos(\theta)$$
$$z' = z.$$

La transformación en coordenadas homogéneas puede escribirse matricialmente como

$$\begin{bmatrix} x' \\ y' \\ z' \\ 1 \end{bmatrix} = \begin{bmatrix} \cos(\theta) & -\operatorname{sen}(\theta) & 0 & 0 \\ \operatorname{sen}(\theta) & \cos(\theta) & 0 & 0 \\ 0 & 0 & 1 & 0 \\ 0 & 0 & 0 & 1 \end{bmatrix} \begin{bmatrix} x \\ y \\ z \\ 1 \end{bmatrix}.$$

Esta transformación rota un punto respecto del eje Z.

Si queremos efectuar una rotación respecto del eje X, la coordenada x permanece constante.

$$x' = x$$

$$y' = y\cos(\theta) - z\operatorname{sen}(\theta)$$

$$y' = y\operatorname{sen}(\theta) + z\cos(\theta).$$

La transformación en coordenadas homogéneas puede escribirse matricialmente como

$$
\begin{bmatrix} x' \\ y' \\ z' \\ 1 \end{bmatrix} =
\begin{bmatrix} 1 & 0 & 0 & 0 \\ 0 & \cos(\theta) & -\operatorname{sen}(\theta) & 0 \\ 0 & \operatorname{sen}(\theta) & \cos(\theta) & 0 \\ 0 & 0 & 0 & 1 \end{bmatrix}
\begin{bmatrix} x \\ y \\ z \\ 1 \end{bmatrix}.
$$

Si queremos efectuar una rotación respecto del eje Y, la coordenada y permanece constante.

$$y' = z\operatorname{sen}(\theta) + x\cos(\theta)$$

$$y' = y$$

$$z' = z\cos(\theta) - x\operatorname{sen}(\theta).$$

La transformación en 3d puede escribirse matricialmente como

$$
\begin{bmatrix} x' \\ y' \\ z' \\ 1 \end{bmatrix} =
\begin{bmatrix} \cos(\theta) & 0 & \operatorname{sen}(\theta) & 0 \\ 0 & 1 & 0 & 0 \\ -\operatorname{sen}(\theta) & 0 & \cos(\theta) & 0 \\ 0 & 0 & 0 & 1 \end{bmatrix}
\begin{bmatrix} x \\ y \\ z \\ 1 \end{bmatrix}.
$$

La tabla 3.3 nos muestra un resumen de las expresiones algebraicas de las rotaciones en el espacio que podemos realizar, dependiendo del eje de referencia que tomemos como base para la rotación.

Notemos que podemos plantearnos como ejercicio la cuestión de cómo podríamos determinar la expresión para efectuar una rotación de un punto tomando como referencia un eje cualquiera, sin que coincida necesariamente con uno de los ejes coordenados. Comentamos al inicio de la sección que nos centrábamos en los ejes coordenados por simplificar el problema.

Una gran cantidad de problemas prácticos se han resuelto o han podido ser resueltos gracias a la aplicación directa de transformaciones geométricas. Hoy en día, el uso de las mismas en diversas áreas de la computación es básica, como por ejemplo en animación, modelado, multimedia, juegos, etc.

Rotación	Expresión matricial
Respecto eje X.	$$\begin{bmatrix} x' \\ y' \\ z' \\ 1 \end{bmatrix} = \begin{bmatrix} 1 & 0 & 0 & 0 \\ 0 & \cos(\theta) & -\operatorname{sen}(\theta) & 0 \\ 0 & \operatorname{sen}(\theta) & \cos(\theta) & 0 \\ 0 & 0 & 0 & 1 \end{bmatrix} \begin{bmatrix} x \\ y \\ z \\ 1 \end{bmatrix}.$$
Respecto eje Y.	$$\begin{bmatrix} x' \\ y' \\ z' \\ 1 \end{bmatrix} = \begin{bmatrix} \cos(\theta) & 0 & \operatorname{sen}(\theta) & 0 \\ 0 & 1 & 0 & 0 \\ -\operatorname{sen}(\theta) & 0 & \cos(\theta) & 0 \\ 0 & 0 & 0 & 1 \end{bmatrix} \begin{bmatrix} x \\ y \\ z \\ 1 \end{bmatrix}.$$
Respecto eje Z.	$$\begin{bmatrix} x' \\ y' \\ z' \\ 1 \end{bmatrix} = \begin{bmatrix} \cos(\theta) & -\operatorname{sen}(\theta) & 0 & 0 \\ \operatorname{sen}(\theta) & \cos(\theta) & 0 & 0 \\ 0 & 0 & 1 & 0 \\ 0 & 0 & 0 & 1 \end{bmatrix} \begin{bmatrix} x \\ y \\ z \\ 1 \end{bmatrix}.$$

Tabla 3.3: *Rotaciones en el espacio respecto a los ejes coordenados.*

Un problema de aplicación de simetrías.

Se cuenta que el siglo VI a. C., Polícrates ordenó a Eupalinos la construcción de un túnel, que se conserva parcialmente en la actualidad, para llevar agua atravesando el monte Castro. La longitud del túnel era de 1 km, debiéndose perforar desde las dos laderas del monte. El error que se cometió en el centro, donde las dos mitades debían encontrarse, fue de 10 m en dirección horizontal y 3 m en dirección vertical.

Dado el error que se produjo, ¿cómo se debería plantear el problema utilizando transformaciones geométricas de manera que las perforaciones se encontraran en el punto exacto?

3.5   Aplicaciones

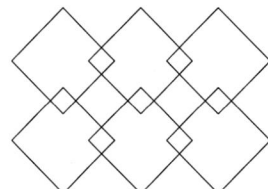 Jugando al billar

3.5.1   Jugando al billar

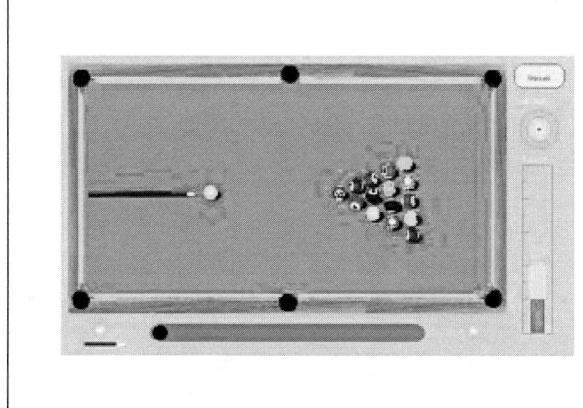

Si hay un deporte en el que los ángulos y las tranformaciones geométricas juegan un papel fundamental, ese es el billar. De hecho, para los grandes billaristas lo básico para practicarlo con éxito no es únicamente tener un buen golpe de muñeca, sino poseer unas nociones básicas de geometría para saber elegir qué golpe dar.

El estudio de los ángulos ha estado presente en la vida cotidiana del ser humano desde la antigüedad, así como el tema de las transformaciones de cuerpos geométricos (rotaciones, escalado, traslaciones, etc.).

Si nos atenemos a su definición, un ángulo es la región del plano que queda limitada por dos semirrectas que cortan en un mismo punto. Esas dos semirrectas son los lados del ángulo, y el punto común es el vértice. Al prolongar los dos lados del ángulo el plano quedará dividido en cuatro regiones, y en función del espacio que abarque el ángulo diremos que es cóncavo, si abarca tres de las cuatro regiones, o convexo, que abarca solo una de las cuatro regiones.

El efecto Coriolis fue estudiado por Gaspard-Gustave de Coriolis, ingeniero y matemático francés nacido el 21 de mayo de 1792. Dicho efecto hace que un objeto que se mueve sobre el radio de un disco en rotación tienda a acelerarse con respecto a ese disco según si el movimiento es hacia el eje de giro o alejándose de este.

Gustave Coriolis entró a estudiar el mundo del billar y en 1835 escribió el libro *Teoría matemática del juego del billar*, obra en la que estudia trayectorias parabólicas por ataque no horizontal y estudia igualmente los efectos de la bola desde el punto de vista matemático. En Google Books se puede encontrar el libro de forma gratuita en su versión original (http://books.google.fr/).

Que el billar es un juego donde se utilizan la física y las matemáticas parece que no hay duda. En cuanto a las matemáticas tenemos la medición de ángulos, la reflexión de las bolas, el efecto en la bola y la determinación del ángulo de reflexión. La física aparece en la fuerza de la bola, distancias entre bolas,

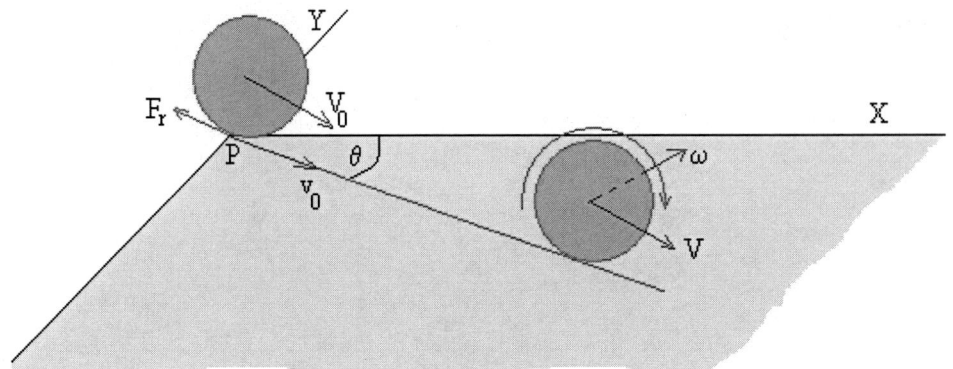

Figura 3.3: *Geometría del billar.*

los efectos originados en las siguientes bolas, la conservación del momentum, etc.

> Una simulación del juego del billar con el programa GeoGebra.

Se ha realizado una simulación del juego de billar a bandas con el programa GeoGebra en su versión 4, que soporta la utilización de botones en la pantalla, lo que resulta fundamental en esta construcción (simulación realizada por Pablo Niñoles).

Billiards, además de una gran cantidad de cálculos, nos ofrece un variedad de posibilidades a la hora de interactuar con el mismo. Toda la simulación se basa en una interfaz lograda a base de imágenes que hacen la función de botones. Al pulsar sobre estos botones, internamente estamos modificando los valores de las variables para decidir qué es lo que se debe mostrar al usuario en pantalla.

El primer paso es definir las diferentes posibilidades que nos va a ofrecer Billiards. Billiards nos ofrece la posibilidad de hacer cálculos, incluso jugar, en función del número de bandas y el número de bolas que seleccionemos. Habrá entonces dos modos de juego:

- Modo Cálculo.
- Modo Juego.

El modo Cálculo sirve únicamente para realizar cálculos de carambolas, mientras que el modo Juego ya nos permite interactuar con simulaciones de tiradas, previamente elegidas el número de bolas y las bandas. Podemos definir estos dos modos como modo 0 (Cálculo) y modo 1 (Juego). Esto se hará con un deslizador que puede tomar estos valores.

También debemos insertar dos deslizadores, uno para poder seleccionar el número de bandas $(0, 1, 2, 3)$, y otro para el número de bolas $(2, 3)$.

A partir de aquí comienza una construcción compleja, en la que la base consiste en definir la mesa como un rectángulo, nombrar las esquinas y las bandas (véase la figura 3.4). También es importante llevar cuidado con las capas y en qué capa se define cada objeto, con el fin de que aparezca en el momento adecuado.

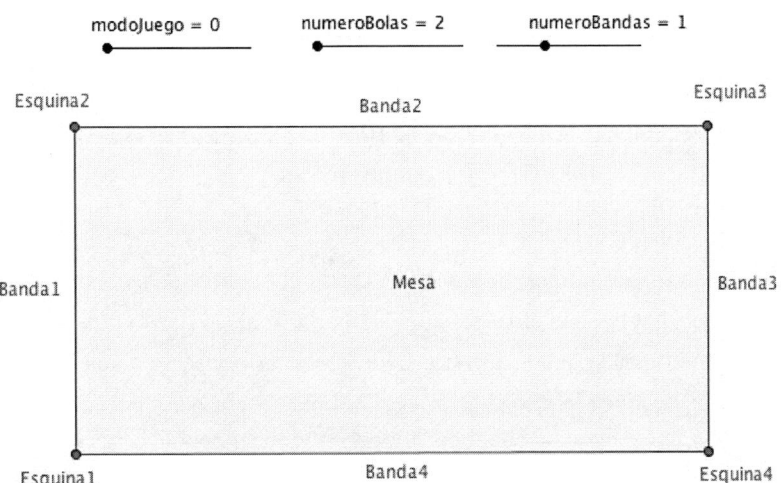

Figura 3.4: *Rectángulo representando la mesa de billar.*

Modo Cálculo.

En este modo el usuario tendrá la posibilidad de mover las bolas como quiera, y en tiempo real el programa mostrará una posible solución. Además, cabe la posibilidad de poder añadir efecto, con lo que la solución lo deberá tener en cuenta.

Las distintas posibilidades en este modo son:

- Dos bolas.
  - Dos bolas, una banda. En este caso la Bola A deberá rebotar en una banda antes de chocar con la Bola B. Elegimos, por ejemplo, la banda Banda2. Debemos de calcular qué punto de la Banda2 está bajo el mismo ángulo de la Bola A y la Bola B.
  - Dos bolas, dos bandas. En este caso la Bola A deberá rebotar en dos banda antes de chocar con la Bola B. Elegimos, por ejemplo, la banda Banda3 y la Banda4.
  - Dos bolas, tres bandas. En este caso la Bola A deberá rebotar en tres bandas antes de chocar con la Bola B. Elegimos, por ejemplo, la Banda1, Banda4 y Banda3.
- Tres bolas. A diferencia de cuando tenemos dos bolas, ahora la Bola A primero golpeará una Bola, después el número de bandas que indique el deslizador, y finalmente la tercera Bola. Ahora ya tiene sentido hablar de 0 Bandas, es decir, hacer una carambola directa. La Bola A golpea la Bola B, y a continuación la Bola C.
  - Tres bolas, cero bandas. En este caso la Bola A golpeará la Bola B y finalmente la Bola C, carambola directa.
  - Tres bolas, una banda. En este caso la Bola A golpeará la Bola B, después una banda y finalmente la Bola C. Elegimos, por ejemplo, la banda Banda4. Debemos de calcular qué punto de la Banda4 está bajo el mismo ángulo de la BolaC centro y la intersección de la

tangente con CirB2.

- ○ Tres bolas, dos bandas. En este caso la Bola A golpeará la Bola B, después dos bandas y finalmente la Bola C. Elegimos, por ejemplo, Banda4 y Banda3.

- ○ Tres bolas, tres bandas. En este caso la Bola A golpeará la Bola B, después tres bandas y finalmente la Bola C. Elegimos, por ejemplo, Banda4 , Banda3 y Banda2.

Modo Juego.

En este modo añadiremos algo más de interactividad con el usuario. En vez de ser el propio usuario el que mueva las bolas como quiera y ver el resultado en tiempo real, lo que vamos a hacer es imponer una configuración inicial de las bolas y que el usuario deba elegir el punto solución, entendiendo por punto solución aquel en el que se produce la intersección con la bola. Incluso se realiza una animación para ver el resultado de la jugada.

Las bolas que aparecen en la mesa las podemos mover como queramos, y eso no es lo que queremos en este modo de juego.

El usuario seguirá pudiendo elegir el número de bolas y de bandas, con lo que según la combinación elegida, nosotros mostraremos las bolas en una posición determinada.

Internamente calcularemos la solución pero no la mostraremos. El usuario la mostrará si lo desea. Para esto se crea una Casilla de Control y le ponemos de nombre Solución. Esta valdrá *true* cuando este marcada y *false* cuando no lo esté.

Figura 3.5: *Imagen de la construcción completa.*

En la figura 3.5 se observa una captura de pantalla de la construcción finalmente implementada y en la que se aprecia la interface del juego.

Se aprecia perfectamente como la pantalla se divide en tres zonas. La zona de la izquierda nos recuerda las opciones disponibles en el modo de juego, con las características de los botones que aparecen en la parte inferior de la mesa. En la parte central tenemos la mesa de juego, mientras que en la parte de la derecha tenemos la ayuda, que nos recuerda en qué va a consistir la jugada que hacemos.

También se nos recuerda que existe un botón para actualizar el juego y que debemos presionarlo cada vez que hacemos una jugada. Este proceso puede llevar unos segundos y es esencial para el correcto funcionamiento del mismo.

En la página web de recursos de este libro podemos encontrar un enlace a la simulación.

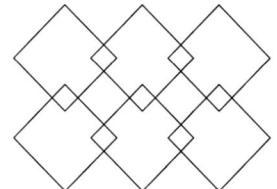

La geometría de Escher

○ ● ○ ● ○ ● ○ ● ○ ● ○ ● ○ ● ○ ● ○ ● ○

3.5.2   Introducción

Maurits Cornelis Escher nació el 17 de junio de 1898 en Leenwarden (Países Bajos), hijo de un ingeniero hidráulico. Como tantos otros grandes artistas, era zurdo. Su profesor F.W. van der Haagen le enseñó la técnica de los grabados en linóleo y fue una gran influencia para el joven Escher. En 1919 comenzó a estudiar en la Escuela de Arquitectura, pero abandonó sus estudios. A cambio, comenzó a aprender la técnica del grabado en madera o xilografía de Samuel Jesserun de Mesquita, su maestro, que utilizaría posteriormente en muchas de sus obras.

Hacia 1922 fue a Italia de vacaciones y acabó viviendo en Roma una larga temporada. Muchas de las obras de Escher en las que aparecen casas y edificios en la costa están inspiaradas en la arquitectura tradicional de los pequeños pueblecitos italianos.

Escher también viajó a España, donde descubriría la Alhambra de Granada, el Generalife y la Mezquita de Córdoba, cuyas maravillas estudiaría con detalle. Lo que aprendió allí tendría fuertes influencias en muchos de sus trabajos, especialmente en los relacionados con la partición regular del plano y el uso de patrones que rellenan el espacio sin dejar ningún hueco.

A partir de 1935, Escher dejó italia entre otras cosas debido al desagradable clima político que se avecinaba y que desembocaría en la II Guerra Mundial, y pasó algunos años en Suiza, cuyo clima le resultó muy desagradable y poco inspirador.

Luego fue a vivir a Bélgica en 1937 y, finalmente, regresó a Baarn, Holanda, en 1941.

Hasta 1951 vivió básicamente dependiendo económicamente de sus padres. A partir de entonces fue cuando comenzó a vender sus grabados y obtener un buen dinero por ellos. Esto le permitió vivir sus últimos años con una economía personal excelente. Generalmente hacía copias de las litografías y grabados por encargo. También hizo por encargo diseños de sellos, portadas de libros, y algunas esculturas en marfil y madera.

Hasta 1962 su producción de trabajos fue muy constante. Entonces cayó enfermo y eso supuso un pequeño parón transitorio. En 1969 realizó su último trabajo original, *Serpientes*, que demostraba que su habilidad seguía intacta. Hacia 1970 ingresó en una residencia para artistas en Holanda, donde pudo mantener su propio taller.

Falleció el 27 de marzo de 1972.

3.5.3   La geometría de Escher

Nos centramos en estudiar la geometría presente tanto en la parte de su obra relacionada con los cristales y construcciones como en las simetrías, ya que muchos de los grabados más conocidos y que más le han hecho destacar son los que se fundamentan en la división regular del plano mediante diversas figuras. Algunos ejemplos de estas figuras son peces, mariposas, duendes, pájaros, etc.

La fascinación que sintió en su visita a la Alhambra de Granada, especialmente el descubrimiento de los posibles recubrimientos del plano, motivó su estudio de las posibles simetrías del plano, apoyándose en los estudios realizados por el matemático George Pólya, que determinó las 17 posibles simetrías planas.

Tras el arduo estudio en el que Escher consiguió dar una explicación popular a las diecisiete posibles simetrías planas, decidió ir más allá e intentar hacer que estas simetrías cambiasen de forma regular su tamaño, evitando los espacios entre figura y figura. Intentaremos responder a preguntas como: ¿De dónde partimos para realizar las construcciones de cada mosaico? ¿Mediante todas las figuras regulares se puede construir un teselado? ¿Cómo podemos llegar al resultado final obtenido por Escher, partiendo de polígonos?

La cualidad fundamental de la mayoría de las obras en las que nos vamos a centrar son las particiones regulares de la superficie, definidas como **teselados**.

Definición 17 (teselado).

Un **teselado** es una regularidad o patrón de figuras que cubre o pavimenta completamente una superficie plana y que cumple dos requisitos:
- No existen espacios vacíos entre figura y figura.
- No se podrán superponer las diferentes figuras de los mosaicos.

Los teselados se crean usando transformaciones isométricas sobre una figura inicial. Tenemos innumerables ejemplos a lo largo del tiempo y una geografía amplia en la que distintas culturas han utilizado esta técnica para formar pavimentos o muros de mosaicos en catedrales y palacios.

El objetivo en esta sección es presentar una serie de mosaicos basados en la aplicación de ciertas transformaciones geométricas a ciertos polígonos.

Las transformaciones involucradas en este estudio son:

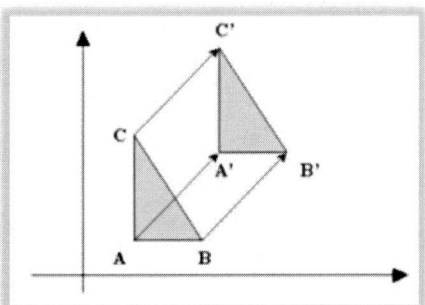

Traslación: deslizamientos sobre el plano. En las teselaciones cada polígono será trasladado en varias direcciones para cubrir el plano.

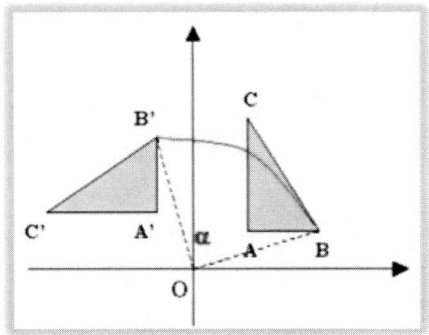

Rotación: nos servirán para obtener las diversas figuras que compondrán el teselado.

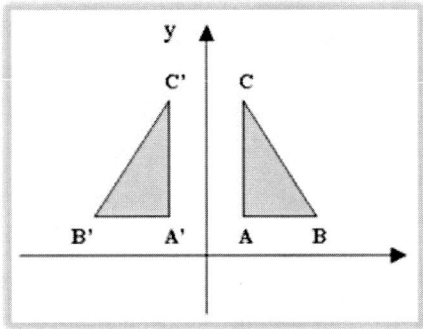

Reflexión: vamos a reflejar respecto a una recta que hará el papel de un espejo y utilizaremos esta transformación para cubrir el plano.

Para poder teselar tenemos que utilizar ciertos polígonos que nos permitan cubrir el plano y cumplan las cualidades del teselado. Dependiendo de los polígonos que utilicemos diremos que los teselados podrán ser: regulares, semiregulares, no regulares.

Teselados regulares

Los únicos polígonos regulares que cubren completamente una superficie plana son: el triángulo equilátero, el cuadrado y el hexágono.

Como la unión en cada vértice debe sumar 360 grados para que no queden espacios, los únicos polígonos regulares que suman 360 al unirlos por sus ángulos interiores son estos tres.

Malla de triángulos equiláteros.

Retículo cuadrado.

Configuración hexagonal.

Teselados semiregulares

Los teselados semiregulares son aquellas que contienen 2 o más polígonos regulares en su formación. Más concretamente se pueden definir de la siguiente forma.

Definición 18 (teselado semiregular).

Un **teselado semiregular** es una regularidad o patrón de figuras que cubre o pavimenta completamente una superficie plana, conteniendo dos o más polígonos regulares en su formación y que cumple los requisitos:

- Está formada solo por polígonos regulares.
- El arreglo de polígonos es idéntico en cada vértice.
- No se podrán superponer las diferentes figuras de los mosaicos.

Existen solamente 8 teselados semi-regulares (como se muestra a continuación).

Nosotros nos centraremos en los teselados no regulares, que son las que han compuesto gran parte de la obra de Escher. Este tipo de teselados consiste en deformar un polígono regular que pueda teselar el plano (triángulo equilátero, cuadrado o hexágono regular) mediante las diversas transformaciones geométricas.

De este modo, al eliminar una parte del polígono y añadirla a otra parte, ya sea mediante la rotación o la traslación conseguiremos que todas las piezas encajen perfectamente entre sí para posteriormente recubrir el plano.

3.5.4   Estudio de algunos teselados

Escher dedicó una buena parte de su carrera a diseñar grabados que contenían recubrimientos con piezas en forma de animales. Para construir estas piezas se inspiró en los arabescos musulmanes, especialmente en los diseños que vio en la Alhambra de Granada, como ya se ha comentado. Estas decoraciones se realizaban partiendo de polígonos, en su mayoría regulares, que mediante determinadas transformaciones, se convertían en las figuras que posteriormente cubrían una superficie de forma regular y sin dejar huecos entre ellas.

Realizamos una breve descripción de algunos de los teselados más conocidos de Escher.

REPTILES

Las transformaciones geométricas aplicadas en polígonos que forman reptiles son una constante en la obra de Escher.

Este podría ser un ejemplo de teselado irregular compuesto por este autor en la que como podemos observar (1) partimos del hexágono, uno de los tres polígonos que nos permiten teselar. En (2, 3, 4) se van aplicando diversas transformaciones geométricas como rotar diversas partes del polígono un ángulo de 120°, cada una de ellas respecto a un vértice. Así se consigue obtener la figura deseada. Finalmente se aplica una determinada traslación para completar el resto del mosaico.

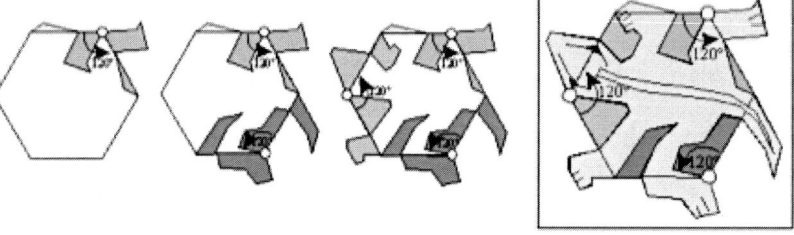

PECES

Aquí podemos observar otra simetría realizada por Escher cuyas figuras son ahora peces, también muy comunes en sus obras de teselados.

Al igual que la anterior, (1) podemos comprobar que parte de un hexágono, ya que todas las caras de los peces se unen formando un vértice del mismo. Vemos en (3) que el hexágono está dividido en triángulos equiláteros, (4) los triángulos equiláteros serán divididos a su vez en las tres mitades que conformarán los diversos peces. Posteriormente (5), las nuevas mitades de la otra cara del cubo podrán obtenerse mediante reflexión, hasta así completar el hexágono. El último paso será trasladar el hexágono por el resto del mosaico.

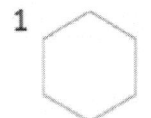 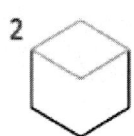 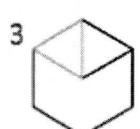 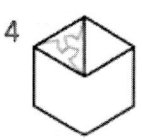 

PÁJAROS

Ahora en este ejemplo cubrimos el plano con figuras que forman pájaros. Se observa que seguimos tomando como polígono inicial el hexágono.

Así pues, este mosaico parte de un hexágono regular (1). En cada vértice confluirán tanto los picos como las alas de los diferentes pájaros. En (2) se aprecia que este hexágono se divide en triángulos equiláteros y a su vez estos estarán compuestos por las diversas partes de los pájaros (3). Para acabar de formar cada figura deberemos rotar cada triángulo un ángulo de 60° hasta formar el hexágono (6). Finalmente, procederemos a trasladar el hexágono al resto del mosaico.

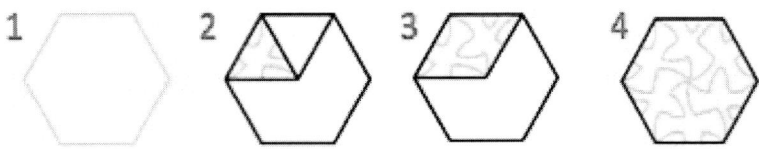

PECES 2

En este ejemplo cambiamos el polígono inicial de partida, que va a ser un cuadrado. A partir de un cuadrado inicial formaremos un pez. Este mosaico lo estudiaremos en profundidad después, a partir de una simulación realizada con GeoGebra.

Podemos observar que el punto donde convergen las mismas aletas de los diversos peces va a ser uno de los vértices del polígono, por lo tanto, el conjunto de los vértices formarán un cuadrado. (1)Dentro de ese mismo cuadrado deberemos limitar el contorno de los diversos peces, (2) (3) cada parte de cada pez deberemos rotarla un cierto ángulo hasta conformar el pez entero. Por último (4), rotaremos el pez un ángulo de 360 grados y cada 90 grados conformaremos el teselado compuesto por cuatro de los peces del mosaico sobre el vértice destacado del desarrollo del proceso geométrico.

MARIPOSAS

En este caso, las figuras que adornan el teselado son unas mariposas construidas a partir de un simple cuadrilátero.

El mosaico compuesto por mariposas parte de un cuadrilátero que va a sufrir las tres posibles trasformaciones que se pueden utilizar para cubrir el plano, la rotación, la simetría y la traslación. Nuestra figura inicial vuelve a ser un cuadrado.

El cuadrilátero lo vamos a dividir en los contornos de las diferentes mariposas (2) y, posteriormente, rotaremos una parte de este para conformar un cuarto de la mariposa. Al polígono resultante (3), mediante la transformación de la simetría con eje horizontal compondremos la mitad de la mariposa y, de nuevo, (4) mediante la simetría con eje vertical acabaremos el resto de la mariposa. Finalmente (5), mediante la traslación compondremos el resto del mosaico.

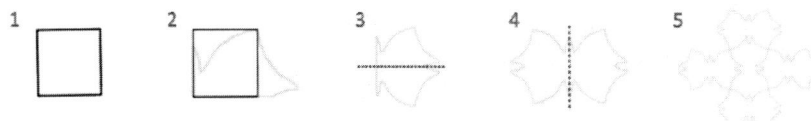

LÍMITE CIRCULAR

Límite circular constituye una de las obras más conocidas de este autor.

La figura geométrica de la que partimos en este teselado es el triángulo. Este es uno de los teselados relativamente más sencillos de analizar de la obra de Escher, ya que cada vértice del triángulo será aquel punto donde confluyan las diversas caras de los peces.

(2) Posteriormente el triángulo lo tendremos que dividir en las tres partes de los diferentes peces y reflejando cada mitad de los peces respecto a un eje (3), conseguiremos obtener los peces completos. Como último paso trasladaremos la combinación de los tres peces por el resto del mosaico.

 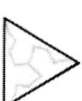  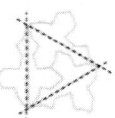 

DUENDES

En muchas de las obras geométricas de Escher aparecen extrañas criaturas formadas a partir de polígonos regulares muy simples. Este es uno de esos casos en los que se dibujan unas figuras que llamamos duendes.

Podemos observar que el mosaico compuesto por duendes parte de un triángulo equilátero. Este triángulo será reflejado sobre un eje horizontal en la base del mismo (2), por lo que formaremos un rombo. Dentro de este rombo delimitaremos las diferentes partes del duende(3); entonces, estas partes del duende serán rotadas un ángulo de 240 grados (4), hasta conformar el duende completo. Una vez formado lo rotaremos respecto al vértice marcado para formar la combinación de los tres duendes (5). Una vez formado los trasladaremos por el resto del teselado.

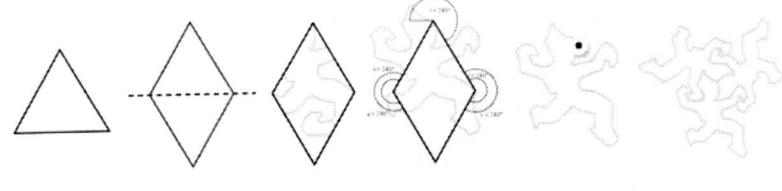

A continuación, mostramos una construcción con GeoGebra en la que se lleva a cabo uno de los teselados en el plano más famosos de Escher. Se analiza paso a paso la forma de recrear el mosaico.

Una teselación de Escher con GeoGebra.

Vamos a diseñar una construcción con el programa GeoGebra para dibujar uno de los teselados típicos de Escher, en este caso con peces.

El mosaico que vamos a generar es el que aparece en la figura 3.6(a); cumple con las dos condiciones básicas de los teselados:

- No existe huecos entre las figuras.
- No se superponen figuras.

El primer paso en nuestra construcción consiste en determinar el polígono de partida, es decir, el polígono a partir del cuál podemos obtener las figuras del teselado.

Si nos fijamos en la figura 3.6(a), Escher nos facilita el trabajo mostrándonos en la propia figura los puntos que constituyen los vértices del cuadrilátero de partida. Lo vemos en el pez que hay fuera del mosaico. Podemos formar un polígono inicial a partir de los cuatro vértices y sus correspondientes lados. Lo apreciamos en la figura 3.6(b).

Podemos establecer una construcción con los siguientes pasos:

Paso 1. En la figura 3.6(b) vemos el polígono base de la construcción y cómo se va conformando en la

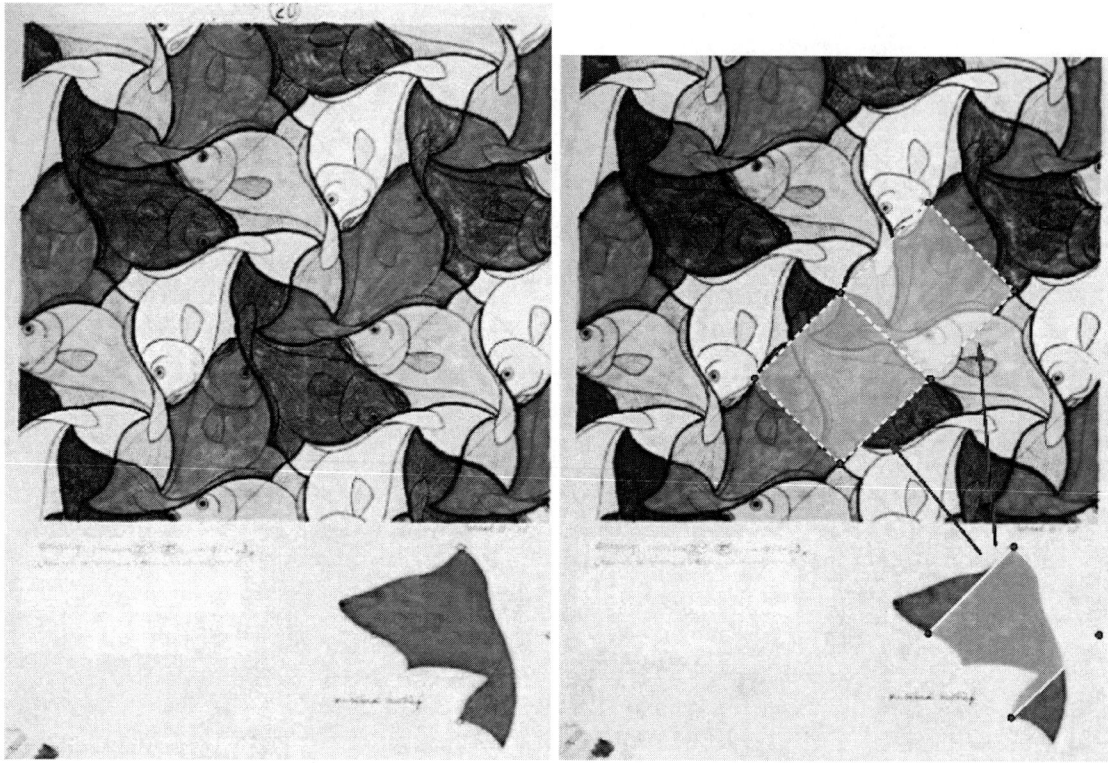

(a) Mosaico original   (b) Polígono inicial

Figura 3.6

construcción general.

Paso 2. El siguiente paso será completar el cuadrilátero con las diversas partes de los peces. Lo vemos en la figura 3.7(a), en la que se parecían los tres polígonos que forman el cuadrilátero.

Paso 3. Ahora se definen tres deslizadores, que denotaremos por α, β, γ, para cada uno de los polígonos que conforman el cuadrilátero base. Dichos deslizadores son angulares y los definimos inicialmente entre 0 y 360 grados, aunque posteriormente ajustaremos estos valores. El incremento lo establecemos con el valor 0.001.

Paso 4. En este paso se produce la rotación de los tres polígonos que forman el cuadrilátero. Para ello se utiliza la herramienta Rota Objeto en torno a Punto el Ángulo Indicado. El valor que se asigna a cada uno de los polígonos son, respectivamente, los valores definidos por los deslizadores angulares, α, β, γ. Con esto podemos rotar cada parte de la figura de forma independiente, siendo el cuerpo del pez la única parte que permanece sin rotar por ninguno de los deslizadores. Debemos ajustar la rotación de manera que el polígono se superponga de forma correcta. Véase la figura 3.7(b). Como

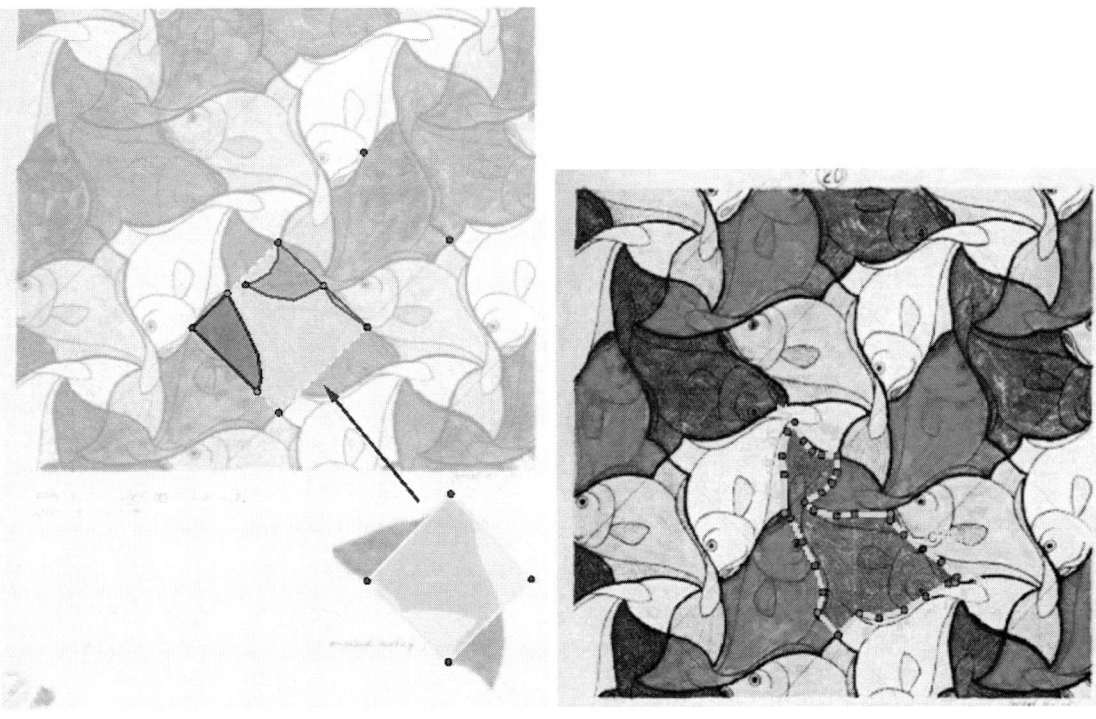

(a) Polígonos del cuadrilátero (b) Rotación de polígonos

Figura 3.7

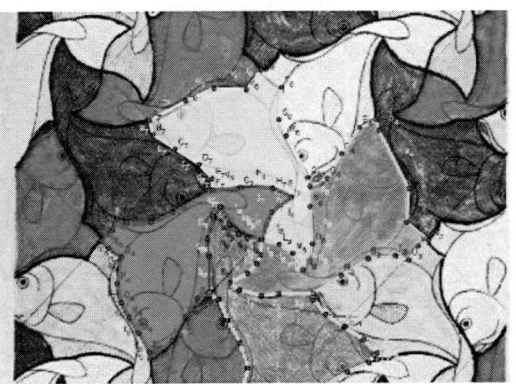

Figura 3.8: *Rotación del pez inicial.*

se aprecia en esta imagen ya tenemos la figura del pez construida. A partir de este momento el trabajo se va a centrar en rotar esta figura para generar los peces contiguos.

Paso 5. Ahora ocultamos los segmentos de los polígonos que no nos interesan para la visualización correcta de la figura. El resultado es que podemos rotar hasta llegar al ángulo máximo de cada deslizador, teniendo en cuenta que hemos ajustado sus valores, de manera que las figuras coincidan exactamente. Los valores máximos que se establecen para cada deslizador son los siguientes (en grados):

$$\alpha = 272, \beta = 272, \gamma = 180.$$

Paso 6. Ahora definimos un nuevo deslizador angular ϵ, entre 0 y 360 grados con incrementos de 90 grados.

Paso 7. Debemos rotar el conjunto de polígonos mediante la herramienta Rota Objeto, al que se asigna el valor anterior ϵ. Se oculta el polígono rotado.

Paso 8. Ahora componemos los peces que rodean al pez de partida con la herramienta Polígono (cada pez un polígono). Después, establecemos las condiciones para mostrar el resto de peces que rodean al inicial. Vemos el resultado en la figura 3.8, en la que se toma como referencia inicial el pez de color verde. En este paso, una vez creados los polígonos que representan los tres peces de alrededor del pez inicial, podemos visualizarlos utilizando el deslizador ϵ que hemos definido anteriormente. Si nos fijamos en la figura, podemos generar los peces girando el pez verde ángulos de 90 grados.

Lo que hacemos es establecer condiciones para exponer los objetos deseados. Concretamente, las condiciones son las siguientes:

Pez azul $\longrightarrow$ Condición para Exponer Objeto: $\epsilon = 90v\epsilon = 360$.

Pez amarillo $\longrightarrow$ Condición para Exponer Objeto: $\epsilon = 180v\epsilon = 360$.

Pez violeta $\longrightarrow$ Condición para Exponer Objeto: $\epsilon = 270v\epsilon = 360$.

En este punto, surge un problema que debemos resolver. Al mover un punto que pertenece a dos polígonos diferentes, uno de los polígonos resultará deformado al realizar la transformación geométrica pertinente. Entonces el resultado final no es el deseado.

Para evitar este problema lo que hacemos es imponer una nueva condición para el deslizador ϵ. La condición consiste en que bloqueamos el deslizador ϵ hasta que los otros tres deslizadores no han alcanzado el máximo. Así, la condición es:

Condición para Exponer Objeto: $\longrightarrow \alpha = 272\Lambda\beta = 272\Lambda\gamma = 177.21$.

Paso 9. Una vez creados los cuatro peces, el resto de elementos de la teselación salen a partir de estos. Podríamos acabar el proceso mediante la utilización de vectores. Sin embargo, el trabajo con vectores en este caso ralentiza notablemente el proceso. Ahora en este paso definimos un nuevo deslizador A que no va a ser angular; lo definimos de 0 a 4 y el incremento lo hacemos de 1. Nuevamente, cada pez será un polígono y una vez creados x polígonos tendremos que imponer al deslizador la condición para visualizar los distintos elementos. En nuestro caso concreto, establecemos cuatro polígonos (cada uno de ellos un pez) para cada posición del deslizador A. De esta manera, cada vez que el deslizador A aumenta su valor aparecen cuatro polígonos nuevos hasta completar el mosaico.

En las tablas 3.4 y 3.5 vemos algunas imágenes de la construcción realizada con GeoGebra. En las dos primeras figuras se aprecia la formación del pez a partir del cuadrado inicial y su descomposición en polígonos. La etapa posterior consiste en aplicar transformaciones sobre el pez para conseguir el teselado completo.

Las facilidades que nos ofrece GeoGebra para crear deslizadores nos permite realizar la construcción

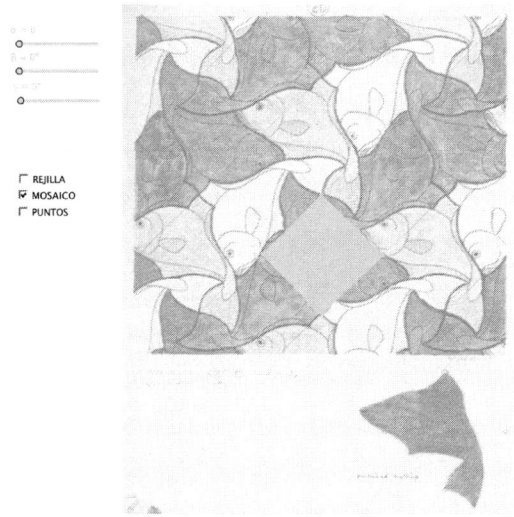

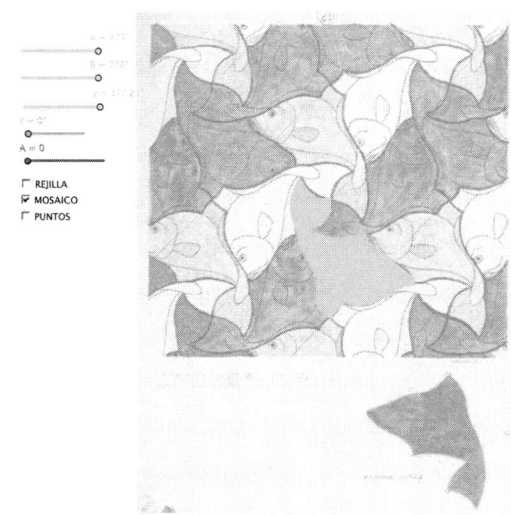

Figura inicial de partida.

Después de rotar $\alpha = 272, \beta = 272, \gamma = 177.21$, se forma el pez original y en ese momento aparecen los deslizadores ϵ y A.

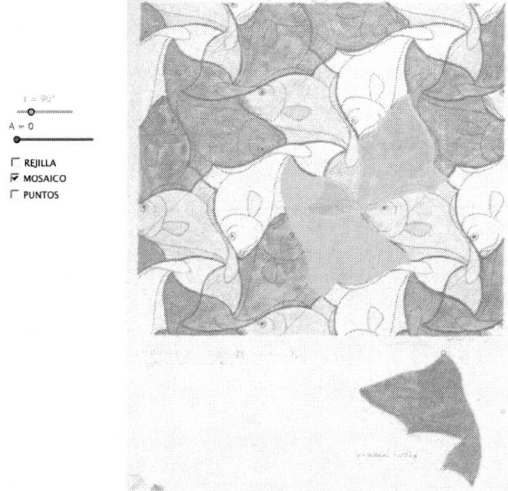

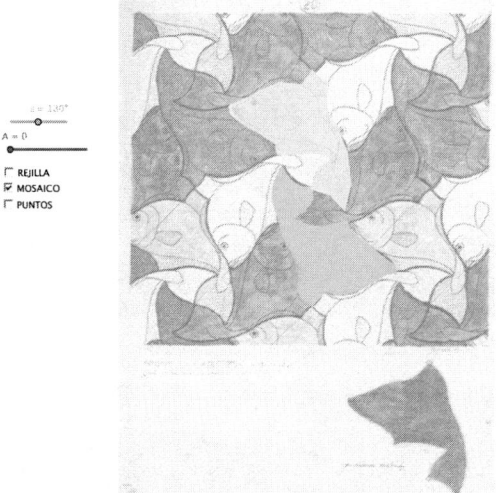

Cuando $\epsilon = 90$ aparece el segundo pez (en color azul).

Cuando $\epsilon = 180$ aparece el segundo pez (en color amarillo).

Tabla 3.4: *Imágenes de la construcción del teselado.*

de una manera dinámica.

En la página web de recursos encontramos ejemplos con diferentes teselados del propio Escher. Más concretamente podemos ver un ejemplo de teselado donde la figura que tomamos inicialmente es un pez. También hemos implementado en GeoGebra otro de los teselados más famosos de Escher, el de las salamandras.

La diferencia entre estos teselados y el que hemos visto en detalle radica en el polígono que tomamos de partida y en la partición del mismo que realizamos. Sin embargo, el proceso de construcción con GeoGebra es totalmente similar al que hemos descrito con detalle en esta sección.

La base de estos teselados, como hemos podido comprobar en la construcción geométrica, es la que nos proporcionan las transformaciones geométricas en el plano, especialmente las traslaciones y las rotaciones.

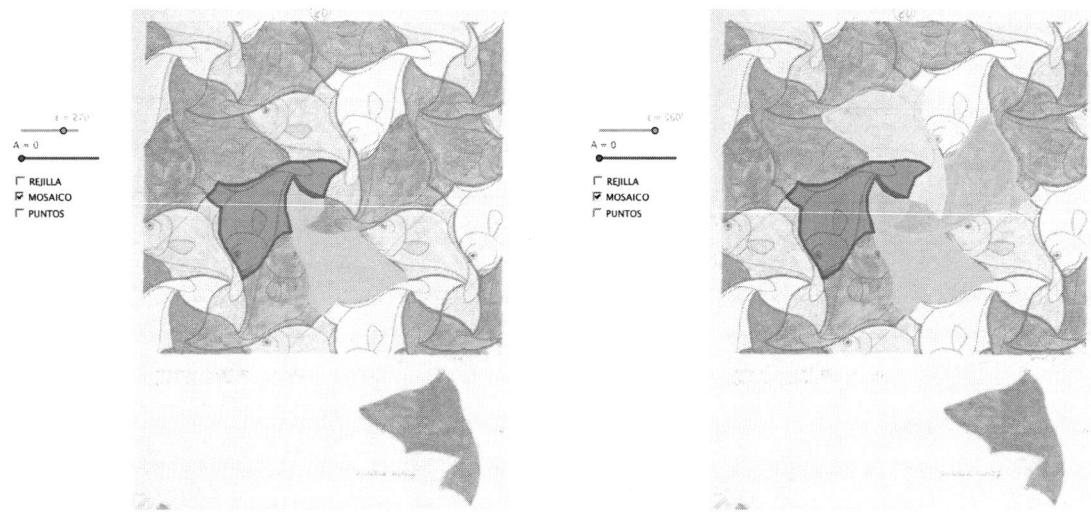

Cuando $\epsilon = 270$ aparece el segundo pez (en color violeta).

Cuando $\epsilon = 360$ aparecen los cuatro peces que resultan al girar en ángulos rectos el pez inicial.

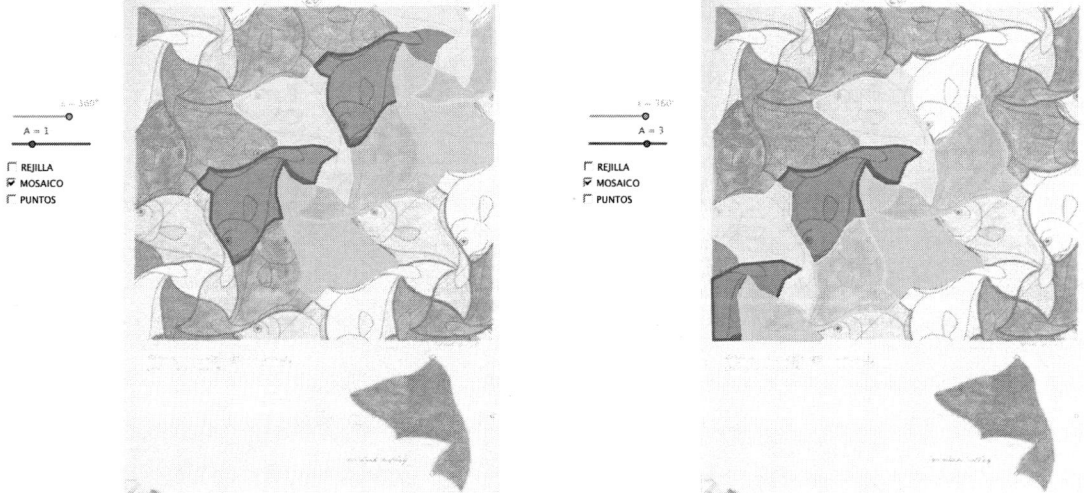

Cuando $A = 1$ aparecen cuatro nuevos peces por traslación de la figura anterior.

Imagen del mosaico cuando $A = 3$.

Tabla 3.5: *Imágenes de la construcción del teselado.*

Esta construcción ha sido realizada por Juan Manuel Amorós. Podemos encontrar diversos ejemplos de mosaicos muy conocidos de Escher representados geométricamente con GeoGebra en la página de recursos del libro. En ellos podemos reconstruir la teselación del plano que hace Escher con peces y salamandras. El procedimiento que se ha seguido es similar al descrito en este caso. Utilizando distintos deslizadores vamos rellenado el espacio con las figuras.

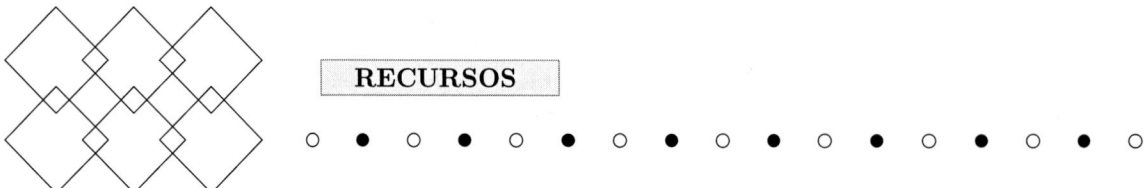

RECURSOS

Del tema de transformaciones geométrias existen innumerables recursos e información adicional en la red digna de tener en cuenta.

A continuación, enumeramos algunas páginas web en la que existen contenidos interesantes relacionados con las tranformaciones geométricas.

- `ntic.educacion.es/v5/web/profesores/bachillerato/matematicas/`
  En esta página disponemos de distintas aplicaciones y recursos interactivos relacionados con la geometría. Entre estos recursos existe una aplicación interactiva de María José Sánchez dedicada al tema de los movimientos en el plano, en la que se utiliza Flash y Cabriweb para implementar las simulaciones. También se incluyen *applets* interactivos en los que los estudiantes pueden manipular diversas figuras geométricas.

- `www.geolay.com/movimientos/`
  Se trata de una página web diseñada para los alumnos y personas en general que se interesen por el tema de las transformaciones geométricas, en las que podemos encontrar presentaciones dinámmicas en las que se explican los conceptos fundamentales relacionados con los movimientos en el plano y las simetrías. También hay un apartado para los mosaicos.

- `es.wikipedia.org/wiki/Teselación`
  Página de la wikipedia dedicada al concepto de teselado. Conceptos básicos y enlaces a otras páginas de recursos.

- `www.docstoc.com/docs/282412/transformaciones-geometricas-2D-Graficacion`
  En esta página tenemos una presentación que podemos descargarnos sobre las transformaciones geométricas en el plano.

- `redesformacion.jccm.es/aula-abierta/contenido/5/223/957/propuestas/`
  `3_nivel_consolidacion_1/2_contenido/05_contenido_4.html`
  En esta página tenemos un enlace a un vídeo en el que se nos muestra el uso de diversas herramientas de GeoGebra donde aparecen las transformaciones geométricas.

- `roble.pntic.mec.es/jarran2/`
  La página web de José Manuel Arranz tiene una gran cantidad de recursos relacionados con la geometría, en general. Hay un apartado dedicado a GeoGebra y, dentro del mismo, un apartado que muestra diversas construcciones relacionadas con las transformaciones en el plano.

- `www.geometriadinamica.cl/`
  Geometriadinamica.cl es el blog de Rafael Miranda orientado a la enseñanza de la geometría. Podemos encontrar un buen número de guías interactivas, vídeos, *software* sobre geometría. Dentro del apartado de guías, encontramos un subapartado dedicado a las transformaciones isométricas, en la que hay guías interactivas sobre traslaciones, rotaciones, transformaciones en el plano y mosaicos y teselaciones. También existe un apartado destacable dedicado a la geometría de Escher.

- `jmora7.com/`
  José Antonio Mora tiene una página excelente dedicada a la geometría dinámica, en la que aparecen

gran cantidad de recursos educativos relacionados con la geometria dinámica, en general. Un apartado muy interesante es el relacionado con el diseño de azulejos con GeoGebra para el museo de Onda de cerámica. También es muy destacable el estudio que realiza de diversos mecanismos, aprovechando las posibilidades del software de geometría interactivo Cabri y Geogebra.

- `www.mcescher.com/`

  Página oficial del genial artista Escher.

- `aixa.ugr.es/escher/table.html`

  Página web donde podemos encontrar las imágenes de las obras artísticas de Escher, en diferentes resoluciones, así como enlaces interesantes a otras páginas.

- `www.epsilones.com/paginas/i-figurasimp.html`

  Esta página está dedicada al mundo de las figuras imposibles y las ilusiones ópticas. Encontramos un buen número de ejemplos de cada caso, así como enlaces a paradojas y otros enlaces relacionados con las figuras imposibles.

- `www.ilusionario.es/FIG_IMPOSIBLES/historia.htm`

  Otra página dedicada al universo de las figuras imposibles. En esta página encontramos un enlace a un vídeo de animación muy interesante, que se encuentra ambientado en unas escaleras que suben y bajan, como las famosas escaleras que aparecen en el grabado de Escher.

- `docentes.educacion.navarra.es/msadaall/geogebra/index.htm`

  Página de Manuel Sada en la que encontramos innumerables construcciones con GeoGebra de los temas más diversos de matemáticas. Las figuras son interactivas y el contenido didáctico de las mismas es excelente. Una de las mejores páginas de GeoGebra en castellano.

- `www.iespravia.com/rafa/rafa.htm`

  Magnífico portal de recursos de geometría dinámica desarrollado por Rafael Losada, uno de los mayores expertos en GeoGebra. Construcciones excelentes.

- `www.xtec.es/~jbujosa/GeoGebra/PracGeoGebra.htm`

  Pep Bujosa es otro gran experto en GeoGebra y en este portal podemos encontrar un buen número de applets de GeoGebra.

3.6 Ejercicios propuestos

Problema 3.1: *Queremos aplicar una traslación de vector $(3, -3)$ a un triángulo cuyos vértices se encuentran en los puntos $(0,0)$, $(5,7)$, $(8,4)$. Determine las coordenadas de las nuevas posiciones de los vértices una vez efectuada la traslación.*

Problema 3.2: *Se ha aplicado una traslación de vector v de manera que el punto $A(3, -2$ se transforma en el punto $A'(1,5)$. Calcule:*

(a) *El transformado del punto $B(-2, 4)$.*

(b) *La transformada de una circunferencia de centro $(1,2)$ y radio 3.*

Problema 3.3: *Supongamos que una transformación lineal transforma el punto $(2,3)$ a $(0,1)$ y el punto $(9,7)$ en $(0,1)$. Encuentre la matriz de esta transformación lineal.*

Problema 3.4: *Consideremos el polígono dos dimensional formado por los puntos $(10,10)$, $(20,20)$, $(30,10)$. Se pide que realice las siguientes transformaciones:*

- *Una traslación de vector $(100, 50)$.*
- *Un escalado de parámetros $(4,2)$.*
- *Un escalado de parámetros $(0.5, 1)$ respecto al punto $(10, 10)$.*
- *Una rotación de $30°$ respecto al punto $(20, 15)$.*

Problema 3.5: *Dado el polígono formado por los puntos $(10,15)$, $(20,25)$, $(30,10)$ aplique las siguientes transformaciones sin utilizar el cálculo matricial:*

- *Una traslación de vector $u(60, 40)$.*
- *Un escalado $(3,2)$.*
- *Un escalado de factor $(1.5, 2.5)$ repecto del punto $(20, 20)$.*

Problema 3.6: *Un triángulo formado por los puntos $(0,0)$, $(10,10)$, $(20,0)$ debe situarse en una posición determinada de manera que su centro sea el punto $(100,50)$, a la mitad de tamaño y rotado 90 grados en sentido contrario a las agujas del reloj. Aplique las transformaciones necesarias para llevarlo hasta esa posición utilizando cálculo matricial.*

Problema 3.7: *Supongamos que el punto $(1,1,1)$ se traslada en la dirección de $(2,2,2)$ y después se rota $45°$ alrededor del eje Y. ¿Cuál es la matriz de transformación resultante?*

Problema 3.8: *Una aplicación requiere que transformemos el cuadrado unidad, cuyos vértices son $(0,0)$, $(1,0)$, $(1,1)$ y $(0,1)$ en un paralelogramo cuyos vértices sean $(0,0)$, $(1,0)$, $(3,3)$ y $(2,3)$. Explique el modo de conseguir esta transformación. Escriba cada uno de los pasos o transformaciones intermedias con su matriz correspondiente.*

Problema 3.9: *Se considera el cuadrado de vértices $(0,0)$, $(1,0)$, $(1,1)$ y $(0,1)$. Se pide que se realicen las siguientes transformaciones:*

(a) *Un escalado de factores $a = 3, b = 2$ y una rotación de $45°$.*

(b) *Realice las transformaciones anteriores en orden inverso, es decir, primero la rotación y, posteriormente, el escalado. Compruebe si los resultados obtenidos son los mismos. ¿Qué se puede concluir de estos resultados obtenidos?*

Problema 3.10: *Calcule una matriz de rotación que transforme el vector unitario $u(u_1, u_2)$ en el vector $(1,0)$.*

Problema 3.11: *Se considera la elipse de ecuación*

$$\frac{x^2}{4} + \frac{y^2}{9} = 1.$$

Demuestre que mediante un escalado puede transformarse en la circunferencia de centro $(0,0)$ y radio 1.

Problema 3.12: *Utilizando las transformaciones conocidas, ¿cómo se podría realizar la simetría al triángulo $(10,10)$, $(20,20)$, $(30,10)$ respecto al eje $X = 40$.*

Problema 3.13: *Dado un cuadrado cuyos lados tienen una longitud de 4 unidades que se encuentra situado en el origen de coordenadas, obtenga la matriz de transformación que hay que aplicar para que el vértice superior derecho esté situado en $(8,10)$ y el vértice inferior izquierdo en el punto $(6,4)$.*

4 Curvas en el plano. Las cónicas

Solo hay dos cosas infinitas: el universo y la estupidez humana, aunque no estoy seguro de la primera.
Albert Einstein (1879-1955).

Es más fácil negar las cosas que enterarse de ellas.
Mariano José de Larra (1809-1837).

Ninguna investigación humana puede ser llamada verdadera ciencia si no pasa por la demostración matemática.
Leonardo da Vinci (1452-1519).

4.1 Curvas en forma implícita y paramétrica

Las dos formas más usuales de representar curvas y superficies en geometría son mediante las ecuaciones implícitas y funciones paramétricas.

Podemos decir que la ecuación implícita de una curva que se encuentra en el plano XY tiene la forma

$$f(x, y) = 0. \tag{4.1}$$

La ecuación (4.1) describe una relación implícita entre las coordenadas x e y de los puntos que pertenecen a la curva. Para una cierta curva dada, la ecuación es única, salvo constantes multiplicativas. Un ejemplo de curva típica en el plano lo constituye el círculo de radio unidad centrado en el origen, que podemos representar mediante la ecuación implícita

$$f(x, y) = x^2 + y^2 - 1 = 0. \tag{4.2}$$

En forma paramétrica, cada una de las coordeenadas de un punto de la curva se representa como una función explícita de un parámetro independiente, de la forma

$$C(u) = (x(u), y(u)), \quad a \leqslant u \leqslant b.$$

Así, $C(u)$ es una función vectorial de la variable independiente u. Aunque el intervalo $[a, b]$ es arbitrario, se suele normalizar para trabajar con el intervalo $[0, 1]$. El primer cuadrante del círculo definido por la expresión (4.2) se define mediante funciones paramétricas de la forma

$$\begin{aligned} x(u) &= \cos(u) \\ y(u) &= \operatorname{sen}(u), \quad 0 \leqslant u \leqslant \tfrac{\pi}{2}. \end{aligned} \tag{4.3}$$

Efectuando en esta expresión el cambio $t = \tan(u/2)$, se puede llegar a una expresión equivalente, como es

$$\begin{aligned} x(t) &= \tfrac{1-t^2}{1+t^2} \\ y(t) &= \tfrac{2t}{1+t^2}, \quad 0 \leqslant t \leqslant 1. \end{aligned} \tag{4.4}$$

A partir de las expresiones equivalentes (4.3) y (4.4) podemos concluir que la representación paramétrica de una curva no es única.

A menudo podemos pensar en la expresión $C(u) = (x(u), y(u))$ como en la expresión de la trayectoria que traza una partícula en función del tiempo, donde u es la variable temporal y $[a, b]$ es el intervalo de tiempo.

Si derivamos las expresiones de $C(u)$ y (4.3) obtenemos la función de la velocidad como

$$\begin{aligned} C'(u) &= (x'(u), y'(u)) &&= (-\operatorname{sen}(u)\cos(u)) \\ C'(t) &= (x'(t), y'(t)) &&= \left(\tfrac{-4t}{(1+t^2)^2}, \tfrac{2(1-t^2)}{(1+t^2)^2} \right). \end{aligned}$$

Notemos que la magnitud del vector velocidad (su módulo) es una constante

$$|C'(u)| = \sqrt{\operatorname{sen}^2(u) + \cos^2(u)} = 1,$$

lo que significa que, si analizamos las ecuaciones en términos del desplazamiento de una partícula, podemos afirmar que su velocidad es constante, mientras que su dirección es lo que cambia con el tiempo. Esto es lo que conocemos como una parametrización uniforme.

Como hemos comprobado, tanto las formas paramétrica como implícita, nos proporcionan representaciones de curvas en el plano; sin embargo, no podemos decir que una de estas formas sea mejor que la otra, simplemente son diferentes y ambas presentan ventajas y desventajas. Hay que señalar que existen diversas operaciones geométricas cuya complejidad y manipulación dependen enormemente del método de representación utilizado. Así, por ejemplo, sabemos que el cálculo de un punto sobre una curva o una superficie es difícil en la forma implícita y relativamente sencillo en la forma paramétrica. Sin embargo, dado un punto, determinar si se encuentra en la curva o en la superficie es una tarea difícil en forma paramétrica y es sencillo en forma implícita.

Ejemplo 22.

Las ecuaciones

$$\begin{aligned} x &= t + 2 \\ y &= 3t - 1 \end{aligned}$$

constituyen una ecuación paramétrica de parámetro t. Resolviendo una ecuación para t y sustituyéndola en la otra ecuación, obtendríamos

$$3x - y = 7.$$

La gráfica de esta ecuación es, como ya sabemos, una línea recta en el plano.

4.1.1 Representación paramétrica de la circunferencia

Consideramos una circunferencia de radio a y centrada en el origen.

Parametrización de la circunferencia.

Para llevar a cabo esta representación paramétrica tomamos como parámetro el ángulo θ, como se muestra en la figura. Recordando las definiciones de seno y coseno y observando la figura, podemos establecer las relaciones

$$\begin{aligned} \frac{x}{a} &= \cos\theta \\ \frac{y}{a} &= \operatorname{sen}\theta \end{aligned}$$

o, equivalentemente, el par de ecuaciones

$$\begin{aligned} x &= a\cos\theta \\ y &= a\operatorname{sen}\theta. \end{aligned}$$

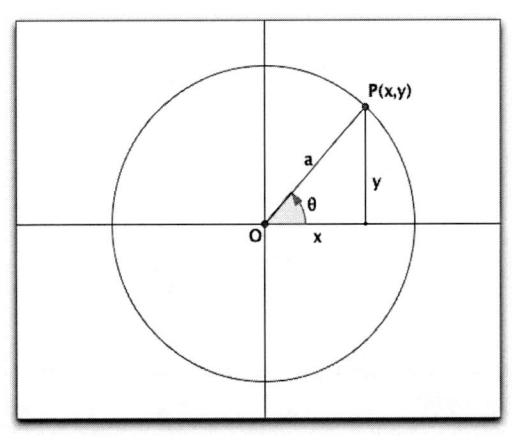

Si hacemos variar el ángulo θ desde 0 hasta 2π, el punto $P(x,y)$ definido por estas ecuaciones comienza en $(a,0)$ y se mueve en el sentido contrario a las agujas del reloj.

Consideremos la circunferencia centrada en el punto de coordenadas (h,k), con radio a, situación que se refleja en la figura. Podemos establecer que

$$\overrightarrow{CQ} = x - h = a\cos\theta, \quad \overrightarrow{QP} = y - k = a\,\mathrm{sen}\,\theta,$$

o, el par de ecuaciones,

$$\begin{array}{rcl} x &=& h + a\cos\theta \\[1mm] y &=& k + a\,\mathrm{sen}\,\theta. \end{array} \qquad (4.5)$$

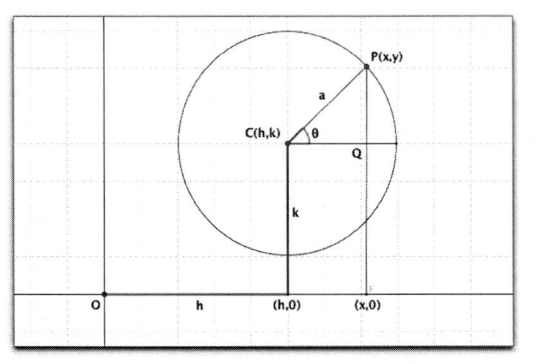

Las ecuaciones (4.5) constituyen las ecuaciones paramétricas de la circunferencia con centro en (h,k) y radio a.

4.2   Algunas curvas en el plano

Astroide

Buscando la mejor forma para los dientes de los engranes, Olaf Roemer (1644–1710), astrónomo danés, descubrió en 1674 las curvas cicloidales, una de las cuales es la astroide.

Astroide es una palabra para nombrar a un asteroide (del griego *aster*, astro, y *eidos*, forma), objeto celestial en una órbita alrededor del sol y cuyo tamaño está entre el de un planeta y un meteorito.

La **astroide** es la curva que describe un punto fijo en un círculo de radio $\frac{a}{4}$ rodando en el interior de un círculo fijo de radio a (véase la figura correspondiente en el cuadro).

La ecuación cartesiana de la astroide es

$$x^{\frac{2}{3}} + y^{\frac{2}{3}} = a^{\frac{2}{3}}.$$

Las ecuaciones paramétricas son:

$$\begin{array}{rcl} x &=& a\cos^3 t \\[1mm] y &=& a\,\mathrm{sen}^3\, t. \end{array}$$

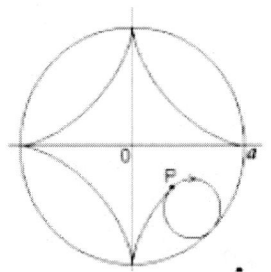

La bruja de Agnesi

Esta curva fue estudiada por Pierre de Fermat en el año 1666 y Luigi Guido Grandi en el año 1703. Posteriormente, en 1748 fue estudiada y nombrada correctamente *versiera* por María Gaetana Agnesi (1718-1799).

El nombre de la curva tiene una pintoresca historia. *Versiera* es el nombre dado por Grandi, el cual significa *libre para moverse*, viene de la palabra italiana *la versiera*. Al traducir el libro de Agnesi el inglés John Colson tradujo incorrectamente *la*

versiera por *l'aversiera* palabra que significa bruja. Hoy en día la curva es conocida **bruja de Agnesi**, **cúbica de Agnesi** y **agnésienne**.

Dado un círculo fijo con centro en $(0, \frac{a}{2})$ y radio $\frac{a}{2}$ y dos rectas paralelas $y = 0$ e $y = a$, las rectas son tangentes al círculo en 0 y K, respectivamente. Una secante $0A$ a través del punto fijo 0 corta al círculo en Q. Construya QP perpendicular al diámetro $0K$ y AP paralelo a él. El punto P es un punto de la Bruja de Agnesi.

La ecuación cartesiana de la bruja de Agnesi es

$$y(x^2 + a^2) = a^3.$$

Las ecuaciones paramétricas son:

$$x = a \tan t$$

$$y = a \cos^2 t.$$

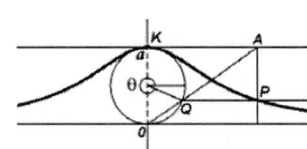

Cardioide

La **cardioide** es un caso especial del caracol de Pascal estudiado por Etienne Pascal (1588-1640), padre de Blaise Pascal (1623-1662).

La cardioide es la curva que dibuja un punto fijo P en un círculo que rueda sobre el exterior de un círculo fijo de igual tamaño (véase la figura en

el cuadro inferior).

Más concretamente, decimos que la cardioide es el lugar geométrico de un punto fijo P en un círculo de radio $2a$ que rueda en el interior de un círculo fijo de radio a; esta descripción recibe el nombre de generación doble.

La ecuación cartesiana de la cardioide es

$$(x^2 + y^2 \pm 2ax)^2 = 4a^2(x^2 + y^2).$$

Las ecuaciones paramétricas son:

$$x = 2a \cos t - a \cos 2t$$

$$y = 2a \, \text{sen}\, t - a \, \text{sen}\, 2t.$$

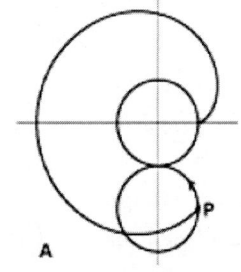

Catenaria

La **catenaria** (del latín *catena* que significa cadena), también conocida como *Cadeneta* o *curva Funicular*, describe la forma asumida por una cadena perfectamente flexible e inextensible de densidad uniforme colgando de dos soportes y accionada por la gravedad. Fue investigada primero por Galileo Galilei (1564-1642), quien afirmó que la curva era una parábola. Su error fue detectado experimentalmente en 1669 por Joachim Jungius (1587-1657), geómetra alemán.

La verdadera ecuación de la curva fue obtenida hasta 1690-1691 por Leibniz, Huygens y Johann Bernoulli, en respuesta a un desafío puesto por Jakob Bernoulli para encontrar la ecuación de la curva cadena. David Gregory, profesor de Oxford, escribió un extenso tratado sobre la catenaria en 1697. Huygens fue el primero en usar el término catenaria en una carta a Leibniz en 1690.

Cuando la vela de un buque está sujeta a dos barras horizontales y el viento sopla en dirección perpendicular a las barras, la vela forma una catenaria.

Como antes se dijo, la catenaria es la forma asumida por una cadena inextensible de densidad uniforme que está en reposo.

La ecuación cartesiana de la catenaria es

$$y = a\cosh(x/a) = \frac{a}{2}\left(\exp\frac{x}{a} + \exp-\frac{x}{a}\right).$$

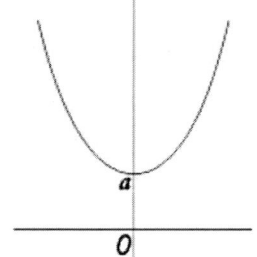

Cicloide

Nicholas de Cusa (1401-1464) fue el primero en estudiar la **cicloide**, cuando estaba intentando encontrar el área de un círculo por integración.

Marin Mersenne (1588-1648) dio la primera definición formal de la cicloide en 1599 y estableció algunas propiedades tales como que la longitud de la base es igual a la circunferencia del círculo que rueda. Intentó encontrar el área bajo la curva por integración pero fracasó.

En 1599 Galileo Galilei dio nombre a esta curva. Trató de encontrar el área por comparación de esta área con la del círculo generador. Después de fallar, recurrió a introducir cortes de pedazos de pesos de metal dentro de la forma de la cicloide. Encontró que la razón de las pesos era aproximadamente tres a uno, pero decidió que no era exactamente tres, de hecho creyó (equivocadamente) que la razón no era un número racional.

La cicloide es el lugar geométrico de un punto fijo P a distancia h del centro de un círculo de radio

a que rueda, sin resbalar, a lo largo de una línea recta, si $h = a$ (véase la figura del cuadro).

Las ecuaciones paramétricas de la cicloide son:

$$x = at - h \operatorname{sen} t$$

$$y = a - h \cos t.$$

∘ · ∘ · ∘ ● ∘ ● ○ ● ○ ● ○ ● ○ ● ∘ ● · ∘ · · ∘ · ∘ · ○ ● ○ ● ○ ● ○ ● ○ · ∘ · ∘ ·

Cisoide de Diocles

Esta curva fue descubierta por el griego Diocles (240 a. C.-180 a. C., aproximadamente) para resolver la duplicación del cubo o problema de Delian: ¿cuánto debe incrementarse la arista de un cubo para duplicar el volumen del cubo? Diocles también estudió el problema de Arquímedes de cortar una esfera con un plano de manera que los volúmenes de los segmentos estuviesen en una proporción dada.

El nombre de **cisoide** (proviene de una palabra griega que significa en forma de hiedra) se mencionó por el griego Geminus (10 a. C.- 60 d. C.) en el siglo primero a. C., es decir, aproximadamente un siglo después de la muerte de Diocles. Más tarde, el método usado para generar esta curva se generalizó, llamamos a las curvas generadas de este modo cisoides.

En los comentarios del trabajo de Arquímedes *On the Sphere and the Cylinder* la cisoide es atribuida a Diocles.

Roberval y Fermat construyeron la tangente de la cisoide en 1634. En 1658 Huygens y Wallis en-

contraron que el área entre la curva y su asíntota es $3\pi a^2$.

Dadas dos curvas y un punto fijo O. Sean Q y R las intersecciones de una recta variable a través de O con las curvas dadas. El lugar geométrico de P en esta recta tal que

$$OP = OR - OQ = QR$$

es la cisoide de las dos curvas con respecto a O, ver figura 4.1.

Así la cisoide de dos círculos concéntricos de radios r_1, r_2, con respecto a su centro común es un círculo con el mismo centro y radio $|r_1 - r_2|$.

La cisoide de un círculo de diámetro OA (radio a) y una recta tangente al círculo en A con respecto al punto fijo O es la cisoide de Diocles.

Se puede generar la cisoide de Diocles como el conjunto de puntos de intersección P de la recta OR con un círculo de radio a tangente en R a la recta L que se obtienen cuando el círculo se mueve rígidamente a lo largo de la recta L (véase la figura en el cuadro).

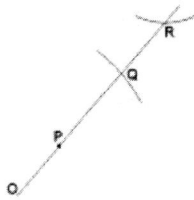

Figura 4.1: *P es un punto de la cisoide de las dos curvas con respecto a O.*

La ecuación cartesiana de la cisoide es

$$y^2 = \frac{x^3}{2a - x}.$$

Las ecuaciones paramétricas son:

$$x = \frac{2at^2}{1 + t^2}$$

$$y = \frac{2at^3}{1 + t^2}.$$

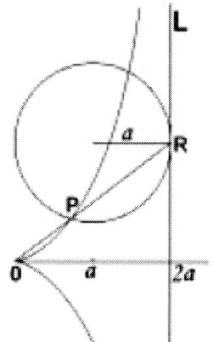

○ · ○ ● ○ ● ○ ● ○ ● ○ ● ○ ● ○ · ○ · · ○ · ○ ● ○ ● ○ ● ○ ● ○ · ○ ·

Hipocicloide

Hay cuatro curvas estrechamente relacionadas: la epicicloide, la epitrocoide, la hipocicloide y la hipotrocoide. Todas ellas son trazadas por un punto fijo en un círculo que rueda en un círculo fijo.

La **hipocicloide** es la curva trazada por un punto fijo P en la circunferencia de un círculo de radio b el cual rueda sin resbalar en el interior de un círculo fijo de radio a, ver figura correspondiente. Cuando el punto no está sobre la circunferencia la curva generada es una hipotrocoide.

Varios tamaños de círculos generan diferentes hipocicloides (epicicloides). Sean a el radio del círculo fijo, y b el radio del círculo que rueda. La razón $\frac{a}{b}$ define la forma de la curva, consideremos $b = 1$ siempre. Así las hipocicloides (epicicloides) son curvas de un parámetro a, con la propiedad de

que cuando a es positivo se genera una hipocicloide. Y cuando a es negativo se obtiene una epicicloide.

Las curvas que tienen los vértices hacia el centro son tradicionalmente identificadas como epicicloides, aun cuando son también hipocicloides. Asimismo las curvas cuyos vértices apuntan fuera del centro son identificadas como hipocicloides, aún cuando son también epicicloides.

Estas curvas fueron estudiadas por Alberto Durero (1471-1528) en 1525, Girard Desargues (1591-1661) en 1640, Roemer, a quien se atribuye la invención de las mismas (1674), Huygens (1679), Leibniz, Newton (1686), L'Hopital (1690), Jakob Bernoulli (1690), La Hire (1694), Johann Bernoulli (1695), Daniel Bernoulli (1725) y Euler (1745, 1781).

Las ecuaciones paramétricas son:

$$x = (a - b)\cos t + b\cos\frac{a-b}{b}t$$

$$y = (a - b)\operatorname{sen} t - b\operatorname{sen}\frac{a-b}{b}t.$$

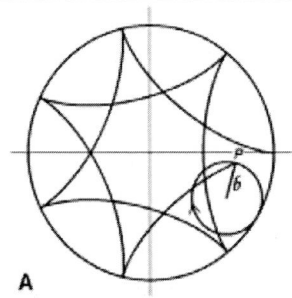

A

○ · ○ ● ○ ● ○ ● ○ ● ○ ● ○ ● ○ · ● · ○ · · ○ · · ○ ● ○ ● ○ ● ● ○ ● ○ · ○ ·

Espiral equiangular

También conocida como **espiral logarítmica** o **logística** fue descubierta por René Descartes (1596-1650) en 1638 en un estudio de dinámica.

Evangelista Torricelli (1608-1647) trabajó en la curva de manera independiente y encontró su longitud.

Entre los primeros matemáticos griegos, los pitagóricos creían firmemente que todas las cosas podían ser explicadas en términos de números. Insistían en que hay siempre alguna ley involucrando números, la cual esta representada tanto en obras de arte como en formas vivientes, creaciones de la naturaleza. Una de estas ideas fue la ley de la razón áurea.

Encontramos esta proporción en geometría cuando dividimos un segmento dado en dos partes a y b tales que la razón b/a es igual a la razón $\frac{a+b}{b}$, donde $a < b$. Se llama ϕ a la razón b/a y es igual a la raíz positiva de la ecuación $x^2 - x - 1 = 0$, que viene dada por

$$\phi = \frac{1 + \sqrt{5}}{2}.$$

Esta fue llamada *proporción divina* por Luca Pacioli (1445-1517), matemático italiano del siglo quince en su libro *Divina proportione*. Las figuras de este texto fueron dibujadas por Leonardo da Vinci (1452-1519).

Históricamente esta proporción se representa con la letra griega ϕ en honor a Fidias, el escultor más famoso de la Grecia antigua.

La razón áurea aparece en muchos giros inesperados, en la serie de Fibonacci, en la figura del pentágono, en las dimensiones del cuerpo humano, en la concha de moluscos o en el arreglo de las hojas en el tallo de las flores.

En biología, estructuras aproximadamente iguales a la espiral equiangular ocurren frecuentemente a organismos donde el crecimiento es proporcional al tamaño, por ejemplo en la tela de araña y en la concha de los moluscos.

Los ojos de los insectos se acercan a una fuente de luz sin perderla de vista, por lo que su vuelo forma una espiral equiangular.

Las ramas de las espirales de las galaxias son aproximadamente espirales equiangulares. Nuestra propia galaxia, la Vía láctea, se cree que tiene cuatro ramas principales, cada una de las cuales es una espiral equiangular con inclinación de doce grados aproximadamente. La espiral equiángular es llamada también espiral áurea porque puede ser derivada de un rectángulo áureo: la longitud de los ejes cortados por la espiral se ajusta a la razón áurea (figura 4.2).

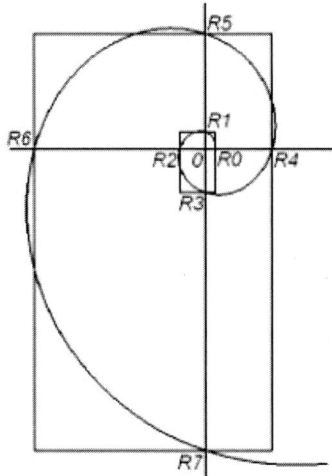

Figura 4.2: *Espiral equiangular derivada de un rectángulo aúreo.*

Supongamos que un canal gira sobre uno de sus extremos y que sobre el canal, desde el extremo sobre el que gira, es lanzada una canica con aceleración constante. La trayectoria de la canica trazará una espiral equiangular.

Podemos definir la espiral equiangular como la curva que corta todos los radio vectores de un punto fijo 0 en un ángulo constante α, (véase la figura del cuadro). Cualquier radio desde el centro 0 a cualquier punto de tangencia en la espiral equiangular formará el mismo ángulo entre el radio y la recta tangente.

Jakob Bernoulli (1654-1705) encontró las propiedades de autoreproducción de esta curva y la llamó *spira mirabilis* (espiral admirable). Pidió que la curva fuese grabada en su lápida mortuoria con la frase en latín *Eadem mutata resurgo* (Aunque transformado reaparezco). En la lápida fue grabada una curva que parece más una espiral de Arquímedes.

Sabemos que $\phi = \frac{1+\sqrt{5}}{2}$ es solución de la ecuación $1 + x = x^2$. La sucesión geométrica:

$$\ldots, \phi^{-3}, \phi^{-2}, \phi^{-1}, 1, \phi, \phi^2, \phi^3, \ldots$$

es una sucesión de Fibonacci ya que tiene la propiedad de que cada término es la suma de los dos anteriores y el cociente de cada término entre el anterior es igual a ϕ. Es la única sucesión geométrica que es también una sucesión de Fibonacci.

Los números de Fibonacci pueden ser representados geométricamente en dos dimensiones por la espiral equiangular con longitud de los sucesivos radio vectores

$$0R0 = \phi^0, 0R1 = \phi^1, 0R2 = \phi^2, \ldots$$

como se aprecia en la figura 4.3.

Una ecuación polar de la espiral equiangular correspondiente a esta sucesión de Fibonacci es:

$$r = \exp\theta\phi^{-2}.$$

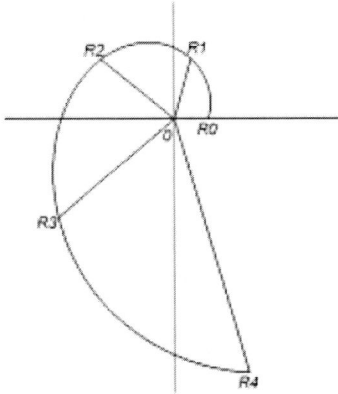

Figura 4.3: *Espiral equiangular a partir de sucesivos vectores.*

Las ecuaciones paramétricas son:

$$x = a \exp t \cot \alpha \cos t$$

$$y = a \exp t \cot \alpha \, \text{sen} \, t.$$

Óvalos de Cassini

Esta curva llamada también Cassinian o Elipse Cassinian fue concebida por Giovanni Domenico Cassini (1625-1712) astrónomo italiano a quien el rey de Francia, Luis XIV, otorgó la ciudadanía francesa. Estudió esta familia de curvas en relación con los movimientos relativos del Sol y la Tierra en 1680. Él creía que estas curvas podían representar órbitas planetarias mejor que las elipses de Kepler.

Gian Francesco Malfatti (1731-1807) estudió estas curvas en 1781.

Esta curva se define como el lugar geométrico de un punto el producto de cuyas distancias a dos puntos fijos F_1, F_2 es constante (c_2).

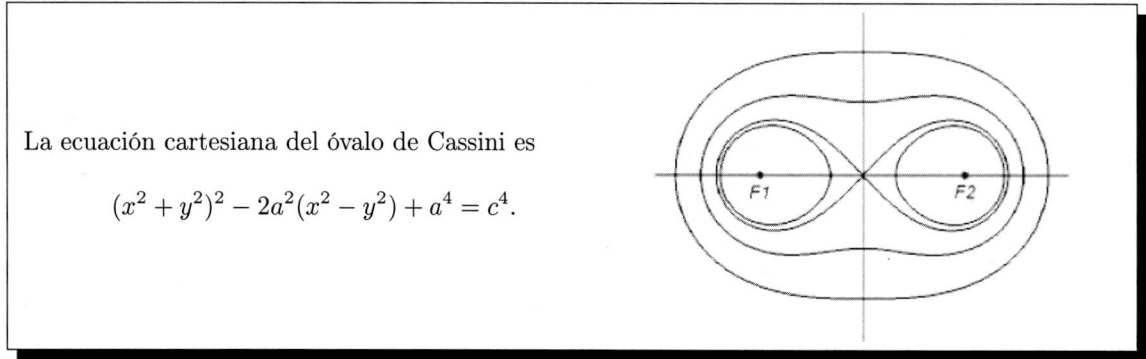

La ecuación cartesiana del óvalo de Cassini es

$$(x^2 + y^2)^2 - 2a^2(x^2 - y^2) + a^4 = c^4.$$

4.3   Las cónicas y sus aplicaciones

Las secciones cónicas fueron inventadas por el gran matemático griego Manaechmus alrededor del año 350 a. C. Surgieron en el estudio y resolución del problema de la duplicación del cubo, que constituía uno de los problemas clásicos de geometría en aquella época.

Manaechmus describió las secciones cónicas como la intersección de un cono con un plano en ángulo recto con respecto a una cara del cono. Obtuvo los tres tipos de secciones cónicas variando el ángulo del vértice del cono. Obtuvo una parábola, una elipse o una hipérbola si el vértice del cono formaba un ángulo recto, agudo u obtuso. La mayoría del trabajo que realizó respecto a las cónicas se perdió, aunque se han encontrado algunos fragmentos que nos hacen pensar que realizó un estudio bastante exhaustivo de estas figuras geométricas. Sin embargo, no sabemos nada acerca de cómo las construyó en el plano.

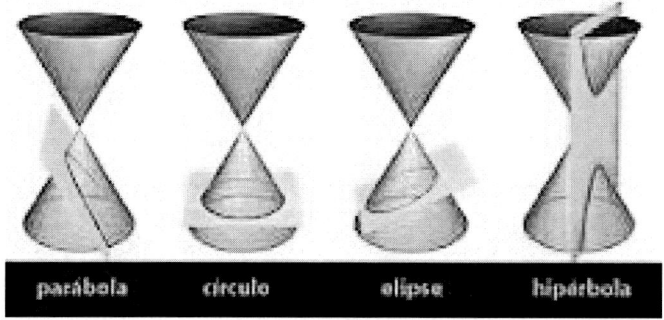

Figura 4.4: *Cónicas a partir del corte del cono por un plano.*

Apolonio de Perga fue conocido como *El gran geómetra*, su famoso libro *Secciones Cónicas* introdujo los términos: parábola, elipse e hipérbola espiral. Mientras Apolonio estuvo en Pérgamo escribió la primera edición de su famoso libro *Secciones Cónicas*, el cual consta de 8 libros. Los libros del 1 al 4 no contienen material original pero introducen las propiedades básicas de cónicas que fueron conocidas por Euclides, Aristóteles y otros. Los libros del 5 al 7 son originales; en estos discute y muestra cómo muchas de las cónicas pueden ser dibujadas desde un punto.

4.3.1 Las cónicas como curvas cuadráticas

Consideremos el plano métrico con un sistema de referencia ortonormal, $\mathcal{R} = \{O, \boldsymbol{u_1}, \boldsymbol{u_2}\}$.

Definición 19.

Una **cónica** es el lugar geométrico de los puntos del plano (x, y) que satisfacen la ecuación completa de segundo grado

$$Bx^2 + Cy^2 + Dxy + Fx + Gy + H = 0. \tag{4.6}$$

La ecuación (4.6) la podemos escribir en forma matricial como

$$\begin{bmatrix} 1 & x & y \end{bmatrix} \begin{bmatrix} a_{00} & a_{01} & a_{02} \\ a_{01} & a_{11} & a_{12} \\ a_{02} & a_{12} & a_{22} \end{bmatrix} \begin{bmatrix} 1 \\ x \\ y \end{bmatrix} = 0,$$

donde realizamos la siguiente identificación:

$$a_{00} = H \qquad a_{11} = B \qquad a_{22} = C$$
$$a_{12} = D/2 \quad a_{01} = F/2 \quad a_{02} = G/2,$$

y donde la matriz A asociada a la cónica viene dada por

$$X = \begin{bmatrix} 1 & x & y \end{bmatrix}, \qquad A = \begin{bmatrix} a_{00} & a_{01} & a_{02} \\ a_{01} & a_{11} & a_{12} \\ a_{02} & a_{12} & a_{22} \end{bmatrix}. \tag{4.7}$$

Notemos que A es una matriz cuadrada simétrica de tamaño 3.

En consecuencia, podemos definir una cónica mediante la ecuación matricial

$$XAX' = 0. \tag{4.8}$$

Ejemplo 23.

Consideramos la cónica

$$1 + 3x + 2y + x^2 - 4xy + 7y^2 = 0.$$

Escriba la cónica en forma matricial.

DEMOSTRACIÓN: Comenzamos identificando los coeficientes

$$H = 1 \quad B = 1 \quad C = 7$$
$$D = -4 \quad F = 3 \quad G = 2,$$

de manera que la matriz asociada a dicha cónica es

$$\begin{bmatrix} 1 & 3/2 & 1 \\ 3/2 & 1 & -2 \\ 1 & -2 & 7 \end{bmatrix}$$

y la ecuación de la cónica es

$$\begin{bmatrix} 1 & x & y \end{bmatrix} \begin{bmatrix} 1 & 3/2 & 1 \\ 3/2 & 1 & -2 \\ 1 & -2 & 7 \end{bmatrix} \begin{bmatrix} 1 \\ x \\ y \end{bmatrix} = 0.$$

□

Definición 20 (matriz adjunta).

Dada A la matriz asociada a una cónica, denotamos por A_{ii} a las matrices adjuntas de A, es decir,

$$A_{00} = \begin{bmatrix} a_{11} & a_{12} \\ a_{12} & a_{22} \end{bmatrix}, \quad A_{11} = \begin{bmatrix} a_{00} & a_{02} \\ a_{02} & a_{22} \end{bmatrix}, \quad A_{00} = \begin{bmatrix} a_{00} & a_{01} \\ a_{01} & a_{11} \end{bmatrix}.$$

De acuerdo con el ejemplo anterior, tendremos que

$$A_{00} = \begin{bmatrix} 1 & -2 \\ -2 & 7 \end{bmatrix}, \quad A_{11} = \begin{bmatrix} 1 & 1 \\ 1 & 7 \end{bmatrix}, \quad A_{00} = \begin{bmatrix} 1 & 3/2 \\ 3/2 & 1 \end{bmatrix}.$$

4.3.2 Clasificación de las cónicas

El objetivo de la clasificación de las cónicas es doble; por un lado, queremos determinar el tipo de cónica que representa una cierta ecuación de segundo grado. Por otro lado, buscamos obtener, si es posible, una ecuación para cada tipo de cónica lo más reducida posible, una ecuación que identifique a esa cónica particular.

Partimos de la ecuación matricial (4.8)

$$XAX' = 0,$$

a la que aplicamos diversas transformaciones geométricas, que producirán unas cantidades invariantes en el proceso geométrico y que nos permitirán definir unas ecuaciones reducidas.

En primer lugar, aplicamos un giro de ángulo α, cuya transformación geométrica viene dada por la matriz

$$G = \begin{bmatrix} 1 & 0 & 0 \\ 0 & \cos\alpha & -\operatorname{sen}\alpha \\ 0 & \operatorname{sen}\alpha & \cos\alpha \end{bmatrix}.$$

Realizamos el cambio de coordenadas $X = YG$, por lo que $X' = (YG)' = G'Y'$. Sustituyendo en la expresión (4.8)

$$XAX' = 0 \quad \longrightarrow \quad (YG)A(YG)' = YGAG'Y' = 0.$$

Si llamamos $B = GAG'$, podemos escribir, en el nuevo sistema de referencia, la ecuación

$$YBY' = 0. \tag{4.9}$$

Ahora el siguiente paso es realizar una traslación de vector (a, b), cuya expresión matricial es

$$T = \begin{bmatrix} 1 & a & b \\ 0 & 1 & 0 \\ 0 & 0 & 1 \end{bmatrix}.$$

Nuevamente efectuamos un cambio de coordenadas $Y = ZT$, por lo que $Y' = (ZT)' = T'Z'$. Sustituyendo en la expresión (4.9)

$$YBY' = 0 \quad \longrightarrow \quad (ZT)B(ZT)' = ZTBT'Z' = 0.$$

Si introducimos la matriz R como $TBT' = R$ tendremos la ecuación

$$ZRZ' = 0, \tag{4.10}$$

con

$$R = \begin{bmatrix} r_{00} & r_{01} & r_{02} \\ r_{01} & r_{11} & r_{12} \\ r_{02} & r_{12} & r_{22} \end{bmatrix}.$$

La ecuación 4.10 representa la ecuación reducida de la cónica y R la matriz reducida asociada a la cónica.

Una vez obtenida la ecuación reducida $ZRZ' = 0$, se puede demostrar que existen ciertas cantidades asociadas a la matriz de la cónica que permanecen invariantes después de realizar las transformaciones geométricas (giro y traslación) que nos llevan a la ecuación reducida. Así, se pueden demostrar las siguientes igualdades:

(a) $|R| = |A|$,

(b) $R_{00} = A_{00}$,

(c) $r_{11} + r_{22} = a_{11} + a_{22}$.

Esto significa que los números o cantidades escalares $|A|$, A_{00} y $a_{11} + a_{22}$ permanecen invariantes después de realizar el giro y la traslación sobre la ecuación general de la cónica.

Definición 21 (invariantes métricos).

A las cantidades $|A|$, A_{00} y $a_{11} + a_{22}$ se las llama **invariantes métricos** de la ecuación de una cónica.

Definición 22 (cónicas irreducibles).

Las cónicas en las que $|A|$ es distinto de cero se llaman **irreducibles**. Además, cuando A_{00} es también no nulo, se denominan **cónicas con centro único**.

A partir de estos invariantes métricos podemos elaborar un esquema general de clasificación de las cónicas. Véase la tabla 4.1 para una descripción detallada de la clasificación de las cónicas.

$|A|$	A_{00}	$A_{11} + A_{22}$	Cónica
$\neq 0$	$\neq 0, > 0$		*Elipse imaginaria*
			Signo $|A| = Signo(a_{11} + a_{22})$
$\neq 0$	$\neq 0, > 0$		*Elipse real*
			Signo $|A| \neq Signo(a_{11} + a_{22})$
$\neq 0$	$\neq 0, < 0$		*Hipérbola*
$\neq 0$	$= 0$		*Parábola*
$= 0$	$\neq 0, > 0$		*Par de rectas no paralelas imaginarias*
$= 0$	$\neq 0, < 0$		*Par de rectas no paralelas reales*
$= 0$	$= 0$	$\neq 0, > 0$	*Par de rectas paralelas imaginarias*
$= 0$	$= 0$	$\neq 0, < 0$	*Par de rectas paralelas reales*
$= 0$	$= 0$	$= 0$	*Par de rectas coincidentes*

Tabla 4.1: *Esquema de clasificación de las cónicas.*

4.3.3 Elementos notables de las cónicas

Comenzamos definiendo el concepto de recta polar.

Definición 23 (polar de una cónica).

Dado un punto $P(x_0, y_0)$ se llama **polar** de P respecto a una cónica $C = XAX'$ a la recta de ecuación

$$\begin{bmatrix} 1 & x & y \end{bmatrix} A \begin{bmatrix} 1 \\ x \\ y \end{bmatrix} = 0.$$

Manipulando algebraicamente esta expresión,

$$\begin{bmatrix} 1 & x_0 & y_0 \end{bmatrix} \begin{bmatrix} a_{00} & a_{01} & a_{02} \\ a_{01} & a_{11} & a_{12} \\ a_{02} & a_{12} & a_{22} \end{bmatrix} \begin{bmatrix} 1 \\ x \\ y \end{bmatrix} =$$

$$\begin{bmatrix} a_{00} + a_{01}x_0 + a_{02}y_0 & a_{01} + a_{11}x_0 + a_{12}y_0 & a_{02} + a_{12}x_0 + a_{22}y_0 \end{bmatrix} \begin{bmatrix} 1 \\ x \\ y \end{bmatrix} =$$

$$(a_{00} + a_{01}x_0 + a_{02}y_0) + (a_{01} + a_{11}x_0 + a_{12}y_0)x + (a_{02} + a_{12}x_0 + a_{22}y_0)y = 0. \tag{4.11}$$

Notemos que si el punto P está en C, entonces la recta polar de P respecto de C es precisamente la recta tangente a la cónica en dicho punto.

Ejemplo 24.

Consideramos la cónica

$$x^2 + 4y^2 - 4x - 16y + 19 = 0.$$

(a) Clasifique esta cónica.

(b) Determine la recta polar a esta cónica en el punto $P(1,2)$.

SOLUCIÓN: (a) Comenzamos por la clasificación de la cónica. Podemos escribir esta cónica en su forma matricial como

$$\begin{bmatrix} 1 & x & y \end{bmatrix} \begin{bmatrix} 19 & -2 & -8 \\ -2 & 1 & 0 \\ -8 & 0 & 4 \end{bmatrix} \begin{bmatrix} 1 \\ x \\ y \end{bmatrix} = 0.$$

Clasificamos esta cónica.

Sabemos que $det(A) = -4 \neq 0$, por lo que se trata de una cónica irreducible.

Además,

$$A_{00} = \begin{bmatrix} 1 & 0 \\ 0 & 4 \end{bmatrix},$$

lo que significa que $det(A_{00}) = 4 > 0$, por lo que sabemos que se trata de una elipse. Falta determinar el tipo de elipse.

Podemos comprobar que signo $det(A) < 0$, mientras que signo $(a_{11} + a_{22}) > 0$, por lo que ya podemos afirmar que se trata de una elipse real (véase la tabla 4.1).

(b) Ahora calculamos la recta polar en $P(1,2)$.

La ecuación de la recta polar en el punto P es

$$\begin{bmatrix} 1 & 1 & 2 \end{bmatrix} \begin{bmatrix} 19 & -2 & -8 \\ -2 & 1 & 0 \\ -8 & 0 & 4 \end{bmatrix} \begin{bmatrix} 1 \\ x \\ y \end{bmatrix} = 0.$$

$$\begin{bmatrix} 1 & 1 & 2 \end{bmatrix} \begin{bmatrix} 19 - 2x - 8y \\ -2 + x \\ -8 + 4y \end{bmatrix} = 0.$$

$$1 - x = 0.$$

La figura 4.5 nos muestra una representación gráfica de la elipse del ejemplo y la recta polar en P. Se aprecia claramente la propiedad de que la polar coincide con la tangente a la elipse en ese punto. $\qquad\square$

Ahora nos planteamos la siguiente cuestión: dado un punto $P(x_0, y_0)$, ¿es posible que no exista la polar de este punto respecto a una cónica?

Para que esto suceda, teniendo en cuenta la ecuación (4.11), debe verificarse que

$$a_{01} + a_{11}x_0 + a_{12}y_0 \;=\; 0$$

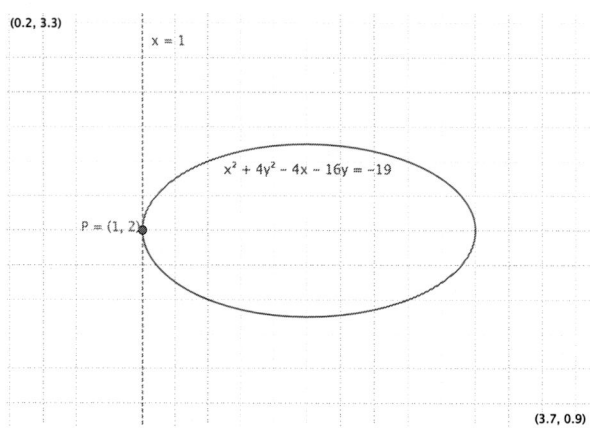

Figura 4.5: *Cónica y recta polar del ejemplo 24.*

$$a_{02} + a_{12}x_0 + a_{22}y_0 \;\; = \;\; 0,$$

es decir, que los coeficientes x e y de la recta polar sean nulos.

Para que este sistema tenga solución, debe cumplirse que el

$$rg \begin{bmatrix} a_{11} & a_{12} \\ a_{12} & a_{22} \end{bmatrix} = rg \begin{bmatrix} a_{11} & a_{12} & a_{01} \\ a_{12} & a_{22} & a_{02} \end{bmatrix}.$$

En este caso, si llamamos A a la matriz de la cónica, tenemos que

$$A_{00} = \begin{bmatrix} a_{11} & a_{12} \\ a_{12} & a_{22} \end{bmatrix},$$

por lo que si $det(A_{00})$ es distinto de cero, entonces el sistema anterior es compatible determinado y tiene una única solución. Esto significa que habría un único punto que no tendría recta polar. A ese punto lo denominamos **centro** de la cónica. Este punto tiene la particularidad de ser el centro de simetría de la cónica.

Si la cónica C es una elipse o una hipérbola, entonces $det(A_{00}) \neq 0$ por lo que existe el punto definido como centro de la cónica.

Definición 24 (polo de una cónica).

Dada una recta r diremos que un punto P es un **polo** de r respecto a una cónica C si r es la polar de P respecto C.

Definición 25 (diámetro de una cónica).

Llamamos **diámetro** de la cónica C a cualquier recta sin polo.

4.3.4 Ecuaciones reducidas de las cónicas

La ecuación reducida de una cónica es aquella ecuación simplificada de la curva que sitúa al centro (si lo tiene) como origen de la cónica mientras que los ejes presentan unas relaciones particulares con la cónica.

De acuerdo con la clasificación de las cónicas estudiada anteriormente, describimos las ecuaciones reducidas de las mismas.

Caso 1: Elipse, hipérbola, pares de rectas secantes.

Su ecuación reducida es

$$r_{00} + r_{11}x^2 + r_{22}y^2 = 0,$$

donde los coeficientes r_{11} y r_{22} son las soluciones de la ecuación (con variable z),

$$z^2 - (a_{00} + a_{11})z + \det A_{00} = 0$$

y el coeficiente r_{00} se calcula como

$$r_{00} = \frac{\det A}{\det A_{00}}.$$

Caso 2: Parábola.

Su ecuación reducida es

$$r_{11}y^2 + 2r_{01}x = 0,$$

donde los coeficientes r_{11} y r_{01} se calculan mediante las siguientes expresiones:

$$r_{11} = a_{11} + a_{22}$$
$$r_{01} = \sqrt{\frac{-\det A}{a_{11} + a_{22}}}.$$

Caso 3: Pares de rectas paralelas o coincidentes.

Su ecuación reducida es

$$r_{00} + r_{22}y^2 = 0,$$

donde los coeficientes r_{00} y r_{22} se calculan mediante las siguientes expresiones:

$$r_{22} = a_{11} + a_{22}$$
$$r_{00} = \frac{\det A_{11} + \det A_{22}}{a_{11} + a_{22}}.$$

Veamos algunos ejemplos de clasificación de cónicas.

Ejemplo 25.

Clasifique y obtenga la ecuación reducida de la cónica

$$x_1^2 - 2x_1x_2 + 3 = 0.$$

SOLUCIÓN: Comenzamos clasificando la cónica.

Escribimos la cónica en su forma matricial, que es

$$\begin{bmatrix} 1 & x & y \end{bmatrix} = \begin{bmatrix} 3 & 0 & 0 \\ 0 & 1 & -1 \\ 0 & -1 & 0 \end{bmatrix} \begin{bmatrix} 1 \\ x \\ y \end{bmatrix} = 0 \Longrightarrow XAX' = 0.$$

Para la clasificación de la cónica tendremos en cuenta inicialmente el valor del determinante de la matriz A, lo que nos proporciona la información de si se trata de una cónica degenerada o no. En este caso,

$$\det A = -3 \neq 0, \quad \longrightarrow \quad \text{cónica irreducible o no degenerada.}$$

A continuación, procedemos al estudio del menor A_{00}, con lo que determinamos si se trata de una cónica con centro único (elipse o hipérbola) o de una cónica sin centro (parábola).

En nuestro caso,

$$A_{00} = -1 \neq 0, \quad \longrightarrow \quad \text{cónica con centro.}$$

Como $A_{00} < 0$, podemos afirmar que esta cónica es una hipérbola.

Una vez clasificada la cónica, obtenemos ahora su ecuación reducida.

La ecuación de una hipérbola en su forma reducida es

$$r_{00} + r_{11}x^2 + r_{22}y^2 = 0.$$

Calculamos sus coeficientes. El primero es

$$r_{00} = \frac{|A|}{A_{00}} = \frac{-3}{-1} = 3.$$

Los coeficientes r_{11} y r_{22} se obtienen utilizando las expresiones correspondientes.

Las ecuaciones reducidas son

$$3 + \frac{1+\sqrt{5}}{2}x^2 + \frac{1-\sqrt{5}}{2}y^2 = 0$$
$$3 + \frac{1-\sqrt{5}}{2}x^2 + \frac{1+\sqrt{5}}{2}y^2 = 0.$$

□

Ejemplo 26.

Se considera la cónica

$$x_1^2 + x_2^2 - 2x_1 - 4x_2 + 5 = 0$$

y el cambio de sistema de referencia definido por

$$\begin{bmatrix} 1 & x_1 & y \end{bmatrix} = \begin{bmatrix} 1 & z_1 & z_2 \end{bmatrix} \begin{bmatrix} 1 & 1 & 2 \\ 0 & 0 & -1 \\ 0 & 1 & 0 \end{bmatrix}.$$

Compruebe que $|A|$, A_{00} y $a_{11} + a_{22}$ son invariantes.

SOLUCIÓN: La expresión matricial de la cónica es

$$\begin{bmatrix} 1 & x_1 & x_2 \end{bmatrix} = \begin{bmatrix} 5 & -1 & -2 \\ -1 & 1 & 0 \\ -2 & 0 & 1 \end{bmatrix} \begin{bmatrix} 1 \\ x_1 \\ x_2 \end{bmatrix} = 0 \Longrightarrow XAX' = 0.$$

Si aplicamos el cambio de referencia indicado, tendremos

$$\begin{bmatrix} 1 & z_1 & z_2 \end{bmatrix} \begin{bmatrix} 1 & 1 & 2 \\ 0 & 0 & -1 \\ 0 & 1 & 0 \end{bmatrix} \begin{bmatrix} 5 & -1 & -2 \\ -1 & 1 & 0 \\ -2 & 0 & 1 \end{bmatrix} \begin{bmatrix} 1 \\ z_1 \\ z_2 \end{bmatrix} = 0.$$

Realizando productos matriciales llegamos a que

$$\begin{bmatrix} 1 & z_1 & z_2 \end{bmatrix} \begin{bmatrix} 0 & 0 & 0 \\ 0 & 1 & 0 \\ 0 & 0 & 1 \end{bmatrix} \begin{bmatrix} 1 \\ z_1 \\ z_2 \end{bmatrix} = 0 \Longrightarrow ZRZ' = 0.$$

Entonces, se verifica que

(a) $|R| = 0 = |A|$.

(b) $R_{00} = 1 = A_{00}$.

(c) $r_{11} + r_{22} = 1 + 1 = 2 = a_{11} + a_{22}$. $\qquad\qquad\square$

Ejemplo 27.

Clasifique y obtenga la ecuación reducida de la cónica

$$x_1^2 - 2x_1 x_2 + 3 = 0.$$

SOLUCIÓN: Comenzamos clasificando la cónica.

La cónica en su forma matricial tiene la expresión

$$\begin{bmatrix} 1 & x_1 & x_2 \end{bmatrix} = \begin{bmatrix} 3 & 0 & 0 \\ 0 & 1 & -1 \\ 0 & -1 & 0 \end{bmatrix} \begin{bmatrix} 1 \\ x_1 \\ x_2 \end{bmatrix} = 0 \Longrightarrow XAX' = 0.$$

Siguiendo un razonamiento paralelo al del ejercicio anterior, en primer lugar calculamos el determinante de la matriz A, lo que nos proporciona la información de si se trata de una cónica degenerada o no. En este caso,

$$|A| = -3 \neq 0, \quad \longrightarrow \quad \text{cónica irreducible o no degenerada.}$$

A continuación, procedemos al estudio del menor A_{00}, con lo que determinamos si se trata de una cónica con centro único (elipse o hipérbola) o de una cónica sin centro (parábola).

En nuestro caso,

$$A_{00} = -1 \neq 0, \quad \longrightarrow \quad \text{cónica con centro.}$$

Como $A_{00} < 0$, podemos afirmar que esta cónica es una hipérbola.

Una vez clasificada la cónica, obtenemos ahora su ecuación reducida. La ecuación de la hipérbola en su forma reducida es

$$r_{00} + r_{11}z_1^2 + r_{22}z_2^2 = 0.$$

Calculamos sus coeficientes como en el ejemplo anterior.

$$r_{00} = \frac{|A|}{A_{00}} = \frac{-3}{-1} = 3.$$

Obtenemos los coeficientes r_{11} y r_{22} resolviendo el sistema

$$\left.\begin{array}{rcl} r_{11} + r_{22} & = & a_{11} + a_{22} \\ r_{11}r_{22} & = & A_{00} \end{array}\right\}.$$

En nuestro caso se resuelve el sistema

$$\left.\begin{array}{rcl} r_{11} + r_{22} & = & 1 \\ r_{11}r_{22} & = & -1 \end{array}\right\},$$

cuyas soluciones son

$$\left.\begin{array}{rcl} r_{11} & = & \dfrac{1+\sqrt{5}}{2}, \ \dfrac{1-\sqrt{5}}{2} \\[2mm] r_{22} & = & \dfrac{1-\sqrt{5}}{2}, \ \dfrac{1+\sqrt{5}}{2} \end{array}\right\}.$$

Por lo tanto, las ecuaciones reducidas son

$$\begin{array}{rcl} 3 + \dfrac{1+\sqrt{5}}{2}z_1^2 + \dfrac{1-\sqrt{5}}{2}z_2^2 & = & 0 \\[2mm] 3 + \dfrac{1-\sqrt{5}}{2}z_1^2 + \dfrac{1+\sqrt{5}}{2}z_2^2 & = & 0. \end{array}$$

$\square$

4.3.5 Clasificación de las cónicas a partir de su discriminante

Recordamos la ecuación de segundo grado (4.6) que representaba la ecuación de una cónica.

$$Bx^2 + Cy^2 + Dxy + Fx + Gy + H = 0.$$

Supongamos que se trata de una cónica irreducible o también llamada propia. Definimos lo que se entiende por discriminante de la cónica.

Definición 26 (discriminante).

Dada la cónica de ecuación

$$Bx^2 + Cy^2 + Dxy + Fx + Gy + H = 0.$$

llamamos **discriminante** de la cónica a la cantidad $D^2 - 4BC$ y lo denotamos por Δ.

A las cónicas que verifican que su discriminante es distinto de cero se las llama **cónicas centrales**.

Se puede comprobar que la ecuación reducida permanece sin cambios si sustituimos x e y por $-x$ y $-y$, resultando la cónica simétrica respecto a un punto, que llamamos centro.

La definición de discriminante de una cónica cualquiera nos permite introducir una clasificación de las cónicas irreducibles basada en el signo de esta cantidad.

Teorema 2.

Dada la cónica de ecuación $Bx^2 + Cy^2 + Dxy + Fx + Gy + H = 0$ y suponiendo que se trata de una cónica irreducible, podemos establecer la siguiente clasificación:
- Si $D^2 - 4BC = 0$, entonces tenemos una **parábola**.
- Si $D^2 - 4BC < 0$, entonces tenemos una **elipse**.
- Si $D^2 - 4BC > 0$, entonces tenemos una **hipérbola**.

El teorema 2 nos plantea un modo sencillo de determinar el tipo de cónica que representa la ecuación de un polinomio en dos variables de segundo grado, a partir de la discusión del valor de su discriminante.

Ejemplo 28.

Clasifique la cónica irreducible $x^2 - 4xy + 4y^2 + 5\sqrt{5}y + 1 = 0$.

SOLUCIÓN: Simplemente se trata de calcular el discriminante y discutir su signo.

$$\Delta = (-4)^2 - 4 \cdot 4 = 0,$$

lo que significa que la cónica es una parábola. $\square$

4.4 Las cónicas como lugar geométrico

En esta sección procedemos a estudiar las cónicas desde otro punto de vista más geométrico; ahora definiremos los distintos tipos de cónicas a partir de las propiedades geométricas que verifican sus puntos.

4.4.1 La parábola

Definición 27 (parábola).

Se llama **parábola** al conjunto de los puntos del plano que son equidistantes de un punto fijo y de una línea fija del plano. El punto fijo se llama **foco** y la línea fija se llama **directriz**.

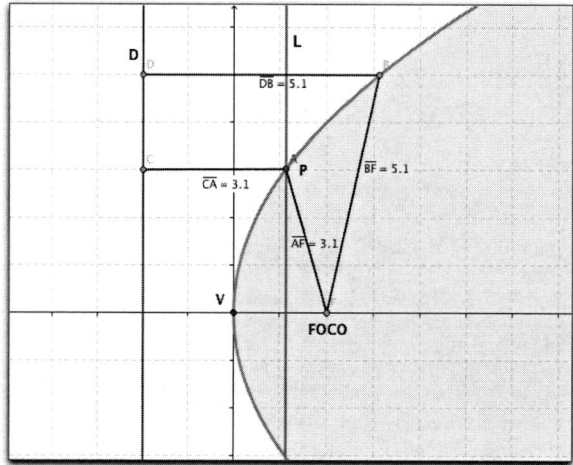

Figura 4.6: *Parábola.*

En la figura 4.6 hemos representado gráficamente una parábola. El punto F es el foco y la línea D es la directriz. El punto V, que es el punto medio entre el foco y la directriz, debe formar parte de la parábola, por definición.

Definición 28 (vértice de la parábola).

El punto medio en el segmento que une el foco con la directriz recibe el nombre de **vértice** de la parábola.

Dibujamos una línea L paralela a la directriz. Con F como centro y radio igual a la distancia entre las líneas D y L, decribimos un arco que corte a L en P y P'. Cada uno de estos puntos están en la parábola ya que equidistan del foco y la directriz.

La línea VF que pasa por el vértice y el foco es perpendicular a la línea PP'. Esta línea VF recibe el nombre de **eje** de la parábola y la parábola se dice que es simétrica respecto de su eje. Con estas definiciones previas ya podemos determinar analíticamente la ecuación general de la parábola.

Ecuación de la parábola.

Aunque hemos visto un método geométrico para determinar los puntos de la parábola, veamos que es fácil obtenerlos a partir de una ecuación algebraica.

Supongamos que el foco se encuentra sobre el eje de coordenadas X y es perpendicular a la directriz. Además, el vértice se encuentra en el origen de coordenadas. Entonces, eligiendo $a > 0$, determinamos las coordenadas del foco, que son $F(a,0)$ y la ecuación de la directriz, que es $x = -a$, como vemos en la figura 4.6.

Como por definición cada punto $P(x,y)$ de la parábola está a igual distancia del foco que de la directriz, podemos establecer que

$$\sqrt{(x-a)^2 + y^2} = x + a.$$

Manipulamos algebraicamente esta igualdad para obtener una ecuación,

$$
\begin{aligned}
(x-a)^2 + y^2 &= (x+a)^2, \\
x^2 - 2ax + a^2 + y^2 &= x^2 + 2ax + a^2, \\
y^2 &= 4ax.
\end{aligned}
$$

Así, la ecuación

$$y^2 = 4ax \tag{4.12}$$

representa la ecuación de una parábola con el vértice en el origen y el foco en $(a,0)$. Como $a > 0$, x puede tomar valores positivos o cero, pero no negativos. La gráfica se extiende indefinidamente por el primer y cuarto cuadrantes. Resulta evidente que es simétrica respecto su eje porque $y = \pm\sqrt{ax}$.

También podemos situar el foco de la parábola en la parte negativa del eje X, con lo que $a < 0$.

En toda la discusión precedente, hemos situado el foco en el eje de coordenadas X y perpendicular a la directriz. Eligiendo esta posición en el eje Y, basta intercambiar los papeles de x e y. Así, la ecuación de la parábola será

$$x^2 = 4ay. \tag{4.13}$$

Parábola		
Vértice $(0,0)$	Foco $F(a,0)$	$y^2 = 4ax$

Parábola		
Vértice $(0,0)$	Foco $F(0,a)$	$x^2 = 4ay$

Podemos utilizar GeoGebra para realizar una construcción simple en la que comprobar la propiedad geométrica de sus puntos.

La definición de parábola con GeoGebra. (parabola.ggb)

Ya definimos la parábola como el lugar geométrico de los puntos del plano que equidistan de un punto fijo (foco) y de una recta llamada directriz.

Utilizamos GeoGebra para realizar una comprobación de esta propiedad. Para ello realizamos la siguiente construcción.

Paso 1. Construimos un deslizador a que se corresponde con el parámetro de la ecuación general de la parábola.

Paso 2. Dibujamos la ecuación de la parábola, en función de a y la llamamos c.

Paso 3. Dibujamos el foco $F(a, 0)$.

Paso 4. Dibujamos un punto auxiliar R exterior a la parábola.

Paso 5. Dibujamos la recta perpendicular a la directriz que pasa por el punto R y la llamamos b.

Paso 6. Calculamos el punto intersección entre la recta b y la parábola c. Llamamos a este punto A.

Paso 7. Calculamos el punto intersección entre la recta b y la directriz. Llamamos a este punto B.

Paso 8. Unimos con un segmento AF.

Paso 9. Calculamos las distancias de los segmentos AB y AF y hacemos que se muestren en pantalla.

Paso 10. Construimos un vector AB y un vector AF.

Paso 11. Ocultamos la parábola y activamos el rastro del punto A.

Cuando movemos el punto R observamos que se va formando la figura de la parábola y, lo que queríamos demostrar, las distancias del punto al foco y a la directriz son iguales siempre.

La figura 4.7 nos muestra la construcción anterior. En dicha construcción, moviendo el punto R comprobamos la propiedad geométrica. Moviendo a y b construimos distintos tipos de elipse, con diferentes excentricidades.

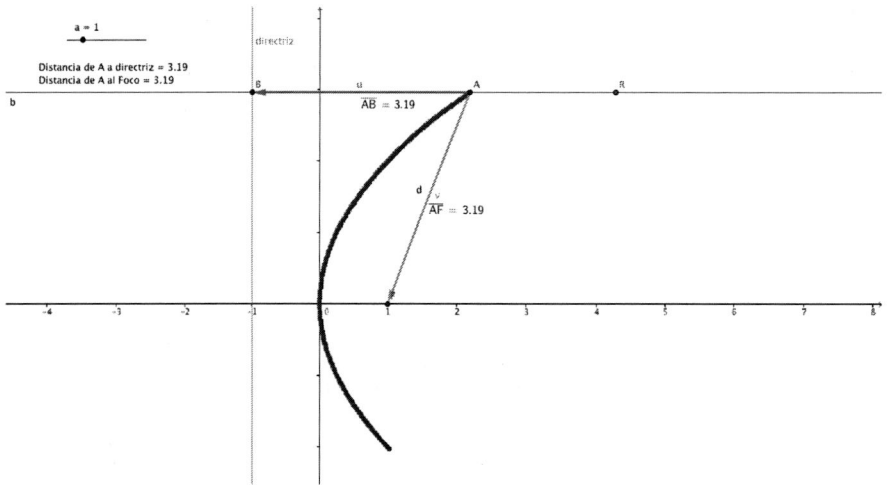

Figura 4.7: *La propiedad geométrica de los puntos de la parábola.*

Ecuación de la parábola con vértice en $V(h, k)$.

Ahora consideramos una parábola cuyo eje es paralelo al eje de coordenadas, es decir, ya no se encuentra sobre el propio eje. Supongamos que el vértice se encuentra en la posición (h, k), por lo que el foco se encuentra en la posición $(h + a, k)$.

Introducimos unos nuevos ejes coordenados trasladando el origen O al nuevo origen $O'(h, k)$. En este nuevo sistema coordenado, que denominamos $X'Y'$, la distancia del vértice al foco es a, por lo que volvemos a tener la ecuación

$$y'^2 = 4ax'.$$

Para representar esta ecuación respecto de los ejes originales basta que apliquemos las clásicas fórmulas de traslación de coordenadas que, en este caso, al aplicar una traslación de coordenadas (h, k), son

$$x = x' + h, \qquad y = y' + h.$$

Así, obtenemos la ecuación

$$(y - k)^2 = 4a(x - h). \tag{4.14}$$

Analizando la ecuación (4.14), concluimos que cuando $a > 0$, el factor $x - h$ del lado derecho debe ser mayor o igual que cero, con lo que la parábola se abre hacia la derecha. Para $a < 0$, el factor $x - h$ debe ser menor o igual que cero y entonces la parábola se abre hacia la izquierda. El eje de la parábola se encuentra en la línea $y - k = 0$.

Podemos realizar una discusión totalmente similar si consideramos el eje de la parábola paralelo al eje Y, con lo que la ecuación de la parábola sería en este caso

$$(x - h)^2 = 4a(y - k). \tag{4.15}$$

Consecuentemente, podemos establecer las siguientes ecuaciones:

Parábola		
Vértice (h, k)	Foco $F(h + a, k)$	$(y - k)^2 = 4a(x - h).$

Parábola		
Vértice (h, k)	Foco $F(h, k + a)$	$(x - h)^2 = 4a(y - k).$

Cada una de las ecuaciones (4.14) y (4.15) se dice que está en la forma estándar y son cuadráticas en una variable y lineal en la otra. Estas ecuaciones pueden expresarse en forma general como

$$x^2 + Dx + Ey + F = 0, \tag{4.16}$$

$$y^2 + Dx + Ey + F = 0. \tag{4.17}$$

Igual que hemos transformado las ecuaciones (4.14) y (4.15) a las ecuaciones en la forma general (4.16) y (4.17), podemos realizar el proceso inverso, siempre que $E \neq 0$ en (4.16) y $D \neq 0$ en (4.17).

4.4.2 La elipse

Estudiamos otro tipo de cónica que resulta ser, a diferencia de la parábola estudiada en la sección anterior, una curva cerrada.

Definición 29 (elipse).

Una **elipse** es la curva formada por todos los puntos P en el plano tales que la suma de las distancias de P a dos puntos fijos F y F' en el plano es constante.

Definición 30 (focos de la elipse).

Cada uno de los puntos fijos F y F' se llaman **focos** de la elipse.

La ecuación de la elipse.

Para encontrar la ecuación de la elipse, situamos el origen de coordenadas a medio camino entre los focos y uno de los ejes coordenados, que a su vez es una línea que pasa por los focos (véase la figura 4.8).

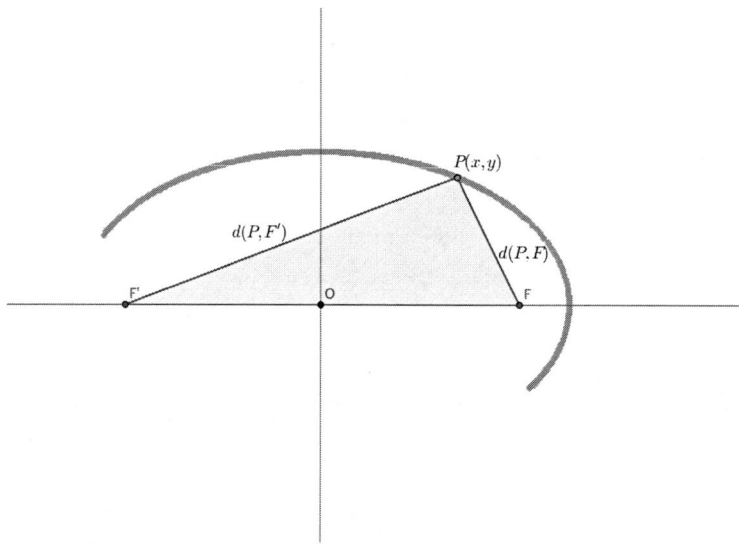

Figura 4.8: *Definición de elipse.*

Denotamos la distancia que separa los dos focos como $2c$, por lo que las coordenadas de los focos son $F(c, 0)$ y $F'(-c, 0)$. Ahora llamamos $2a$ a la suma de las distancias desde un punto $P(x, y)$ cualquiera de la elipse a los dos focos. Entonces,

$$PF' + PF = 2a.$$

Observando la figura 4.8 podemos determinar esas distancias euclídeas, es decir,

$$\sqrt{(x + c)^2 + y^2} + \sqrt{(x - c)^2 + y^2} = 2a.$$

Realizando las operaciones oportunas sobre el segundo radical,

$$cx - a^2 = -a\sqrt{(x - c)^2 + y^2}.$$

Elevando al cuadrado nuevamente y simplificando se llega a

$$(a^2 - c^2)x^2 + a^2y^2 = a^2(a^2 - c^2).$$

Nuevamente, observando la figura 4.8 advertimos que la longitud de un lado del triángulo de vértices $F'PF$ es $2c$, y la suma de las longitudes de los otros lados es $2a$. Por lo tanto, $2a > 2c$ y, consecuentemente, $a^2 - c^2 > 0$. Ahora, tomando $b^2 = a^2 - c^2$ y dividiendo por la cantidad no nula a^2b^2 obtenemos la forma final, que es

$$\frac{x^2}{a^2} + \frac{y^2}{b^2} = 1. \tag{4.18}$$

La definición de elipse con GeoGebra. (elipse-def.ggb)

Ya definimos la elipse como el lugar geométrico de los puntos del plano cuya suma de distancias a dos puntos fijos (focos) es constante.

Utilizamos GeoGebra para realizar una comprobación de esta propiedad. Nuestra intención es contruir distintos tipos de elipses y comprobar en todos los casos que, independientemente de sus parámetros, esta propiedad se verifica siempre. Para ello realizamos la siguiente construcción.

Paso 1. Construimos dos deslizadores a y b que se corresponden con los parámetros de la ecuación general de la elipse.

Paso 2. Calculamos el parámetro c en función de los parámetros a y b.

Paso 3. Dibujamos la ecuación de la elipse, en función de a y b; dicha elipse es d.

Paso 4. Dibujamos los puntos $F(c, 0)$ y $F'(-c, 0)$, que son los focos de la elipse.

Paso 5. Dibujamos un punto auxiliar R exterior a la elipse.

Paso 6. Dibujamos la semirrecta que tiene como origen al punto F' y que pasa por el punto R (se denota en el dibujo por e).

Paso 7. Calculamos el punto intersección entre la semirrecta e con la elipse d. Dicho punto es, evidentemente un punto de la elipse dibujada anteriormente. Nos falta comprobar que dicho punto verifica la condición que queremos demostrar.

Paso 8. Unimos con un segmento AF.

Paso 9. Calculamos las distancias de los segmentos AF' y AF y hacemos que se muestren en pantalla.

Paso 10. Sumamos las distancias mediante una variable (sumdis) y la mostramos en pantalla.

Paso 11. Construimos un triángulo $F'AF$.

Paso 12. Ocultamos la elipse y activamos el rastro del punto A.

Cuando movemos el punto R observamos que se va formando la figura de la elipse y, lo que queríamos demostrar, aunque las distancias del punto a los focos va continuamente variando, la suma permanece constante.

La figura 4.9 nos muestra la construcción anterior. En dicha construcción, moviendo el punto R comprobamos la propiedad geométrica. Moviendo a y b construimos distintos tipos de elipse, con diferentes excentricidades.

A la vista de la expresión (4.18), notamos que se trata de una curva simétrica respecto de los dos ejes coordenados. Además, se pueden deducir otras propiedades, especialmente si observamos detenidamente la figura 4.10. Las dos más importantes son:

- Cuando $y = 0$, entonces $x = \pm a$. Así, se deduce que la elipse corta al eje X en dos puntos, de coordenadas $V(a, 0)$ y $V'(-a, 0)$.
- Cuando $x = 0$, entonces $y = \pm b$. Así, se deduce que la elipse corta al eje Y en dos puntos, de coordenadas $B(0, b)$ y $B'(0, -b)$.

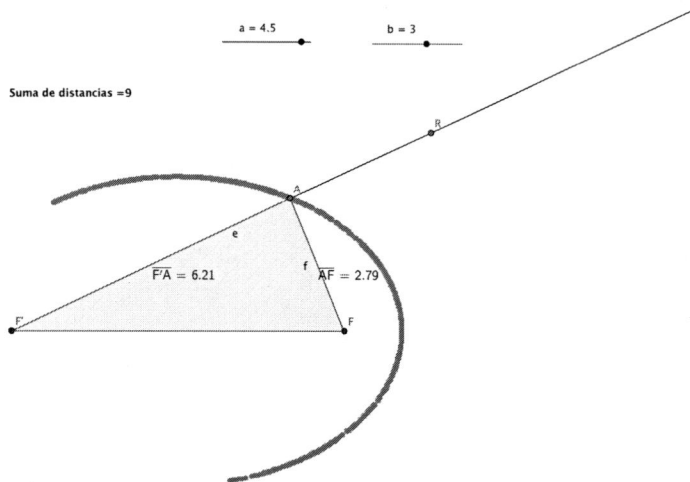

Figura 4.9: *La propiedad geométrica de los puntos de la elipse.*

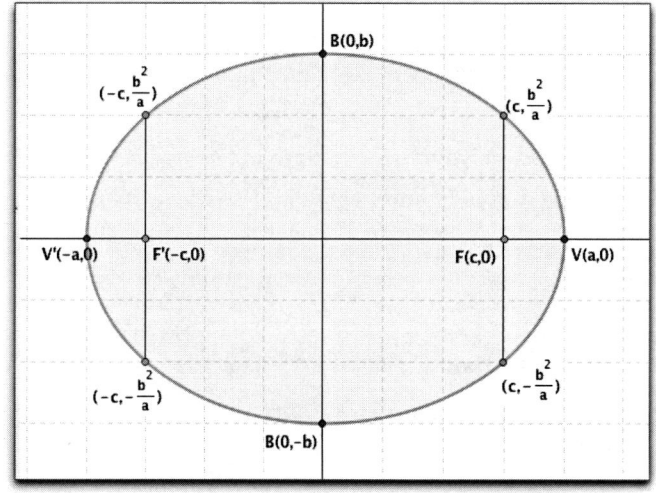

Figura 4.10: *Puntos notables de la elipse.*

Definición 31 (ejes de la elipse).

El segmento VV' se llama **eje mayor** de la elipse y su longitud es $2a$.
El segmento $B'B$ se llama **eje menor** de la elipse y su longitud es $2b$.

Definición 32 (vértices de la elipse).

Los puntos finales del eje mayor se llaman **vértices** de la elipse.

Los puntos situados en la intersección del segmento perpendicular al eje mayor de la elipse que pasa por el foco tienen de coordenadas

$$\left(c, -\frac{b^2}{a}\right), \quad \left(c, \frac{b^2}{a}\right), \quad \left(-c, -\frac{b^2}{a}\right), \quad \left(-c, \frac{b^2}{a}\right),$$

como se aprecia en la figura 4.10.

Si en lugar de tomar el foco de la elipse sobre el eje X lo tomamos sobre el eje Y, en los puntos de coordenadas $(0, -c)$ y $(0, c)$ podríamos realizar un estudio totalmente similar al realizado, obteniendo la ecuación

$$\frac{y^2}{a^2} + \frac{x^2}{b^2} = 1. \tag{4.19}$$

En este caso el eje mayor de la elipse se encuentra situado sobre el eje Y, mientras que el eje menor se sitúa en el eje X.

Elipse		
Vértice $(\pm a, 0)$	Foco $F(\pm c, 0)$	$\dfrac{x^2}{a^2} + \dfrac{y^2}{b^2} = 1.$

Elipse		
Vértice $(0, \pm a)$	Foco $F(0, \pm c)$	$\dfrac{y^2}{a^2} + \dfrac{x^2}{b^2} = 1.$

Definición 33 (excentricidad).

Se llama **excentricidad** de la elipse, y lo representaremos por e al cociente $\dfrac{c}{a}$.

La excentricidad de una elipse constituye una especie de medida de la forma de dicha elipse, ya que la forma depende de este valor. Una excentricidad cercana al cero hace que la forma de la elipse sea prácticamente indistinguible respecto de una circunferencia, mientras que una excentricidad alta hace que la forma de la elipse sea muy achatada.

La ecuación de la elipse con centro en (h, k).

Para establecer la ecuación de la elipse cuando el centro de la misma se ha desplazado h unidades según el eje X y k unidades según el eje Y, seguimos un razonamiento análogo al utilizado para la parábola, utilizando las fórmulas ya conocidas de la traslación de ejes.

La ecuación de la elipse referida al nuevo sistema de ejes $X'Y'$ es

$$\frac{x'^2}{a^2} + \frac{y'^2}{b^2} = 1.$$

Simplemente realizando la sustitución

$$x' = x - h, \qquad y \qquad y' = y - k,$$

llegamos a la ecuación

$$\frac{(x-h)^2}{a^2} + \frac{(y-k)^2}{b^2} = 1. \tag{4.20}$$

Análogamente, cuando el eje mayor de la elipse es paralelo al eje Y, tenemos

$$\frac{(y-k)^2}{a^2} + \frac{(x-h)^2}{b^2} = 1. \tag{4.21}$$

Las ecuaciones (4.20) y (4.21) se dice que están en la forma estándar. Las cantidades a, b, c tienen el mismo significado se encuentre o no el centro en el origen de coordenadas.

Elipse Centro $C(h,k)$	$\dfrac{(x-h)^2}{a^2} + \dfrac{(y-k)^2}{b^2} = 1.$ $\dfrac{(y-k)^2}{a^2} + \dfrac{(x-h)^2}{b^2} = 1.$

> La elipse como lugar geométrico con GeoGebra. (elipse.ggb)

Ya definimos la elipse como el lugar geométrico de los puntos del plano cuya suma de distancias a dos puntos fijos (focos) es constante.

Utilizamos GeoGebra para realizar una construcción con el fin de visualizar esta propiedad geométrica. Se trata, por tanto, de dibujar una elipse dado su centro O, uno de sus focos F y uno de sus vértices principales A.

Así, a partir de estos datos, debemos construir un conjunto de puntos en el plano con la condición de que la suma de distancias d y d' a dos puntos F y F', respectivamente, sea constante, es decir,

$$d + d' = 2a,$$

donde $d = d(P, F)$, $d' = d(P, F')$ y $a = d(O, A)$. Notemos que a es la distancia desde el origen al vértice principal A (semieje mayor de la elipse). El punto O es el centro de la elipse y cumple que $O = (FF')/2$, es decir, es el punto medio del segmento que une los focos.

Realizamos la construcción paso a paso como se describe a continuación, teniendo en cuenta que los puntos O, F y A deben estar alineados sobre el eje principal de la elipse, por lo que comenzaremos nuestra construcción dibujándolos sobre una recta.

Paso 1. Construimos una recta que pasa por los puntos A y B. La llamamos eje y va a ser el eje principal de la elipse.

Paso 2. Renombramos el punto B como O, que va a ser el centro de nuestra elipse.

Paso 3. Utilizando la herramienta Punto Nuevo, dibujamos el foco F. Este punto debe situarse entre los puntos O y A.

Paso 4. Dibujamos del otro foco F'.

Sabemos que F' es el punto simétrico de F con respecto de O. Por ello, utilizamos la herramienta Reflejar Objeto por Punto y reflejamos el punto F con centro de reflexión el punto O. Notemos que el punto se nombra automáticamente como F' (nuestro segundo foco). Una vez construidos todos estos elementos auxiliares, procedemos a construir la elipse utilizando la herramienta Lugar Geométrico.

Paso 5. Dibujamos un punto auxiliar C sobre el eje de la elipse y lo situamos entre F y O.

Paso 6. Definimos los siguientes parámetros $a = Distancia\,[O, A]$, $d = Distancia\,[F, C]$, $d' = 2a - d$.

Paso 7. Construimos la circunferencia centrada en el punto F y de radio d (es decir, la circunferencia centrada en F y que pasa por el punto C). Utilizamos la herramienta Circunferencia dado el centro y Radio).

Paso 8. Calculamos la circunferencia centrada en F' y de radio d'.

Paso 9. Calculamos la intersección de las dos circunferencias dibujadas. Obtenemos dos nuevos puntos que renombramos como B y D. Estos dos puntos serán puntos de la elipse. Comprobémoslo.
Punto B:
$$d(B, F) + d(B, F') = d + d' = d + (2a - d) = 2a,$$
luego el punto está en la elipse.
Punto D:
$$d(D, F) + d(D, F') = d + d' = d + (2a - d) = 2a,$$
luego el punto está en la elipse.

Paso 10. Una parte de la elipse no es más que el lugar geométrico del punto B cuando C se desplaza por el eje. Así, si hacemos el lugar geométrico tomando como punto B y como punto en objeto C, LugarGeométrico$[B, C]$, entonces tenemos una parte de la elipse.

Paso 11. Repetimos el paso anterior, pero ahora tomando el punto D. Una vez dibujada la elipse como lugar geométrico, guardamos la construcción.

La figura 4.11 nos muestra la construcción anterior. En dicha construcción, moviendo el punto C a lo largo del eje de la elipse vemos el conjunto de puntos que verifican la propiedad geométrica. Si el movimiento lo aplicamos sobre el punto A, lo que hacemos es modificar el eje de la elipse con lo que cambia su forma y características.

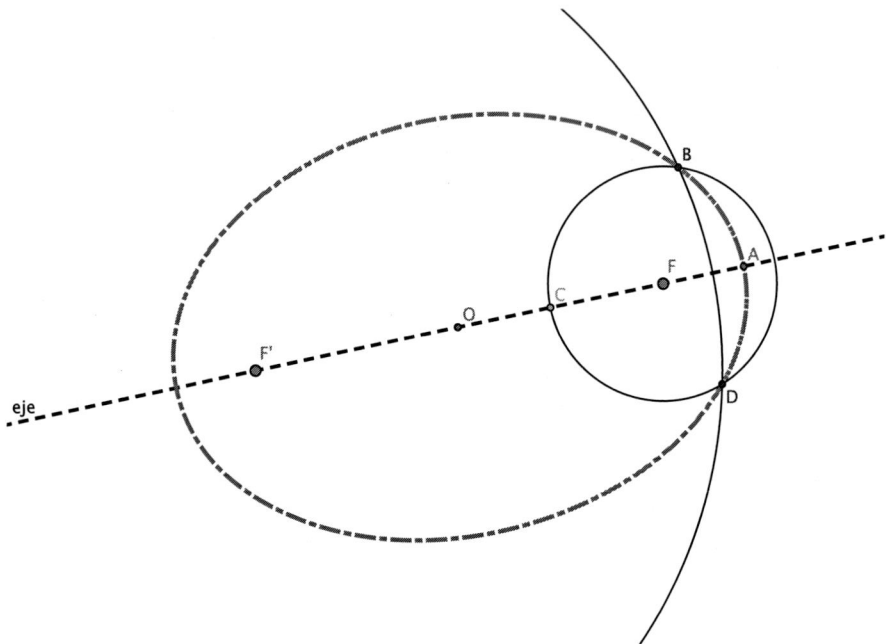

Figura 4.11: *La elipse como lugar geométrico.*

Cónicas reales. El asteroide Eros.

El 13 de agosto de 1898 el astrónomo Carl Gustav Witt descubrió el asteroide Eros desde el observatorio Urania de Copenhague. Eros es un asteroide relativamente pequeño y de forma irregular. Mide alrededor de 34 kilómetros de largo por 11 de ancho. Su forma irregular (como una patata) se debe a que su gravedad no es suficientemente intensa como para haberle dado la forma esférica típica de cuerpos celestes más grandes.

La órbita de Eros se acerca mucho a la de la Tierra en en perihelio (el punto más cercano al Sol), pero no la cruza. La mayor cercanía que ha alcanzado con respecto a la Tierra ha sido de 23 millones de km. Otros asteroides de su clase sí llegan a cruzar la órbita de nuestro planeta y podrían provocar una catástrofe de dimensiones globales si chocaran con la Tierra. Hoy en día se están llevando a cabo estudios astronómicos cuyo objetivo es clasificar todos los objetos que por sus órbitas puedan representar un peligro para nuestro planeta. A estos objetos se ls conoce con el nombre de *Near Earth Objects* (NEO).

En el año 2000, Eros fue el primer asteroide en ser orbitado por una sonda espacial, la NEAR Shoemaker, que acabó aterrizando en la superficie del asteroide el 12 de febrero de 2001.

Algunos de sus elementos orbitales se resumen en la tabla 4.2.

En la figura 4.12 vemos una simulación de su órbita en un momento de su aproximación a la Tierra. Uno de sus mayores acercamientos a la Tierra se produce el 31 de enero de 2012, en que la distancia entre la Tierra y el asteroide será de 0.178 UA. El próximo acercamiento se producirá en el año 2056.

Elemento orbital	Valor
a (semieje mayor)	1.4582 (UA)
e (excentricidad)	0.2227
i (inclinación)	10.828 (grados)
Perihelio	1.1335 (UA)
Afelio	1.783 (UA)
Período orbital	643.187 (días)

Tabla 4.2: *Elementos orbitales del satélite Eros.*

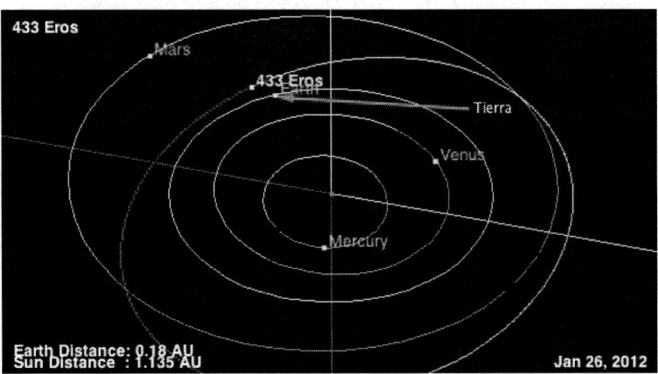

Figura 4.12: *Órbita del asteroide Eros.*

4.4.3 La hipérbola

Definición 34 (hipérbola).

Una **hipérbola** es el conjunto de puntos del plano tales que las diferencias de las distancias de cada punto de ese conjunto a dos puntos fijos del plano, llamados **focos**, es constante.

La ecuación de la hipérbola.

Al igual que en los casos de la elipse y la parábola, para deducir la ecuación de la hipérbola, tomamos su origen exactamente a la mitad de la distancia entre sus focos y uno de los ejes coordenados como la línea que atraviesa los focos.

Denotamos los focos como $F(-c, 0)$ y $F(c, 0)$ y la diferencia de las distancias entre un punto de la hipérbola y los focos como la constante positiva $2a$. Entonces, a partir de la definición

$$|F'P| - |FP| = 2a,$$

o,

$$|F'P| - |FP| = -2a,$$

dependiendo de si el punto $P(x, y)$ de la hipérbola se encuentra en la parte positiva o negativa del eje Y. Combinamos las dos ecuaciones escribiendo

$$|F'P| - |FP| = \pm 2a$$

y desarrollando los módulos se llega a la expresión

$$\sqrt{(x+c)^2 + y^2} - \sqrt{(x-c)^2 + y^2} = \pm 2a.$$

Pasando al segundo miembro una de las raíces del primer miembro, elevando al cuadrado y simplificando de forma adecuada tendremos

$$cx - a^2 = \pm a\sqrt{(x-c)^2 + y^2}.$$

Elevando nuevamente al cuadrado y simplificando, obtenemos

$$(c^2 - a^2)x^2 - a^2 y^2 = a^2(c^2 - a^2).$$

Ahora, tomando $b^2 = c^2 - a^2$ y dividiendo por $a^2 b^2$, llegamos a la ecuación

$$\frac{x^2}{a^2} - \frac{y^2}{b^2} = 1. \tag{4.22}$$

La división está permitida siempre que $c^2 - a^2 \neq 0$. Así,

$$c > a, \quad \text{y} \quad c^2 - a^2 > 0.$$

La gráfica de la ecuación (4.22) es simétrica con respecto a los ejes coordenados. Entonces,

$$x = \pm\frac{a}{b}\sqrt{b^2 + y^2} \quad \text{e} \quad y = \pm\frac{b}{a}\sqrt{x^2 - a^2}.$$

A partir de estas ecuaciones podemos afirmar que y puede tomar cualquier valor real y x puede tomar cualquier valor real excepto aquellos en los que $x^2 < a^2$. Así, la hipérbola se extiende indefinidamente desde los ejes en cada cuadrante. Pero no existe ninguna parte de la hipérbola entre la línea $x = -a$ y la línea $x = a$.

Este razonamiento nos lleva a la conclusión de que la hipérbola consiste en dos partes separadas, que llamamos **ramas**. Vemos más claramente la forma de la hipérbola en la figura 4.13.

Definición 35 (elementos de la hipérbola).

La hipérbola consta de los siguientes elementos:
- Los puntos $V'(-a, 0)$ y $V(a, 0)$ se llaman **vértices** de la hipérbola.
- El segmento VV' se llama **eje transversal** de la hipérbola.
- El segmento que va desde $B'(0, -b)$ hasta $B(0, b)$ se llama **eje conjugado** de la hipérbola.
- La intersección de los ejes es el **centro** de la hipérbola.

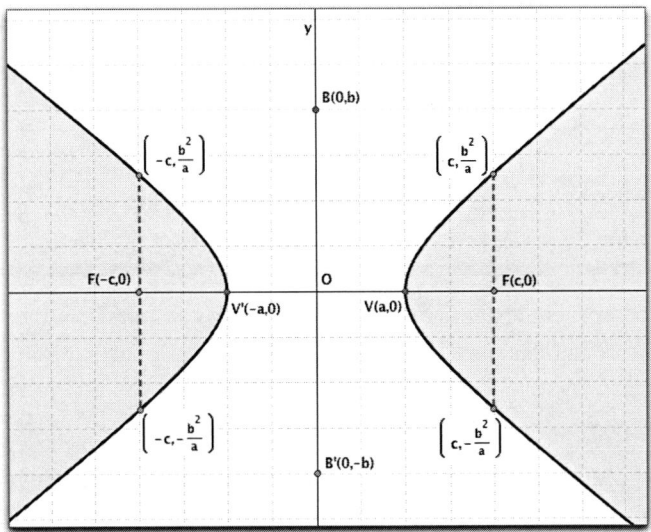

Figura 4.13: *Hipérbola.*

Notemos que el significado de las cantidades positivas a, b, c que aparecen aquí es análogo al significado que tenían en la elipse. La cantidad a es la distancia desde el centro de la hipérbola al vértice, b es la distancia desde el centro al final del eje conjugado, y c es la distancia desde el centro a un foco. Sin embargo, las relaciones entre estas cantidades no coinciden con las de la elipse, ya que para la hipérbola,

$$c > a, \quad c^2 = a^2 + b^2.$$

Además, no se imponen restricciones respecto de los valores relativos que pueden tomar a y b.

Si el foco de la hipérbola está sobre el eje Y, en los puntos $F'(0, -c)$ y $F(0, c)$, su ecuación es

$$\frac{y^2}{a^2} - \frac{x^2}{b^2} = 1. \tag{4.23}$$

Los vértices están en $V'(0, -a)$ y $V(0, a)$, mientras que las relaciones entre a, b y c no cambian.

Al igual que en el estudio de la parábola y a elipse, nos planteamos la ecuación de la hipérbola cuando su centro se traslada a la posición (h, k). Siguiendo un razonamiento análogo a los anteriores, afirmamos que las ecuaciones son

$$\frac{(x-h)^2}{a^2} - \frac{(y-k)^2}{b^2} = 1 \tag{4.24}$$

$$\frac{(y-k)^2}{a^2} - \frac{(x-h)^2}{b^2} = 1. \tag{4.25}$$

Las ecuaciones (4.24) y (4.25) se dice que están en la forma estándar.

Hipérbola		
Vértice $(\pm a, 0)$	Foco $F(\pm c, 0)$	$\dfrac{x^2}{a^2} - \dfrac{y^2}{b^2} = 1.$

Hipérbola	
Vértice $(0, \pm a)$ Foco $F(0, \pm c)$.	$\dfrac{y^2}{a^2} - \dfrac{x^2}{b^2} = 1.$

Hipérbola	
Centro (h, k)	$\dfrac{(x-h)^2}{a^2} - \dfrac{(y-k)^2}{b^2} = 1.$ $\dfrac{(y-k)^2}{a^2} - \dfrac{(x-h)^2}{b^2} = 1.$

De igual forma que comprobamos la definición de la elipse y la propiedad geométrica de sus puntos, podemos realizar un proceso similar para la hipérbola aprovechando las características de GeoGebra.

La definición de hipérbola con GeoGebra. (hiperbola.ggb)

Ya definimos la hipérbola como el lugar geométrico de los puntos del plano cuya diferencia de distancias a dos puntos fijos (focos) es constante.

Utilizamos GeoGebra para realizar una comprobación de esta propiedad. Nuestra intención es contruir distintos tipos de hipérbolas y comprobar en todos los casos que, independientemente de sus parámetros, esta propiedad se verifica siempre. Para ello realizamos la siguiente construcción.

Paso 1. Construimos dos deslizadores a y b que se corresponden con los parámetros de la ecuación general de la elipse.

Paso 2. Calculamos el parámetro c en función de los parámetros a y b (en este caso, $c^2 = a^2 + b^2$).

Paso 3. Dibujamos la ecuación de la hipérbola, en función de a y b. Notemos que la hipérbola es una curva que presenta dos ramas.

Paso 4. Dibujamos los puntos $F(c, 0)$ y $F'(-c, 0)$, que son los focos de la hipérbola.

Paso 5. Dibujamos un punto auxiliar R exterior a la hipérbola.

Paso 6. Dibujamos la semirrecta que tiene como origen al punto F' y que pasa por el punto R.

Paso 7. Calculamos el punto intersección entre la semirrecta con la hipérbola. Ahora la intersección puede tener uno o dos puntos, según la posición de R. Evidentemente, se trata de puntos de la hipérbola dibujada anteriormente. Nos falta comprobar que dichos punto verifica la condición que queremos demostrar. Nos centramos en la rama de la parte positiva del eje X para efectuar la comprobación.

Paso 8. Unimos con un segmento el punto de la rama del eje positivo (B) y su foco correspondiente (F), es decir, BF.

Paso 9. Calculamos las distancias de los segmentos BF' y BF y hacemos que se muestren en pantalla estos valores.

Paso 10. Restamos las distancias mediante una variable (restadis) y la mostramos en pantalla.

Paso 11. Construimos un triángulo $F'BF$.

Paso 12. Ocultamos la hipérbola y activamos el rastro de los puntos A y B.

Cuando movemos el punto R observamos que se va formando la figura de la hipérbola y, lo que queríamos demostrar, aunque las distancias del punto a los focos va continuamente variando, la diferencia permanece constante.

La figura 4.14 nos muestra la construcción anterior. En dicha construcción, moviendo el punto R comprobamos la propiedad geométrica. Moviendo a y b construimos distintos tipos de elipse, con diferentes excentricidades.

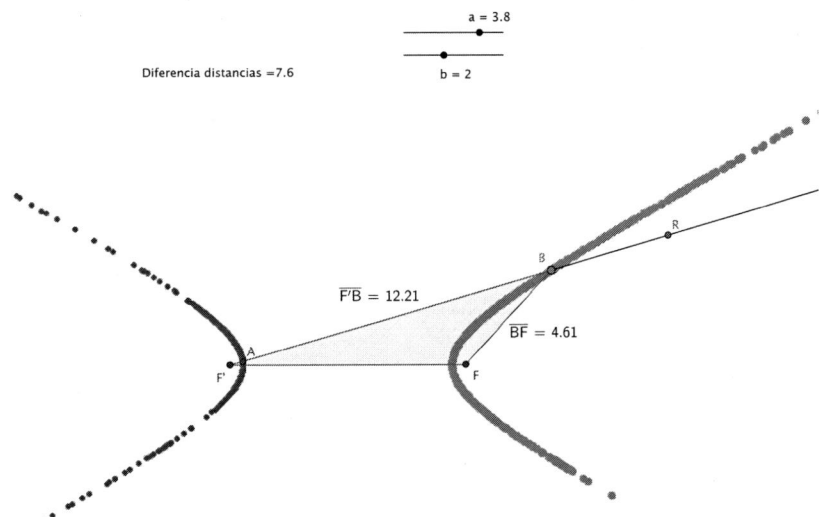

Figura 4.14: *La propiedad geométrica de los puntos de la hipérbola.*

Las asíntotas de la hipérbola.

Una característica diferenciadora de la hipérbola respecto de otras cónicas es la existencia de dos líneas asociadas a la misma y que presentan una importante relación con ella. Dichas líneas son las diagonales del rectángulo que se forma al dibujar la hipérbola, como se puede observar en la figura 4.15.

Supongamos que consideramos la parte de la hipérbola del primer cuadrante. Las ecuaciones de la diagonal y de esa rama de la hipérbola son, respectivamente,

$$y = \frac{b}{a}x, \qquad y = \frac{b}{a}\sqrt{x^2 - a^2}.$$

Examinamos ahora la diferencia de las dos ordenadas y efectuamos algunas simplificaciones

$$\begin{aligned}
\frac{b}{a}x - \frac{b}{a}\sqrt{x^2 - a^2} &= \frac{b(x - \sqrt{x^2 - a^2})}{a} \\
&= \frac{b(x - \sqrt{x^2 - a^2})(x + \sqrt{x^2 - a^2})}{a(x + \sqrt{x^2 - a^2})} \\
&= \frac{ab}{x + \sqrt{x^2 - a^2}}.
\end{aligned}$$

Analizamos la última fracción. El numerador es constante, mientras que el denominador aumenta cuando x aumenta. Esto significa que la fracción, que es la diferencia en las ordenadas de la línea y la hipérbola, se acerca cada vez más a cero a medida que x se hace más y más grande. La distancia

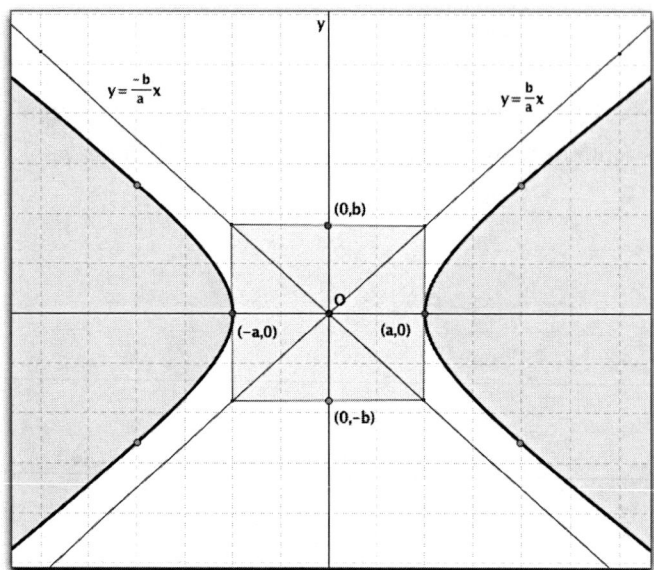

Figura 4.15: *Asíntotas de la hipérbola.*

perpendicular desde un punto P de la hipérbola a la línea es menor que la fracción. Cuando la distancia perpendicular de una línea a una curva se acerca a cero cuando la curva se extiende hacia el infinito desde el origen, entonces se dice que la línea es una **asíntota** de la curva.

Teniendo en cuenta las propiedades de simetría de esta curva, podemos afirmar que las ecuaciones de las asíntotas de la hipérbola representada por la ecuación (4.22) son

$$y = \frac{b}{a}x \quad \text{y} \quad y = -\frac{b}{a}x.$$

Análogamente, las ecuaciones de las asíntotas asociadas con la ecuación (4.23) son

$$y = \frac{a}{b}x \quad \text{y} \quad y = -\frac{a}{b}x.$$

Notemos que para cada una de las hipérbolas dadas por (4.22) y (4.23), las ecuaciones de las asíntotas pueden obtenerse factorizando el miembro izquierdo e igualando a cero cada factor.

Definición 36 (excentricidad).

La fracción $\dfrac{c}{a}$ se llama **excentricidad** de la hipérbola y se representa por e.

Notemos que el ángulo de intersección de las asíntotas y, por tanto, la forma de la hipérbola, depende del valor de e. Como $c > a$, el valor de e es mayor que 1. Si e aumenta, entonces las ramas están encerradas por ángulos mayores.

Hemos determinado una cónica (la elipse) cuya excentricidad se encuentra entre 0 y 1 y ahora tenemos la hipérbola cuya excentricidad es mayor que 1. La pregunta que nos formulamos es si existe una cónica cuya excentricidad sea exactamente igual a 1. Para contestar esta pregunta recordemos que cada punto de una parábola se encuentra a la misma distancia de la directriz que del foco, por lo que la proporción de esas cantidades es 1, que representa el valor de la excentricidad. Así, la parábola es la cónica cuya excentricidad es igual a 1.

Ejemplo 29.

Determine el lugar geométrico de los puntos $P(x, y)$ tales que el producto de las pendientes de las rectas trazadas desde P a los puntos $A(-2, 1)$ y $B(2, -1)$ sea igual a 1. ¿Qué figura se obtiene?

SOLUCIÓN: La pendiente de la recta que une P con A es: $\dfrac{y-1}{x+2}$.

La pendiente de la recta que une P con B es: $\dfrac{y+1}{x-2}$.

El producto de las pendientes es 1, por lo que

$$\left(\frac{y-1}{x+2}\right) \cdot \left(\frac{y+1}{x-2}\right) = 1 \quad \Rightarrow \quad \frac{y^2-1}{x^2-4} = 1$$

$$\Rightarrow \quad y^2 - 1 = x^2 - 4$$

$$\Rightarrow \quad x^2 - y^2 = 3$$

$$\Rightarrow \quad \frac{x^2}{3} - \frac{y^2}{3} = 1.$$

La ecuación

$$\frac{x^2}{3} - \frac{y^2}{3} = 1$$

representa una hipérbola, en la que $a = b = \sqrt{3}$ y $c = \sqrt{6}$.

Los focos de esta hipérbola son $F(\sqrt{6}, 0)$ y $F'(-\sqrt{6}, 0)$, mientras que sus asíntotas son $y = x$ e $y = -x$.

La excentricidad de la misma es:

$$\frac{c}{a} = \frac{\sqrt{6}}{\sqrt{3}} = \sqrt{2} = 1,41. \qquad \square$$

Ejemplo 30.

Calcule la ecuación de la circunferencia inscrita en el triángulo de lados:

$$y = 0, \quad 3x - 4y = 0, \quad 4x + 3y - 50 = 0.$$

SOLUCIÓN: Tomamos, como criterio de notación,

$$y = 0 \rightarrow r_3, \quad 3x - 4y = 0 \rightarrow r_1, \quad 4x + 3y - 50 = 0 \rightarrow r_2.$$

Si $P(x, y)$ es el centro de la circunferencia, entonces la distancia desde ese punto a las rectas debe ser la misma, por lo que podemos escribir que

- $d(P, r_1) = d(P, r_2)$, es decir,

$$\frac{|3x - 4y|}{5} = |y| \ \Rightarrow \ 5|y| = |3x - 4y|.$$

Tenemos las siguientes posibilidades:

- $5y = 3x - 4y \ \rightarrow \ 9y = 3x \ \rightarrow \ x = 3y$.
- $5y = -3x + 4y \ \rightarrow \ y = -3x$. No es válida puesto que la bisectriz que buscamos es la otra.

- $d(P, r_2) = d(P, r_3)$, es decir,

$$\frac{|4x + 3y - 50|}{5} = |y| \ \Rightarrow \ 5|y| = |4x + 3y - 50|.$$

Tenemos las siguientes posibilidades:

- $5y = 4x + 3y - 50 \ \rightarrow \ y = 2x - 25$. No es válida puesto que la bisectriz que buscamos es la otra.
- $5y = -4x - 3y + 50 \ \rightarrow \ 2x + 4y = 25$.

El punto de corte de las dos bisectrices es el incentro, es decir, el centro de la circunferencia inscrita en el triángulo. Así, basta resolver el sistema

$$\left. \begin{array}{rcl} x & = & 3y \\ 2x + 4y & = & 25 \end{array} \right\},$$

cuya solución es $P\left(\frac{15}{2}, \frac{5}{2}\right)$.

El radio de la circunferencia es exactamente la distancia desde P a r_3, es decir, $\frac{5}{2}$. Tenemos el centro y el radio de la circunferencia, por lo que su ecuación es

$$\left(x - \frac{15}{2}\right)^2 + \left(y - \frac{5}{2}\right)^2 = \frac{25}{4}.$$

Haciendo las simplificaciones oportunas, esta ecuación se escribe en forma simplificada como

$$4x^2 + 4y^2 - 60x - 20y + 225. \qquad\qquad \square$$

Cónicas reales. El cometa Snyder-Murakami.

Este cometa fue descubierto de manera independiente por el estadounidense Douglas Snyder y el japonés Shigeki Murakami, en marzo de 2002. Snyder estaba rastreando el cielo en busca de posibles nuevos cometas, cuando lo halló visualmente a través de su reflector de 50 cm. Le calculó una magnitud de 13. Por su parte, Murakami empleó un reflector de 46 cm, pero estimó una magnitud de 11.

Su órbita es una hipérbola con los siguientes elementos:

- a (Semieje mayor) = 13.5 AU.
- ϵ (excentricidad) = 1.00079.
- i (inclinación) = 92.5°.

4.5 Aplicaciones

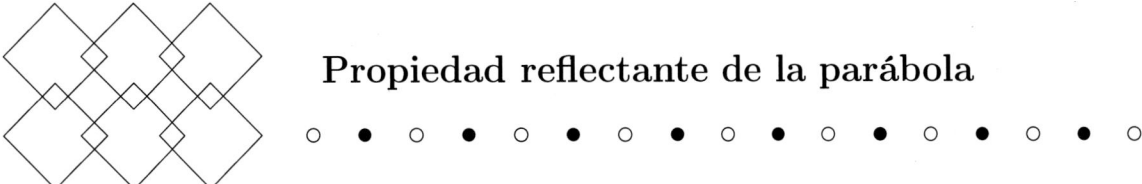

Propiedad reflectante de la parábola

La propiedad reflectante de la parábola.

La parábola tiene una serie de importantes características que la hacen muy útil en el estudio de una gran cantidad y variedad de aplicaciones. Una de estas propiedades la vamos a comentar brevemente en este punto y está relacionada con una especie de propiedad *reflectante*.

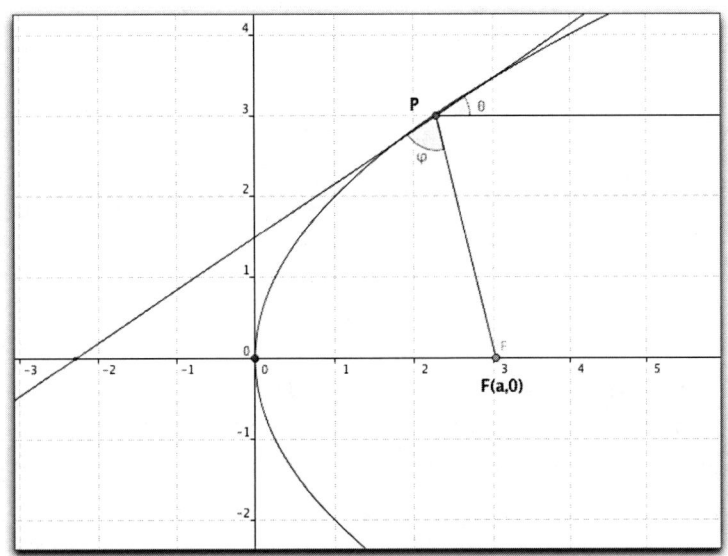

Figura 4.16: *Propiedad reflectante de las parábolas.*

Los dos ángulos θ y φ que aparecen en la figura 4.16, se forman mediante una línea paralela al eje de la parábola y una tangente a la parábola en un punto, y por la línea desde el foco F al punto. Ambos ángulos son iguales.

De esta forma, si consideráramos la parábola como una superficie reflectante, entonces los rayos de luz que viajen paralelos al eje se reflejarían en el foco. Debido a esta propiedad, podemos afirmar que un paraboloide de revolución (superficie que se forma al hacer rotar una parábola sobre su eje), constituye la forma o estructura ideal para la fabricación de objetos como por ejemplo los espejos de los telescopios, las antenas de radar o microondas, las luces de los coches, las antenas de recepción de canales de televisión caseras, generadores solares de electricidad, así como otros muchos ejemplos.

La propiedad reflectante de la parábola con GeoGebra. (parabola-reflejo.ggb)

Queremos estudiar con GeoGebra la propiedad reflectante de la parábola por la importancia que tiene en un buen número de aplicaciones prácticas. Realizamos la construcción paso a paso como se describe a continuación.

Paso 1. Comenzamos dibujando una parábola; en nuestro caso, elegimos $c : y^2 = 8x$.

Paso 2. Dibujamos ahora el foco de esta parábola en el punto $F(2, 0)$.

Paso 3. La parábola anterior tiene el foco en $(2, 0)$ y su vértice en $(0, 0)$, por lo que dibujamos la directriz, que es la recta $x = -2$.

Paso 4. Dibujamos un punto auxiliar R en el plano.

Paso 5. Dibujamos ahora una recta que pasa por el punto R y es paralela al eje X; sea esta recta a. Esta recta constituye el rayo que va paralelo al eje de la parábola y del que vamos a demostrar que rebota sobre el foco.

Paso 6. Calculamos el punto de intersección de la recta anterior con la parábola c; dicho punto será A.

Paso 7. Dibujamos la recta tangente a la parábola en A; dicha recta será b.

Paso 8. Calculamos la intersección de la recta tangente con el eje X; dicho punto será B.

Paso 9. Ahora dibujamos el segmento que une el punto A con el foco F.

Paso 10. Calculamos el ángulo que forman las rectas b y a (rayo paralelo al eje).

Paso 11. Calculamos el ángulo que forman la recta tangente al punto A (recta b) con el segmento que une el foco con A. Notemos que cuando aparece este ángulo en el dibujo, su valor coincide con el ángulo dibujado anteriormente.

Una vez realizada esta construcción se observa que si movemos por el plano el punto auxiliar R, estamos moviendo el rayo de incidencia sobre la parábola. De esta manera podemos comprobar experimentalmente que los ángulos dibujados siempre coinciden, sea cual sea la posición del rayo, siempre que este sea paralelo al eje X. Esto demuestra geométricamente que todo rayo que incide sobre una parábola de forma paralela a su eje, se refleja en el foco de la misma.

La figura 4.17 muestra una imagen de la construcción correspondiente.

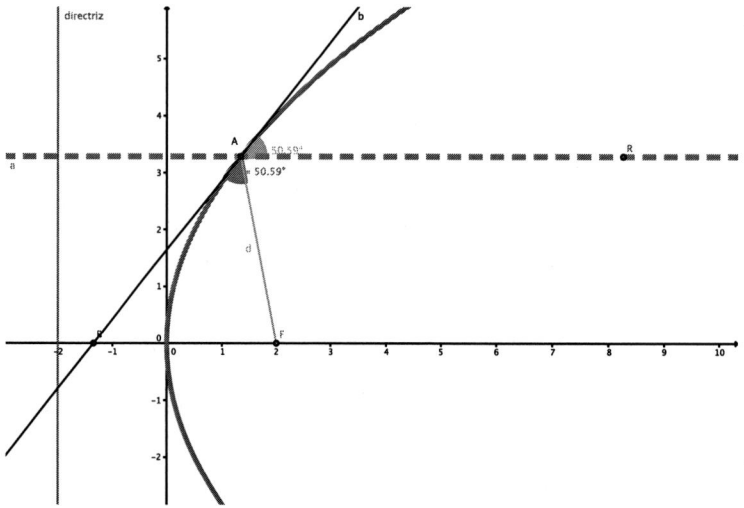

Figura 4.17: *La propiedad reflectante de la parábola.*

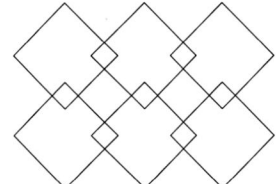

Los primeros telescopios

○ ● ○ ● ○ ● ○ ● ○ ● ○ ● ○ ● ○ ● ○

4.5.1 Los primeros telescopios

La fuente de la información que se resume en este apartado ha sido obtenida de la página web:

`bibliotecadigital.ilce.edu.mx/sites/ciencia/volumen2/ciencia3/057/htm/sec_7.htm`

Los telescopios astronómicos pueden ser de varios tipos, según que sus elementos ópticos sean reflectores o refractores. El primer telescopio fue refractor, pero presentaba el gran inconveniente de su gran aberración cromática.

Estas fueron las motivaciones que llevaron a la invención del telescopio reflector. Desafortunadamente, el telescopio reflector también tenía sus propios problemas. Una superficie reflectora requiere ser tallada con mucha mayor precisión que una refractora, y encima de ello generalmente tiene que ser una cónica de revolución, es decir, un paraboloide, elipsoide o hiperboloide, la cual es mucho más difícil de tallar y probar que una esférica. Otro problema de los primeros telescopios reflectores es que como no se conocían los métodos para metalizar una superficie de vidrio, se hacían de metal, haciendo la superficie óptica fácilmente deformable con el calor. La superficie reflectora, además, se oxidaba con suma facilidad.

El telescopio reflector fue considerado una posibilidad por gran número de investigadores del siglo XVII, entre otros por Zucchi, Cavalieri, Mersenne y Descartes, pero ninguno de ellos puso sus ideas en práctica. En 1663, James Gregory, famoso matemático escocés, publicó un libro titulado *Optica promota*, en el cual describió el elegante sistema donde la luz se refleja en un espejo elipsoidal, para llegar al ocular a través de una perforación en el espejo primario parabólico, véase la figura 4.18.

Este sistema, sin embargo, no tuvo ningún éxito debido a las dificultades para tallar estas superficies con la precisión requerida. Gregory visitó Londres en 1663, donde Collins le puso en contacto con Richard Reive, el fabricante de instrumentos más importante en la capital, quien intentó construir los espejos, pero fracasó.

La ventaja de este sistema es que la imagen se observa erecta. El principal problema de este diseño es que las superficies eran sumamente difíciles de construir. Robert Hooke fue el primero que logró en 1974 construir un *telescopio gregoriano*, pero sin resultados muy exitosos. La superficie ideal para el espejo primario es la de un hiperboloide de revolución, y la del secundario es la de un elipsoide, también con simetría de revolución.

El siguiente intento de lograr un telescopio reflector fue el de Sir Isaac Newton (1645-1727), quien en mayo de 1672 escribió: *La Optica promota del señor Gregory acaba de caer en mis manos... y tuve así la ocasión de considerar ese tipo de construcciones.* Newton consideraba que el telescopio reflector era la única alternativa razonable para evitar la aberración cromática de las lentes, pues escribió:

Cuando comprendí esto, abandoné mis anteriores trabajos sobre cristal; porque vi que la perfección de los telescopios estaba hasta la fecha limitada no tanto por el logro de cristales exactamente configurados de acuerdo con las prescripciones de los autores de óptica (lo cual todos han conseguido más o menos hasta ahora) sino porque esa luz es en sí misma una mezcla heterogénea de rayos diferentemente refrangibles. Así pues, por muy exactamente configurados que fueran los cristales para reunir todo tipo de rayos en un solo punto, no podían lograrlo plenamente, puesto que aun teniendo la misma incidencia sobre el mismo medio estaban sujetos a sufrir distintas refracciones. Ni pensé, tras comprobar lo grande que era la diferencia de refrangibilidad, que los telescopios podrían llegar a una perfección superior a la que tienen ahora.

El telescopio construido por Newton tenía una amplificación aproximadamente de 40 y su configuración se conoce actualmente como *newtoniana*. El espejo era metálico, de una aleación conocida entonces como metal de campana y que constaba de seis partes de cobre y dos de estaño. Newton propuso que el espejo tuviera configuración esférica, aunque ya sabía que lo ideal era un paraboloide de revolución. La razón era de tipo práctico, pues una buena superficie óptica era muy difícil de construir y de probar. Newton solo construyó dos pequeños telescopios reflectores, que se asemejaban más a un juguete por su gran cantidad de imperfecciones ópticas.

Después de Newton, varios investigadores, entre otros Robert Hooke, construyeron telescopios reflectores, pero el primer telescopio reflector digno de tal nombre, por su alto grado de perfección, fue construido por John Hadley en 1722. Con este telescopio fue posible medir el diámetro angular de Venus. Bajo el liderazgo de Hadley se logró un gran avance en las técnicas para el pulido de los espejos metálicos. Como la relación focal del telescopio de Hadley era grande ($f/10$), no fue necesario darle forma parabólica al espejo, sino que fue suficiente con una forma esférica. Con este telescopio se efectuaron observaciones que desembocaron en descubrimientos astronómicos tales como la división y sombra de los anillos de Saturno, la sombra proyectada sobre Júpiter por sus satélites y muchos otros.

Además del telescopio newtoniano, existen otras configuraciones. El telescopio inventado por Sir William Herschel en 1782 está formado por un paraboloide fuera de eje. Se propuso como alternativa para substituir al de Newton, eliminando la necesidad del pequeño espejo diagonal, lo cual era muy bueno dada la dificultad de metalizar el vidrio o de pulir el metal. Cada espejo introducía un mínimo de cuarenta por ciento de pérdidas luminosas, además de las aberraciones debidas a las imperfecciones del espejo. Herschel construyó un telescopio con 12.19 metros de distancia focal. Con sus telescopios, Herschel logró avances muy importantes tanto en astronomía como en tecnología de telescopios. Modernamente esta configuración ya no se usa debido a la dificultad para obtener buenas paraboloides fuera de eje, y a la incomodidad de la posición de observación.

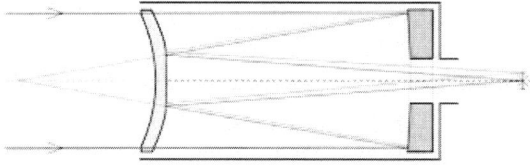

Figura 4.18: *Esquemas de telescopio Cassegrain.*

La configuración que se muestra en la figura 4.18 fue inventada por Guillaume Cassegrain, escultor al servicio de Luis XIV, en Francia, en 1672. Cassegrain propuso que los espejos fueran esféricos, por lo que fue injustamente criticado por Newton, cuando él mismo había usado un espejo esférico en su telescopio.

Es frecuente en los sistemas ópticos, sobre todo en los telescopios, que la superficie esférica tenga que ser sustituida por una cónica de revolución con el fin de eliminar las aberraciones, sobre todo la de esfericidad. Una superficie cónica de revolución es aquella que se obtiene rotando una curva cónica alrededor de uno de sus ejes de simetría.

La geometría analítica se encarga de estudiar con detalle las propiedades de estas curvas, y cada una de ellas se representa por una ecuación característica. Por razones sencillas de comprender, en óptica conviene expresar estas curvas por una sola ecuación general, en la que estén contenidas todas las cónicas, las cuales se pueden obtener simplemente cambiando un parámetro que representaremos por K. Este parámetro está relacionado con la llamada excentricidad e, que se estudia en la geometría analítica por medio de la relación: $K = -e^2$. Esta ecuación que representa una superficie óptica es:

$$z = \frac{cS^2}{1 + \sqrt{1 - (K+1)c^2 S^2}},$$

donde c es la curvatura cerca del origen, la cual es el inverso del radio de curvatura $(c = \frac{1}{r})$, S es la distancia del eje óptico a un punto sobre la superficie, y z es la sagita de la superficie. La constante K, a la que llamamos **constante de conicidad**, es entonces la que determina el tipo de superficie, según el siguiente resumen:

$$
\begin{aligned}
\text{Hiperboloide} \quad &\Rightarrow \quad K < -1 \\
\text{Paraboloide} \quad &\Rightarrow \quad K = -1 \\
\text{Elipsoide} \quad &\Rightarrow \quad -1 < K < 0 \\
\text{Esfera} \quad &\Rightarrow \quad K = 0 \\
\text{Esferoide oblato} \quad &\Rightarrow \quad K > 0.
\end{aligned}
$$

Un espejo esférico estará libre de aberración de esfericidad solo si el objeto se coloca cerca de su centro de curvatura, en cuyo caso la imagen estará también ahí.

Si el objeto está al infinito, como en el caso de los objetos que se observan con un telescopio, la imagen estará desprovista de aberración de esfericidad solo si el espejo tiene la forma de un paraboloide. Por esta razón el espejo de un telescopio newtoniano idealmente debe tener esta forma.

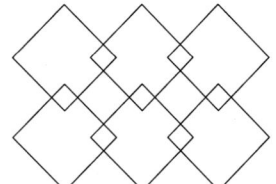

Órbitas planetarias y epiciclos

○ ● ○ ● ○ ● ○ ● ○ ● ○ ● ○ ● ○ ● ○ ● ○

4.5.2 Epiciclos para explicar el movimiento de los astros

> Una introducción histórica

El Sol y la Luna parecen moverse de una forma más o menos regular, a lo largo del zodíaco, avanzando siempre de este a oeste. Los planetas viajan de una forma más irregular, desplazándose a lo largo del zodíaco de oeste a este; sin embargo, dicho movimiento se ve interrumpido durante breves intervalos por un movimiento retrógrado de este a oeste. El más conocido y estudiado de estos movimientos retrógrados es el de marte. Tycho Brahe midió con gran precisión el movimiento de marte en el cielo. Los datos sobre el movimiento retrógrado aparente (lazos) permitieron a Kepler hallar la naturaleza elíptica de su órbita y determinar las leyes del movimiento planetario conocidas como leyes de Kepler.

Platón (428-347), el sabio griego, llegó a afirmar que Dios, el creador del Universo, utilizaba siempre procedimientos geométricos. Convencido de la actuación de Dios como geómetra, en su obra *Timeo* defiende un modelo geométrico para explicar el universo físico. Dicho modelo estaba basado en las formas perfectas como son los círculos, esferas y poliedros regulares.

Desde entonces, tras la aparición de los *Elementos* de Euclides, los puntos, las rectas, los ángulos, los círculos y las esferas, las formas perfectas, los poliedros regulares van a constituirse en las armas casi exclusivas para interpretar la naturaleza. Las formas imperfectas quedan excluidas y expulsadas del universo matemático.

Desde Platón la historia de la ciencia será la búsqueda de ese modelo geométrico, de esas leyes que controlan el funcionamiento del Cosmos, la búsqueda de ese orden inmutable capaz de explicar todos los fenómenos naturales. La comprensión y el dominio de la naturaleza al alcance de la mente humana.

Aristóteles situará la Tierra en el centro del Universo y la órbita lunar es la línea que separa el orden y el caos. Por encima de la Luna, se encuentra el mundo celeste, perfecto y perpetuo, el reino del orden. Por debajo, el mundo terrestre constituido por los cuatro elementos: tierra, agua, aire y fuego. Un mundo imperfecto e impredecible. El reino del caos.

Sin embargo, un fenómeno observable rompe la armonía perfecta del mundo celestial: las erráticas órbitas de los planetas contra el fondo de estrellas fijas. De ahí su nombre, errático. A veces hay incluso un paso atrás en sus órbitas. ¿Cómo encajan estos hechos con un modelo geométrico perfecto e ideal?

Claudio Ptolomeo, astrónomo alejandrino griego que vivió en el siglo II d. C., ideó un modelo geométrico muy sofisticado en el que solo con los círculos era posible explicar el movimiento de los objetos astronómicos.

Lo más importante de la obra de Ptolomeo que ha sobrevivido es el Almagesto, un tratado en 13 libros. Se fundamenta en detalle la teoría matemática de los movimientos del Sol, la Luna y los planetas. Se propone un modelo geométrico muy ingenioso: el de los **epiciclos y deferentes**. Cada planeta, incluyendo el Sol y la Luna, se les asigna un círculo imaginario llamado deferente. La Tierra está dentro de ese círculo, aunque no necesariamente en el centro. El planeta gira en un círculo que llamaban epiciclo cuyo nuevo centro será un punto del círculo deferente.

Al mover el centro del epiciclo a lo largo del deferente, el planeta se está moviendo hacia o lejos de la Tierra, explicando los cambios en el brillo del planeta que se observó en diferentes momentos del año.

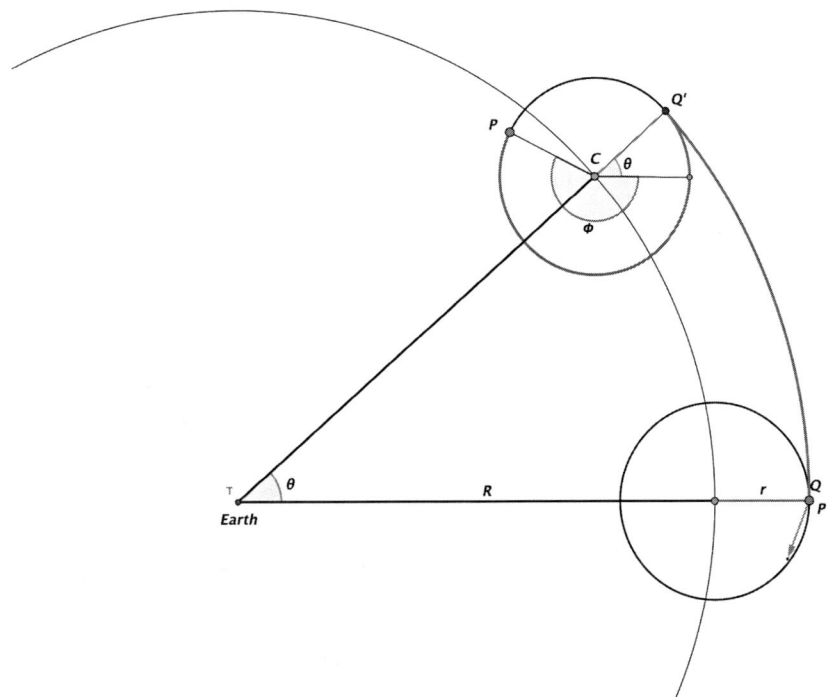

Figura 4.19: *Representación del deferente y el epiciclo de un planeta.*

En la figura 4.19 se ha representado geométricamente el concepto de deferente y epiciclo de un planeta.

De hecho, Ptolomeo no creía que los planetas se movían de esa manera; sin embargo, este modelo se explica con bastante precisión todo lo que cualquier astrónomo veía en el cielo. Este modelo fue tomado como un dogma y complicados cálculos matemáticos se realizaron para predecir la posición de los planetas en el cielo.

Tomando como referencia el gráfico que aparece en la figura 4.19, deducimos la ecuación que sigue el planeta P cuando describe una circunferencia (epiciclo) cuyo centro se encuentra en una circunferencia (deferente), cuyo centro a su vez es la Tierra.

Las coordenadas de P relativas al centro C son:

$$(r\cos\phi, r\operatorname{sen}\phi).$$

Las coordenadas de C relativas al origen (T) son:

$$(R\cos\theta, R\operatorname{sen}\theta).$$

Así, las coordenadas de P relativas al centro del deferente son:

$$
\begin{aligned}
x &= R\cos\theta + r\cos\phi \\
y &= R\operatorname{sen}\theta - r\operatorname{sen}\phi.
\end{aligned}
\tag{4.26}
$$

Si observamos la figura 4.19 nos damos cuenta que los ángulos θ y ϕ no son independientes. La relación que existe entre ellos es que la longitud de los arcos QQ' y $Q'P$ deben ser iguales, es decir,

$$l(QQ') = l(Q'P).$$

Observando la figura 4.19 podemos establecer que $l(QQ') = (R+r)\theta$ y que $l(QQ') = r(\theta+\phi)$. Por lo tanto, igualando las longitudes, $(R+r)\theta = r(\theta+\phi)$.

Podemos despejar ϕ de esta última ecuación, obteniendo la relación

$$\phi = \frac{R\theta}{r}.$$

Ahora sustituyendo ϕ en (4.26) tendremos las ecuaciones del planeta P en torno a la Tierra, que son

$$
\begin{aligned}
x &= R\cos\theta + r\cos\left(\frac{R\theta}{r}\right) \\
y &= R\operatorname{sen}\theta - r\operatorname{sen}\left(\frac{R\theta}{r}\right).
\end{aligned}
\tag{4.27}
$$

Las ecuaciones (4.27) representan el movimiento de un planeta en un sistema de deferentes y epiciclos que supone una concepción geocéntrica del universo.

Epiciclos y deferentes con GeoGebra. (planeta-ptolomeo.ggb)

Las ecuaciones (4.27) representan el movimiento de un planeta en un sistema de deferentes y epiciclos. Podemos hacer una construcción con geogebra de este sistema realizando los pasos que se enumeran a continuación.

Paso 1. Comenzamos definiendo el centro como $T = (0,0)$. Este es el punto que representa el centro del universo y en el que se encuentra la Tierra.

Paso 2. Definimos una circunferencia de radio 8 unidades, que va a ser el deferente, con lo que en la ventana algebraica nos aparecerá $c: x^2 + y^2 = 64$.

Paso 3. Después construimos un ángulo θ (de 0 a 2π) utilizando un deslizador, utilizando la instrucción correspondiente.

Paso 4. En nuestro ejemplo tomamos $R = 8$ y $r = 1$, es decir, los radios del deferente y del epiciclo.

Paso 5. Una vez establecidos estos parámetros, construimos el punto a partir de las ecuaciones dadas por (4.27). Es decir, lo que hacemos es indicarle al punto P las ecuaciones que debe seguir al ir avanzando el valor del ángulo,

$$P \longrightarrow \left(R\cos\theta + r\cos\left(\frac{R\theta}{r}\right), R sin\theta + r\operatorname{sen}\left(\frac{R\theta}{r}\right) \right).$$

Paso 6. Establecemos el movimiento del centro del epiciclo en torno al deferente. Para este paso debemos definir un punto A e indicarle las ecuaciones de su movimiento, que serán las ecuaciones en coordenadas polares de una circunferencia dada por $(R\cos\theta, R\operatorname{sen}\theta)$.

Paso 7. Finalmente, dibujamos el epiciclo mediante una circunferencia centrada en A (un punto del deferente) y de radio igual a r.

Paso 8. Ahora dibujamos el segmento que une el punto A con el foco F.

Paso 9. Calculamos el ángulo que forman las rectas b y a (rayo paralelo al eje).

Paso 10. Calculamos el ángulo que forman la recta tangente al punto A (recta b) con el segmento que une el foco con A. Notemos que cuando aparece este ángulo en el dibujo, su valor coincide con el ángulo dibujado anteriormente.

La figura 4.20 nos muestra una imagen de la construcción realizada, donde dibujamos la trayectoria que sigue el planeta en torno a la Tierra.

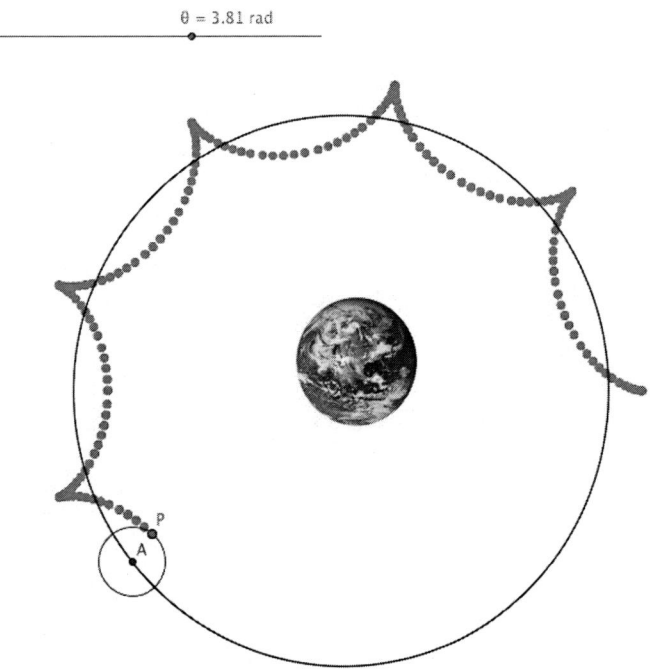

Figura 4.20: *Construcción del epiciclo y movimiento del planeta en torno a la Tierra.*

Si observamos la figura 4.20, no apreciamos adecuadamente los bucles que describen los planetas en su recorrido en la bóveda celeste. Para visualizar este efecto debemos modificar la relación entre los arcos QQ' y $Q'P$. Si hacemos que el planeta P se mueva en su epiciclo en una proporción distinta a como se mueve el centro del epiciclo C en el deferente en torno a la tierra, conseguimos visualizar los movimientos de adelanto y retroceso.

Así, por ejemplo, si establecemos que

$$2l(QQ') = l(Q'P)$$

llegaríamos a establecer la relación

$$\phi = \left(\frac{2R + r}{r} \right) \theta.$$

De esta forma, las ecuaciones del movimiento del planeta por el epiciclo vendrían dadas por

$$
\begin{aligned}
x &= R\cos\theta + r\cos\left(\tfrac{2R+r}{r}\right)\theta \\
y &= R\operatorname{sen}\theta - r\operatorname{sen}\left(\tfrac{2R+r}{r}\right)\theta.
\end{aligned}
\tag{4.28}
$$

En la figura 4.21 se ha modificado la construcción con GeoGebra de manera que ahora el planeta sigue la trayectoria dada por las ecuaciones (4.28). Concretamente modificamos el punto 5 de la construcción para introducir las nuevas expresiones.

Además se ha introducido un deslizador para el valor de r, de manera que podemos comprobar las trayectorias haciendo variar el radio del epiciclo.

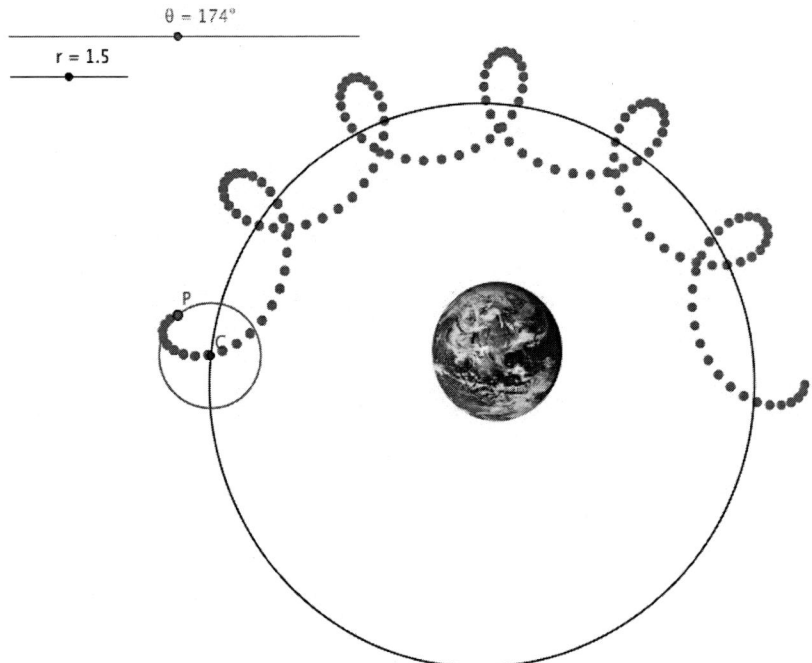

Figura 4.21: *Representación del deferente y el epiciclo de un planeta con las ecuaciones dadas por (4.28).*

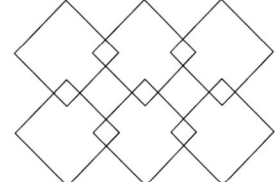

Órbitas de transferencia

○ ● ○ ● ○ ● ○ ● ○ ● ○ ● ○ ● ○ ● ○

4.5.3 Un viaje interplanetario. Las órbitas de Hohmann

Una introducción histórica.

En la última parte del siglo XVI, el astrónomo danés Tycho Brahe registró cuidadosas observaciones de las posiciones los planetas. Tycho esperaba usar estos datos para demostrar la validez de su propio modelo del Sistema Solar, en el cual el Sol se movía alrededor de la Tierra y los otros planetas lo hacían alrededor del Sol. Cuando murió (en 1601), su asistente Johannes Kepler recibió en herencia los datos que había acumulado.

Kepler empleó unos 20 años para analizar estos datos, intentando encontrar fórmulas matemáticas que demostraran algunas relaciones existentes entre ellos. Y llegó a la conclusión de que la idea aceptada hasta entonces, según la cual los planetas se movían en órbitas circulares, debía ser descartada; las órbitas eran elípticas.

Kepler resumió los resultados de su laborioso estudio sobre el movimiento de los planetas en tres leyes:

- **Primera Ley** (1609): Todos los planetas se desplazan alrededor del Sol describiendo órbitas elípticas, estando el Sol situado en uno de los focos.
- **Segunda Ley** (1609): El radio vector que une el planeta y el Sol barre áreas iguales en tiempos iguales.
- **Tercera Ley** (1618): Para cualquier planeta, el cuadrado de su período orbital (tiempo que tarda en dar una vuelta alrededor del Sol) es directamente proporcional al cubo de la longitud del semieje mayor a de la órbita elíptica.

Sir Isaac Newton (4 de enero de 1643-31 de marzo de 1727) fue un físico, filósofo, inventor, alquimista y matemático inglés, autor de los *Philosophiae Naturalis Principia Mathematica*, más conocidos como los *Principia*, donde describió la ley de gravitación universal y estableció las bases de la mecánica clásica mediante las leyes que llevan su nombre. Otro de los temas tratados en los Principia fueron las tres leyes de la Dinámica o Leyes de Newton, en las que explicaba el movimiento de los cuerpos así como sus efectos y causas. Estas son:

- **Primera Ley ley de la inercia**: *todo cuerpo permanecerá en su estado de reposo o movimiento uniforme y rectilíneo a no ser que sea obligado por fuerzas impresas a cambiar su estado.*

  En esta ley, Newton afirma que un cuerpo sobre el que no actúan fuerzas extrañas (o las que actúan se anulan entre sí) permanecerá en reposo o moviéndose con una velocidad constante. Esta idea, ya enunciada por Descartes y Galileo, suponía romper con la física aristotélica, según la cual un cuerpo solo se mantenía en movimiento mientras actuara una fuerza sobre él.

- **Segunda Ley ley de la interacción y la fuerza**: *El cambio de movimiento es proporcional a la fuerza motriz impresa y ocurre según la línea recta a lo largo de la cual aquella fuerza se imprime.*

La segunda ley puede resumirse en la expresión:

$$F = m \times a.$$

- **Tercera Ley ley de acción-reacción**: *Con toda acción ocurre siempre una reacción igual y contraria; las acciones mutuas de dos cuerpos siempre son iguales y dirigidas en sentidos opuestos.*

El momento culminante de la revolución científica fue el descubrimiento realizado por Isaac Newton de la ley de la gravitación universal. Con una simple ley, Newton dio a entender los fenómenos físicos más importantes del universo observable, explicando las tres leyes de Kepler. La ley de la gravitación universal descubierta por Newton se escribe

$$F = G\frac{m_1 m_2}{r^2}\boldsymbol{u},$$

donde F es la fuerza de atracción gravitatoria, G es una constante que determina la intensidad de la fuerza y que sería medida años más tarde por Henry Cavendish en su célebre experimento de la balanza de torsión, m_1 y m_2 son las masas de dos cuerpos que se atraen entre sí y r es la distancia entre ambos cuerpos, siendo $\boldsymbol{u}$ el vector unitario que indica la dirección del movimiento.

Sin embargo, la gravitación universal es mucho más que una fuerza dirigida hacia el Sol. Es también un efecto de los planetas sobre el Sol y sobre todos los objetos del universo. Newton intuyó fácilmente a partir de su tercera ley de la dinámica de que si un objeto atrae a un segundo objeto, este segundo también atrae al primero con la misma fuerza. Newton se percató de que el movimiento de los cuerpos celestes no podía ser regular. Afirmó: *los planetas ni se mueven exactamente en elipses, ni giran dos veces según la misma órbita*. Para Newton, ferviente religioso, la estabilidad de las órbitas de los planetas implicaba reajustes continuos sobre sus trayectorias impuestas por el poder divino.

Cálculos previos.

Sabemos que la primera ley de Kepler establece que la órbita de un planeta en torno al Sol es una elipse con el astro ocupando uno de sus focos. Simbólicamente lo podemos escribir como

$$r = \frac{p}{1 + e\cos\theta},\tag{4.29}$$

donde (r, θ) son las coordenadas polares heliocéntricas para el planeta, p es el semilactus rectum y e es la excentricidad (véase la figura 4.22, en la que se aprecian los elementos orbitales en una elipse con el sol en uno de sus focos).

Para $\theta = 0$, la distancia mínima es

$$r_{min} = \frac{p}{1 + e}.$$

Para $\theta = 180$, la distancia máxima es

$$r_{max} = \frac{p}{1 - e}.$$

El semieje mayor, que denotamos por a, es la media aritmética entre r_{min} y r_{max}, es decir,

$$a = \frac{r_{min} + r_{max}}{2} = \frac{p}{1 - e^2},$$

por lo que la ecuación (4.29) puede escribirse de la forma

$$r = \frac{a(1 - e^2)}{1 + e\cos\theta}.\tag{4.30}$$

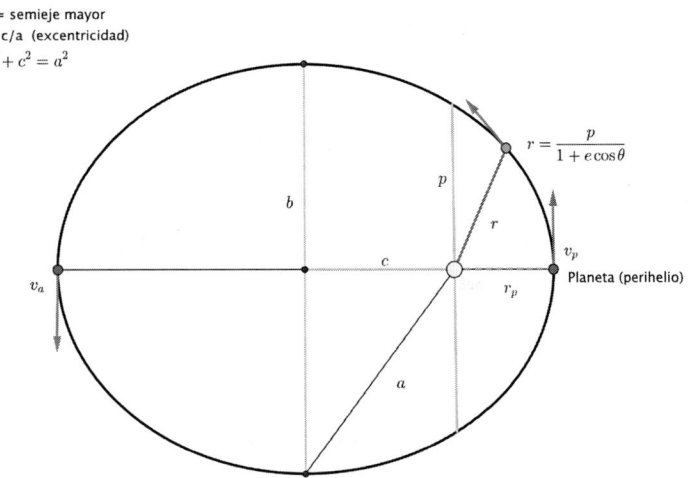

a = semieje mayor
e=c/a (excentricidad)
$b^2 + c^2 = a^2$

$r = \dfrac{p}{1 + e\cos\theta}$

Figura 4.22: *Representación de los elementos orbitales en una elipse.*

El semieje menor, que denotamos por b, es la media geométrica entre r_{min} y r_{max}, es decir,

$$b = \sqrt{r_{min}r_{max}} = \frac{p}{\sqrt{1 - e^2}}.$$

Para encontrar la velocidad de un cuerpo orbitando en torno al sol, utilizamos la ecuación *vis-viva*, basada en la energía total de un cuerpo orbitando en torno a otro cuerpo, que es

$$E_{total} = \frac{1}{2}mv^2 - \frac{GM_S m}{r}.$$

Esta energía total puede simplificarse como

$$-\frac{GM_S m}{2a},$$

siendo a el semieje mayor. Por tanto,

$$v_r = \left[GM_S \left(\frac{2}{r} - \frac{1}{a} \right) \right]^{\frac{1}{2}},$$

donde G es la constante de la gravitación universal de Newton y M_S es la masa del sol. La velocidad de escape de un planeta se obtiene al igualar la energía potencial gravitatoria desde el infinito hasta la superficie con la energía cinética requerida para contrarrestar la energía potencial, es decir,

$$\frac{1}{2}v_{esc}^2 = \frac{GM_p m}{r_p}.$$

Sustituyendo los valores de G, m, R_p y M_p en esta ecuación se obtiene que la velocidad de escape de la Tierra es de $11.2\ km \cdot s^{-1}$ y la velocidad de escape de Marte es de $5.1\ km \cdot s^{-1}$.

Al planificar nuestro viaje a Marte, necesitaremos saber a qué distancia del planeta debemos encontrarnos antes de que podamos ignorar los efectos de la atracción gravitatoria del mismo. Eso es lo que llamamos la **esfera de influencia** del cuerpo. Sabemos que la esfera de influencia de la Tierra es de aproximadamente $9.2 \cdot 10^8$m, mientras que la esfera de influencia de Marte es de aproximadamente $5.7 \cdot 10^8$ m.

Para nuestros cálculos, vamos a suponer que las órbitas de la Tierra y de Marte son circulares, con radios iguales a 1.00 UA y 1.52 UA, por lo que sus velocidades orbitales son constantes. Por otra parte, también supondremos en nuestros cálculos que las dos órbitas son coplanarias.

La tercera ley de Kepler establece que el cuadrado del periodo orbital de un planeta es directamente proporcional al cubo del semieje mayor de su órbita. Simbólicamente,

$$P^2 \propto a^3,$$

donde P es el periodo orbital del planeta y a es el semieje mayor de su órbita. La constante de proporcionalidad es la misma para todos los planetas alrededor del sol, así que podemos escribir

$$\frac{P_{planeta}^2}{a_{planeta}^3} = \frac{P_{tierra}^2}{a_{tierra}^3},$$

por lo que el período de cualquier cuerpo celeste puede determinarse mediante la expresión

$$P = 365 \cdot a^{\frac{3}{2}}, \tag{4.31}$$

donde P es el período (en días) y a es el semieje mayor, tomando unidades astronómicas. Otro dato necesario es el de los períodos de la Tierra y Marte, que son de 365 días y 687 días, respectivamente.

Con el fin de simplificar el cálculo de los parámetros orbitales de la trayectoria a Marte, debemos suponer que, al calcular la velocidad requerida cuando la nave es lanzada desde la Tierra (la velocidad en el perigeo) y la velocidad requerida para conectar con la órbita de Marte, la nave espacial estará fuera de la esfera de influencia de la Tierra y Marte, respectivamente. Esto simplifica notablemente los cálculos.

Las órbitas de transferencia de Hohmann (HOT).

En mecánica orbital, la **Órbita de Transferencia Hohmann** (HOT) es una maniobra orbital con dos impulsos del motor que, con arreglo a criterios establecidos, mueve una nave espacial entre dos órbitas circulares coplanares. Esta maniobra recibe este nombre en honor de Walter Hohmann, el científico alemán que publicó una descripción de la misma en el año 1925.

La transferencia consiste en efectuar un impulso para aumentar la velocidad en una órbita circular inicial, en la dirección del movimiento y colinear con el vector velocidad. Este impulso transfiere el satélite o nave a una órbita elíptica, como se desprende de la figura 4.23. A un ángulo de transferencia de π radianes desde el primer impulso, un segundo impulso se le proporciona al vehículo, causando un aumento de la velocidad. Esto provoca que entre en una nueva órbita circular deseada. Observemos en la figura las distintas trayectorias que sigue el vehículo al proporcionarle los impulsos, denotados por Δv_A y Δv_B. Los radios de la órbita inicial y final son r_A y r_B, respectivamente.

Las órbitas son tangenciales, por lo que los vectores velocidad son colineales. La transferencia Hohmann representa la transferencia entre órbitas circulares coplanarias que menos gasto de combustible requiere. Cuando la transferencia se produce de una órbita más pequeña a una más grande, el cambio en la velocidad se aplica en la dirección del movimiento, mientras que al pasar de una órbita más grande a una más pequeña, el cambio en la velocidad tiene una dirección opuesta a la dirección del movimiento.

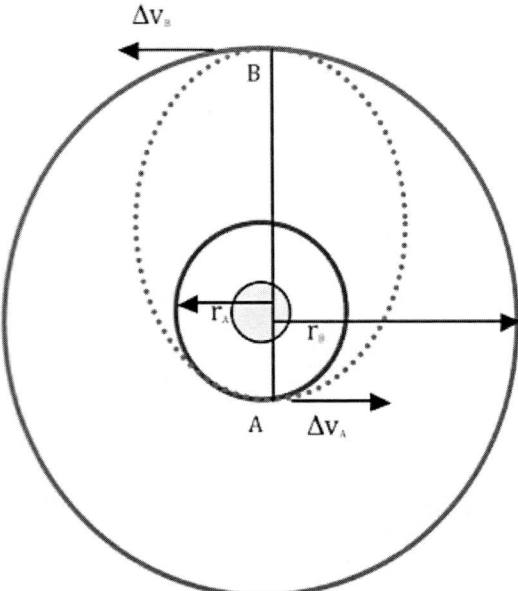

Figura 4.23: *Representación de la órbita de Hohmann.*

El cambio en la velocidad que se requiere para llevar a cabo una órbita de transferencia es la suma de los cambios en las velocidades en el perigeo y en el apogeo de la elipse de transferencia. Como los vectores velocidad son colineales, los incrementos de la velocidad son justamente las diferencias en magnitudes de las velocidades en cada órbita. Si conocemos las órbitas inicial y final, es decir, r_A y r_B, podemos calcular el incremento de la velocidad total por medio del conjunto de ecuaciones que se muestra en la tabla 4.3.

Cuando se utiliza para mover una nave espacial desde la órbita de un planeta que orbita hacia otra, la situación se vuelve algo más compleja. Por ejemplo, consideramos nuestro caso, una nave espacial que viaja desde la Tierra a Marte. Al comienzo del viaje, la nave ya dispondrá de una cierta velocidad asociada con su órbita alrededor de la Tierra – esta es la velocidad que no es necesario aplicar cuando la nave entra en la órbita de transferencia (alrededor del Sol)–. En el otro extremo, la nave tendrá una cierta velocidad a la órbita de Marte, que en realidad será menor que la velocidad necesaria para continuar orbitando al Sol en la órbita de transferencia.

Consecuentemente, la nave tendrá que desacelerar y permitir que la gravedad de Marte la capture. Por lo tanto, cantidades relativamente pequeñas de empuje en los extremos del viaje son todo lo que se necesitan para producir la transferencia de órbitas. Nótese, sin embargo, que la alineación de los dos planetas en sus órbitas es crucial, ya que el planeta de destino y la nave deben llegar al mismo punto en sus respectivas órbitas alrededor del Sol al mismo tiempo.

Cálculo de la trayectoria del viaje.

Procedemos a calcular la órbita (HOT) de una nave espacial para un viaje al planeta Marte. Ya

Descripción	Expresión algebraica
Semieje mayor de la elipse de transferencia	$a_{tx} = \frac{r_A + r_B}{2}$
Velocidad inicial en A	$v_{iA} = \sqrt{\frac{GM}{r_A}}$
Velocidad final en A	$v_{iB} = \sqrt{\frac{GM}{r_B}}$
Velocidad en la órbita de transferencia en el punto A de la órbita inicial	$v_{txA} = \sqrt{GM \left[\frac{2}{r_A} - \frac{1}{a_{tx}} \right]}$
Velocidad en la órbita de transferencia en el punto B de la órbita inicial	$v_{txB} = \sqrt{GM \left[\frac{2}{r_B} - \frac{1}{a_{tx}} \right]}$
Incremento de la velocidad inicial	$\Delta v_A = v_{txA} - v_{iA}$
Incremento de la velocidad final	$\Delta v_B = v_{fB} - v_{txB}$
Incremento de la velocidad total	$\Delta v_T = \Delta v_A - \Delta v_B$

Tabla 4.3: *Ecuaciones del movimiento orbital.*

sabemos que la trayectoria entre dos órbitas circulares (o casi circulares) es una de las maniobras más útiles a los operadores de satélite. Además, las órbitas de transferencia de este tipo también se puede utilizar para pasar de una órbita solar más baja a una órbita más alta solar, por ejemplo, desde la órbita de la Tierra a la de Marte.

La única razón para no seguir una trayectoria HOT es consecuencia de una de sus características: constituye la órbita más larga en tiempo pero la menos exigente de energía, lo que representa, sin duda, uno de los principales objetivos al diseñar un viaje al sistema solar.

Entonces, la trayectoria HOT que vamos a seguir es la órbita que se muestra en la figura 4.24.

El viaje lo podemos dividir en tres etapas:

ETAPA 1. Viaje de la nave desde la Tierra hasta Marte.

ETAPA 2. Estancia de la nave en Marte.

ETAPA 3. Viaje de regreso a la Tierra.

ETAPA 1: Viaje de la nave de la Tierra a Marte.

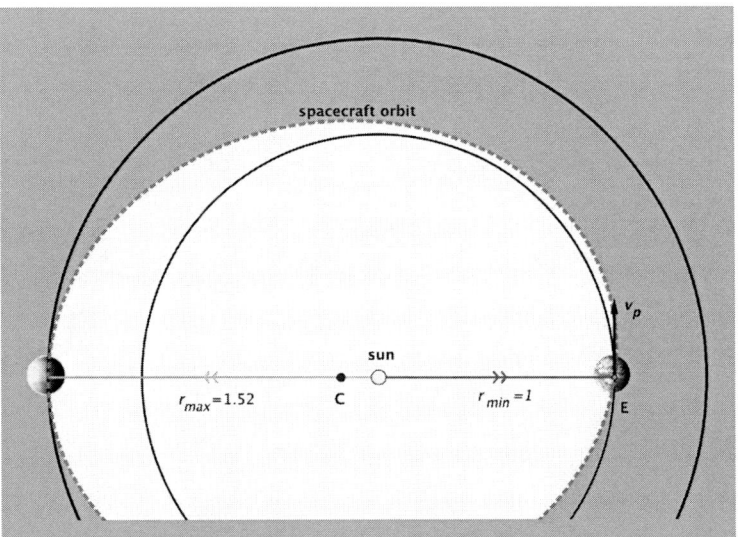

Figura 4.24: *Representación de la órbita de Hohmann para el caso concreto de la Tierra a Marte.*

En primer lugar, vamos a deducir las ecuaciones que nos proporcionan la velocidad y la energía necesaria para el viaje de ida, es decir, queremos deducir expresiones que nos permitan calcular v_p. Sabemos que el momento angular es constante, en particular toma el mismo valor en el perihelio que en el afelio, por lo que

$$mr_p v_p = mr_a v_a,$$

donde v_p representa la velocidad en el perihelio y v_a en el afelio.

La energía es constante en todos los puntos de la trayectoria, por lo que es la misma en el perihelio que en el afelio. En consecuencia,

$$\frac{1}{2}mv_p^2 - \frac{GMm}{r_p} = \frac{1}{2}mv_a^2 - \frac{GMm}{r_a}.$$

Realizando las simplificaciones oportunas llegamos a la expresión

$$v_p^2 - v_a^2 = 2GM\left(\frac{r_a - r_p}{r_p r_a}\right).$$

Sin embargo, teniendo en cuenta que $mr_p v_p = mr_a v_a$, podemos despejar v_a en esta expresión y sustituirla en la anterior, con lo que

$$v_p^2 - \frac{r_p^2}{r_a^2}v_p^2 = 2GM\left(\frac{r_a - r_p}{r_p r_a}\right)$$

o, lo que es lo mismo, después de despejar la velocidad en el perihelio v_p^2,

$$v_p^2 = \frac{2GMr_a}{r_p(r_p + r_a)}.$$

Siguiendo un proceso totalmente análogo, llegaríamos a una expresión similar para la velocidad en el afelio, que es

$$v_a^2 = \frac{2GMr_p}{r_a(r_p + r_a)}.$$

Sabemos por física elemental que la energía de la nave es constante en todos los puntos de la trayectoria e igual a

$$E = \frac{1}{2}mv_p^2 - \frac{GMm}{r_p}.$$

Queremos calcular ahora la energía que debemos suministrarle a la nave en la posición del perihelio para que pase de una órbita circular terrestre a una órbita elíptica de transferencia. Recordemos que la nave, al lanzarse desde la Tierra en dirección de la órbita terrestre, posee una velocidad orbital, que podemos llamar v_{or} y que es la velocidad con que la Tierra orbita en torno al sol. Por lo tanto, el incremento de energía vendrá dado por la diferencia

$$\Delta E_p = \frac{1}{2}mv_p^2 - \frac{1}{2}mv_{or}^2.$$

Recordando las expresiones de v_p y v_{or}, que son

$$v_p^2 = \frac{2GMr_a}{r_p(r_p + r_a)}, \qquad v_{or} = \frac{GM}{r_p}$$

y sustituyendo en la expresión anterior,

$$\Delta E = \frac{1}{2}m\frac{2GMr_a}{r_p(r_p + r_a)} - \frac{1}{2}m\frac{GM}{r_p}.$$

Realizando operaciones y simplificaciones sobre esta expresión, llegamos a que

$$\Delta E = \frac{GMm}{2r_a}\left(\frac{r_a - r_p}{r_a + r_p}\right).$$

Una vez deducidas las expresiones para la velocidad y el incremento de energía, estamos en condiciones de deducir los parámetros orbitales de la elipse. La trayectoria es una elipse con el Sol localizado en uno de sus focos y cuyos parámetros son:

$$r_{min} = r_p = 1, \quad r_{max} = r_a = 1.52,$$

donde r_p es la distancia al perihelio y r_a es la distancia al afelio. De acuerdo con la notación introducida anteriormente, a es el semieje mayor, e es la excentricidad de la órbita y v_p y v_a son las velocidades en el perihelio y en el afelio, respectivamente.

Por lo tanto, la nave debe ser lanzada cuando la Tierra se encuentra en el perihelio y debería llegar a Marte cuando el planeta se encuentre en el afelio. Determinemos ahora los elementos orbitales de una órbita de estas características. Podemos calcular el semieje mayor como

$$a = \frac{r_p + r_a}{2} = \frac{1 + 1.52}{2} = 1.26.$$

Entonces el semieje mayor de nuestra elipse es $a = 1.26$. Ahora calculamos la excentricidad como

$$e = \frac{c}{a} = \frac{0.26}{1.26} = 0.206.$$

Con estos parámetros, podemos determinar la ecuación de la elipse en coordenadas polares, que es,

$$r = \frac{a(1 - e^2)}{1 + e\cos\theta} = \frac{1.26(1 - 0.206^2)}{1 + 0.206\cos\theta} = \frac{1.206}{1 + 0.206\cos\theta}.$$

La ecuación

$$r = \frac{1.206}{1 + 0.206 \cos \theta}$$

describe, teniendo en cuenta las suposiciones realizadas anteriormente, la trayectoria de nuestra nave hacia Marte.

Utilizando la expresión (4.31) podemos determinar el período de la órbita, como

$$P = 365(1.26)^{\frac{3}{2}} = 517.8$$

es decir, 517.8 días. Como consecuencia del cálculo del período concluimos que el tiempo que necesitará la nave para viajar de la Tierra a Marte será de $\frac{518.9}{2} = 258.9$ días.

Ahora calculamos la velocidad v_p, tomando como datos $r_1 = 1.49 \times 10^{11}$ m. y $r_2 = 2.28 \times 10^{11}$ m. los radios respectivos de las órbitas de la Tierra y Marte, respectivamente, y $M = 1.98 \times 10^{30}$ kg la masa del sol.

$$v_p = \sqrt{\frac{2GMr_2}{r_1(r_1 + r_2)}} = 32742.7 \text{ m/s.}$$

Por otra parte, también podemos calcular la velocidad orbital terrestre, que es

$$v_{or} = \sqrt{\frac{GM}{r}} = 29772.6 \text{ m/s.}$$

A la vista de estos cálculos podemos afirmar que cuando se lanza una nave desde las proximidades del planeta Tierra y en la dirección del movimiento orbital, debemos incrementar la velocidad de la misma, ya que la velocidad que necesita tener en el momento de la transferencia a la órbita elíptica (v_p) es de 32742.7 m/s, mientras que la velocidad de traslación terrestre en una órbita circular es de 29772.6 m/s, por lo que el incremento de velocidad necesario es de $v_p - v_{or} = 32742.7 - 29772.6 = 2971$ m/s.

Un último ajuste debe realizarse respecto a la configuración geométrica de la órbita respecto al viaje de ida. Se refiere a la posición del planeta Marte en el momento del lanzamiento de la nave. Sabemos que la velocidad angular de un planeta en torno al Sol suponiendo que sigue una órbita circular viene dada por la expresión

$$\omega = \frac{2\pi}{T},$$

siendo T el período orbital. Además, el desplazamiento angular de un planeta durante un cierto período de tiempo viene dado por

$$\omega \cdot \frac{P}{2},$$

siendo P el período orbital y ω la velocidad angular del planeta.

De acuerdo con la órbita de transferencia que hemos calculado, la nave necesita 258.9 días para ir del perihelio al afelio y encontrarse con Marte. Durante esos 258.9 días que la nave viaja hacia Marte debemos calcular el desplazamiento angular de Marte. El período orbital del planeta rojo es de 687 días, por lo que tarda 342.5 días en recorrer un ángulo de π radianes, por lo que su desplazamiento, en radianes, es de

$$\frac{258.9 \cdot \pi}{343.5} \text{ rad,}$$

lo que representa un ángulo de 135.3°. Luego, en el momento del lanzamiento, como la velocidad angular de Marte es menor que la de la Tierra, debe ir por delante de esta una cantidad angular, que es (en grados) $\pi - 135.3 = 44.7°$.

Concluyendo, la posición óptima del planeta Marte en el momento del lanzamiento hacia la órbita de Hohmann es de 44° por delante de la posición de la Tierra, como se muestra en la figura 4.25.

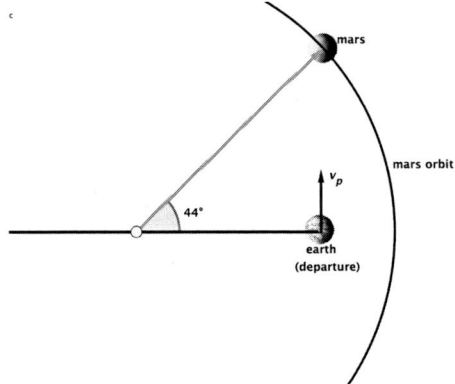

Figura 4.25: *Posición óptima de Marte en el momento del lanzamiento hacia la órbita de Hohmann.*

ETAPA 3: Viaje de regreso a la Tierra.

Los elementos orbitales de la órbita HOT que hemos calculado para el viaje de ida son perfectamente válidos para el viaje de regreso desde Marte a la Tierra. Lo que vamos a calcular ahora son las velocidades de la nave y la configuración geométrica óptima de los planetas para que al ser lanzada la nave desde Marte se produzca el encuentro con la Tierra. Ahora calculamos la velocidad v_a, tomando los mismos datos $r_1 = 1.49 \cdot 10^{11}$m y $r_2 = 2.28 \cdot 10^{11}$ m (radios respectivos de las órbitas de la Tierra y Marte) y $M = 1.98 \cdot 10^{30}$ kg. la masa del Sol.

$$v_a = \sqrt{\frac{2GMr_1}{r_2(r_1 + r_2)}} = 21397.6 \text{ m/s.}$$

Por otra parte, también podemos calcular la velocidad orbital de Marte, que es

$$v_{or} = \sqrt{\frac{GM}{r)}} = 24067.3 \text{ m/s.}$$

En el viaje de vuelta ocurre lo contrario que en el de ida; la velocidad orbital de Marte es mayor que la velocidad necesaria de la nave para pasar a la órbita de transferencia de vuelta. Así, $v_a - v_{orM} = 21397.6 - 24067.3 = -2669.7$ m/s. Esto significa que debemos disminuir la velocidad de la nave en casi 3000 m/s, es decir, los cohetes deben producir un frenado en la misma para que salte a la órbita adecuada para el regreso.

En cuanto a la configuración geométrica de los planetas en el momento en el que la nave salta a la órbita de Hohmann de transferencia, tenemos que decir que el viaje dura 258.9 días, por lo que debemos calcular ahora el desplazamiento de la Tierra en ese período de tiempo. Recordando que el período de la órbita terrestre es de 365 días y que recorre 2π radianes, entonces el desplazamiento angular terrestre será de

$$\frac{258.9 \cdot 2\pi}{365} = 4.46 \text{ rad,}$$

o, lo que es lo mismo, 256°. Concluimos que la Tierra es la que debe ir por detrás de Marte un ángulo de $256 - \pi = 76°$.

Hasta ahora disponemos de datos muy concretos respecto a los tiempos y posiciones de los planetas y la nave en su trayectoria de ida y de vuelta; sin embargo, desconocemos los tiempos de espera en Marte hasta que la configuración geométrica idónea se produzca para el regreso a la Tierra siguiendo la órbita elíptica trazada para el viaje de ida. La información la podemos resumir así:

La nave espacial pasa de una órbita circular a elíptica de transferencia de Hohmann en un instante $t = 0$ y tarda 258.9 días en llegar al encuentro de Marte. En $t = 0$, Marte está adelantado respecto a la Tierra un ángulo de $44°$. Llega a Marte y debe esperar un tiempo hasta que se produce la configuración para el salto a la órbita de Hohmann, es decir, hasta que la Tierra se encuentra atrasada con Marte un ángulo de $76°$.

Llamamos Δt a ese transcurso de tiempo. En el instante $P/2 + \Delta t$ las posiciones de la Tierra y Marte serán:

$$\theta_t = \omega \left(\frac{P}{2} + \Delta t \right)$$

$$\theta_M = 0.78 + \omega_M \left(\frac{P}{2} + \Delta t \right).$$

Ahora bien, en el momento del regreso, debe cumplirse que

$$\theta_M - 1.328 + n(2\pi) = \theta_t,$$

donde 1.328 son los $76°$ de diferencia entre los dos planetas y n es el número de vueltas que se dan. Para $n = 1$, es decir, suponiendo que tomamos la primera configuración adecuada, obtenemos el tiempo mínimo de espera en Marte, es decir,

$$\theta_M - 1.328 + 2\pi = \theta_t.$$

Resolvemos esta ecuación.

$$0.78 + \omega_M \left(\frac{P}{2} + \Delta t \right) - 1.328 + 6.28 = \omega_t \left(\frac{P}{2} + \Delta t \right)$$

$$\omega_M \left(\frac{P}{2} + \Delta t \right) - \omega_t \left(\frac{P}{2} + \Delta t \right) = -5.72$$

$$(\omega_M - \omega_t) \left(\frac{P}{2} + \Delta t \right) = -5.72$$

Efectuando las simplificaciones oportunas, podemos despejar Δt, obteniendo que $\Delta t = 466$ días. Por lo tanto, **la nave debe esperar en Marte** 466 días hasta que se produce la configuración adecuada para el salto a la órbita de transferencia. Por tanto, la duración del viaje será de 259 días + 466 días + 259 días.

Simulación del viaje a Marte con GeoGebra.

En la página web www.dccia.ua.es/~tortosa/geogebra/xa20103/orbitafinal.html podemos ver una simulación con GeoGebra del viaje que hemos descrito en esta aplicación. Siguiendo los parámetros calculados aquí, realizamos una construcción con GeoGebra en la que, al aumentar la magnitud t (el tiempo) en el deslizador se produce la simulación del viaje de la nave siguiendo una trayectoria de aproximación de Hohmann.

La construcción en GeoGebra se ha desarrollado en las siguientes etapas:

(a) Dibujamos las órbitas de la Tierra y Marte, suponiendo que se trata de órbitas circulares.

(b) Se representa la órbita de transferencia para la nave.

(c) Se sincronizan todas las trayectorias de los cuerpos involucrados (Tierra, Marte y la nave) de manera que al mover el deslizador tiempo, se produce el movimeinto sincronizado de todos los cuerpos.

Los parámetros utilizados en la simulación son los que se han calculado previamente.

En la primera fase del viaje, después de 259 días de viaje ($t = 8.45$), se produce el contacto en Marte. La segunda etapa del mismo consiste en esperar 466 días hasta que se produce la configuración geométrica adecuada para comenzar el viaje de retorno a la Tierra.

Pasados esos días se produce el regreso a la Tierra.

La figura 4.26 nos muestra la configuración geométrica inicial antes del comienzo del viaje.

Las figuras 4.27 nos muestran dos imágenes de la simulación del viaje.

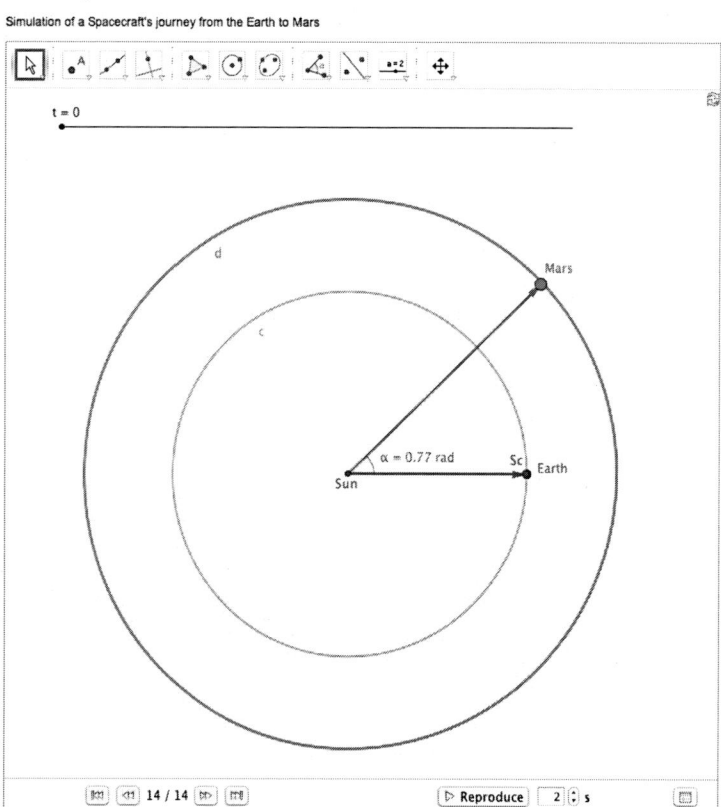

Figura 4.26: *Posición óptima del planeta Marte en el momento del lanzamiento hacia la órbita de Hohmann.*

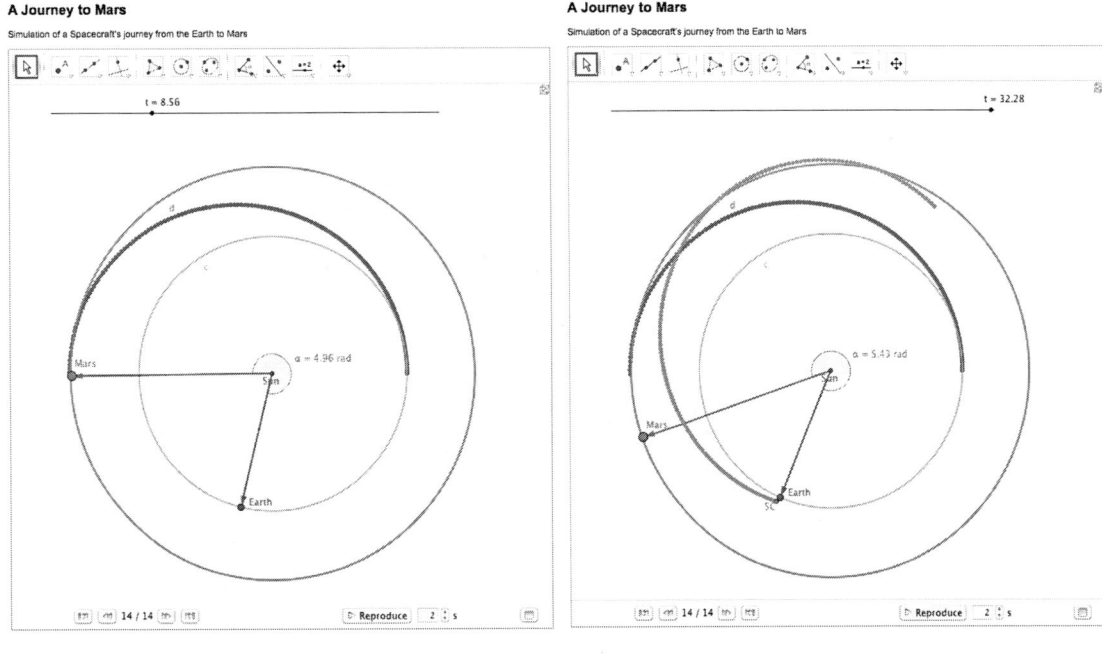

(a) Encuentro con Marte.   (b) Trayectoria completa.

Figura 4.27: *Simulación con GeoGebra del viaje a Marte por una nave siguiendo una trayectoria de Hohmann.*

Algunos datos del planeta Marte.

Marte es, sin duda, el planeta más popular de los que conforman el Sistema Solar ya que, al ser el planeta más cercano a la Tierra en términos de órbitas, atrae la mayor atención por parte de todos nosotros.

A continuación, exponemos algunos datos y curiosidades relacuionadas con el planeta rojo.

- Un día en Marte dura 24 horas, 39 minutos y 35 segundos. Un año allí es igual a 687 días de la Tierra.
- La temperatura media de marte es de −60°.
- El radio de Marte es casi la mitad que el de la Tierra.
- Marte tiene 2 lunas pequeñas: Fobos y Deimos.
- El planeta fue visitado por primera vez en 1965 por la sonda Mariner 4.

- El color rojizo de Marte se debe a los óxidos presentes en su superficie.
- El Monte Olimpo, un volcán extinto es la montaña más alta del Sistema Solar.
- Las evidencias indican que Marte tuvo alguna vez agua en su superficie.

El astrónomo Percival Lowell pasó varios años observando la superficie de Marte a finales del siglo XIX y principios del XX. Gran parte de la iconografía popular de los marcianos como típicos extraterrestres proviene de las obras de Lowell sobre los canales de Marte y la necesidad de una civilización avanzada capaz de extraer el agua de sus polos y llevarla a las regiones ecuatoriales menos frías. De aquí nace la historia del planeta rojo y sus supuestos habitantes, de la que tanto se ha escrito y se ha especulado en el cine.

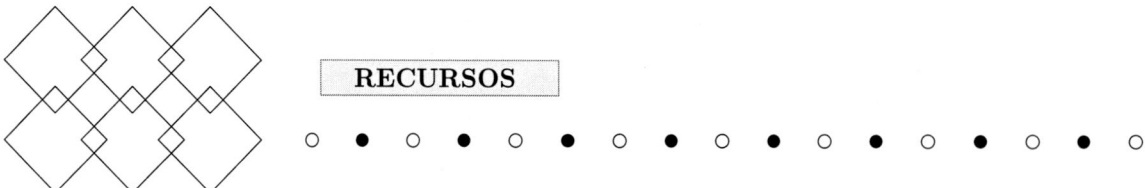

RECURSOS

Del tema de curvas y aplicaciones de las mismas existen innumerables recursos e información adicional en la red muy interesante. Simplemente haciendo una búsqueda general en cualquier buscador podemos encontrar páginas muy interesantes, tanto con información teórica como con material interactivo y vídeos.

A continuación enumeramos algunas páginas web que hemos encontrado interesantes relacionadas con los contenidos de este tema.

- www.educacionplastica.net/conicas.htm

  Página dedicada al estudio de las cónicas y su construcción geométrica. También hay ejercicios para practicar las construcciones.

- www.zoomwhales.com/subjects/astronomy/planets

  En esta dirección hay abundante información con toda clase de datos y detalles sobre los planetas del sistema solar, con sus órbitas, efemérides, etc. También hay un apartado de actividades educativas en las que se ponen de manifiesto los conocimientos básicos sobre la astronomía planetaria.

- en.wikipedia.org/wiki/Hohmann-transfer-orbit

  Página de la wikipedia en la que se explica el concepto de órbita de transferencia de Hohmann, con gráficas, ejemplos y un conjunto de referencias para ampliar la información sobre este tipo de órbitas.

- www2.jpl.nasa.gov/basics/index.php

  Página del Jet Propulsion Laboratory, centro dependiente de la NASA, en el que se desarrollan las misiones de la agencia espacial americana relacionadas con los cuerpos del Sistema Solar. Su página nos proporciona una enorme información sobre las misiones pasadas, presentes y futuras que la agencia ha desarrollado a lo largo de su historia. Esta página concretamente incluye información muy didáctica sobre los aspectos esenciales de los vuelos espaciales. Encontramos artículos magníficos sobre la gravedad, las trayectorias de los vehículos espaciales, así como los datos orbitales de los mismos en sus aproximaciones a los diferentes cuerpos. También nos ofrece una colección de enlaces muy interesante.

- www.cnes.fr/web/CNES-en/456-pocket-guide.php

  En esa página encontramos una magnífica guía de bolsillo con información del Sistema Solar. Es especialmente interesante el apartado en el que se trata de las maniobras que realizan los vehículos espaciales y las características de las órbitas que siguen en sus trayectorias.

- www.geogebra.org/en/upload/files/sinnerei/solar.html

  Podemos contemplar una simulación de las órbitas de los planetas en torno al Sol realizada por Jorge Cortés, con GeoGebra. Además, nos proporciona unas referencias muy interesantes que han servido de soporte a su trabajo.

- www.shatters.net/celestia/

  Celestia es un software de astronomía gratuito desarrollado en código abierto que nos permite explorar el universo en tres dimensiones y que está disponible tanto para Windows como para Linux y Mac. Realmente es excepcional y la calidad de los gráficos es extraordinaria. Además, tiene una sección de actividades didácticas para realizar con el programa. También existen foros donde podemos consultar las dudas o problemas que se nos presenten.

- docente.ucol.mx/rcebrera/swish/index.htm

  En esta página hay una presentación en la que se enumeran algunas aplicaciones de las cónicas; desde la famosa anécdota de Arquímedes y la destrucción de la flota enemiga por medio de espejos parabólicos, hasta aplicaciones tan importantes como la del aparato denominado lipotriptor (para el tratamiento de cálculos renales). Las aplicaciones se comentan brevemente y resultan muy interesantes.

- www.ehu.es/~mtpalezp/conicas.pdf

  Se trata de un documento en *pdf* muy interesante donde se hace un recorrido muy didáctico sobre el tema de las cónicas y sus aplicaciones. Resulta muy interesante el apartado en el que se citan diversos ejemplos de las cónicas en la vida real.

- xahlee.org/SpecialPlaneCurves_dir/ConicSections_dir/conicSections.html

  Una página muy interesante sobre cónicas; en ella encontramos información exhaustiva sobre el modo de obtener los distintos tipos de cónicas a partir de la intersección del cono y un plano. Además, hay enlaces a construcciones y simulaciones realizadas con el programa Mathematica y Geogebra. También nos introducen las cuádricas más conocidas.

- mathworld.wolfram.com/

  Es la página de Wolfram (programa Mathematica) con innumerables recursos de todas las disciplinas científicas, especialmente relacionadas con el cálculo y el álgebra matemática.

- jproc.ca/hyperbolic/

  Podemos encontrar información bastante interesante sobre sistemas de radionavegación hiperbólicos que se han venido utilizando a lo largo de la historia. Concretamente hay enlaces a documentos donde se habla de los sistemas LORAN, DECCA, POPI, DECTRA, DELRAC, GEE, y otros. Podemos encontrar una línea del tiempo en la que se muestra el período de utilización de cada sistema.

4.6   Ejercicios propuestos

Problema 4.1: *Una antena parabólica de recepción de canales de televisión por satélite tiene su receptor a 24 pulgadas de su vértice. Calcule la ecuación de la sección parabólica del disco.*

Problema 4.2: *Una determinada empresa tiene una fábrica en una ciudad y abre una nueva fábrica en otra ciudad a 61 kilómetros de distancia. Algunos trabajadores serán trasladados a la nueva fábrica. El contrato de los trabajadores establece que podrán cobrar gastos por desplazamientos a un nuevo trabajo siempre que el desplazamiento suponga 35 kilómetros más que los que recorrían desde su residencia al trabajo antiguo. Encuentre la región R en la que se aplicará la comisión por desplazamientos a cualquier trabajador trasladado hasta allí.*

Problema 4.3: *Se considera la cónica*

$$x_1^2 + x_2^2 - 2x_1 - 4x_2 + 5 = 0$$

y el cambio de sistema de referencia definido por

$$\begin{bmatrix} 1 & x_1 & y \end{bmatrix} = \begin{bmatrix} 1 & z_1 & z_2 \end{bmatrix} \begin{bmatrix} 1 & 1 & 2 \\ 0 & 0 & -1 \\ 0 & 1 & 0 \end{bmatrix}.$$

Compruebe que $|A|$, A_{00} y $a_{11} + a_{22}$ son invariantes.

Problema 4.4: *Clasifique y obtenga la ecuación reducida de la cónica*

$$x_1^2 - 2x_1 x_2 + 3 = 0.$$

Problema 4.5: *Clasifique y determine las ecuaciones reducidas de todas las cónicas que se especifican a continuación:*

(a) $x_1 x_2 - 5 = 0.$

(b) $x_1^2 + x_2^2 - 5 = 0.$

(c) $x_1^2 + x_2^2 - 8x_1 x_2 - 4x_1 - 6x_2 + 1 = 0.$

(d) $x_1^2 + x_2^2 - 3x_1 + 4x_2 - 5 = 0.$

(e) $x_1^2 + 2x_2^2 - 3x_1 x_2 + 9 = 0.$

(f) $x_1^2 + x_2^2 - 3x_1 x_2 - 2x_1 - x_2 = 0.$

(g) $4 + x_1^2 - x_2^2 = 0.$

(h)
$$\frac{x_1^2}{25} + \frac{x_2^2}{16} = 1.$$

(i)
$$\frac{x_1^2}{25} - \frac{x_2^2}{16} = 1.$$

(j)
$$x_1^2 + x_2^2 - 9 = 0.$$

Problema 4.6: *Calcule los puntos de intersección de la elipse*

$$\frac{x^2}{25} + \frac{y^2}{9} = 1$$

con la circunferencia cuyo centro es el origen y pasa por los focos.

Problema 4.7: *Determine el lugar geométrico de los puntos $P(x,y)$ tales que el producto de las pendientes de las rectas trazadas desde P a los puntos $A(-2,1)$ y $B(2,-1)$ sea igual a 1. ¿Qué figura se obtiene?*

Problema 4.8: *Halle la ecuación de la circunferencia inscrita en el triángulo de lados:*

$$y = 0, \quad 3x - 4y = 0, \quad 4x + 3y - 50 = 0.$$

Problema 4.9: *El sistema LORAN (LOng distance RAdio Navigation) se basa en que una estación principal de radio y una estación secundaria emiten señales que pueden ser recibidas por un barco en alta mar o cualquier otro vehículo que se mueva. Aunque el vehículo recibe siempre las dos señales, por lo regular se halla siempre más cerca de una de las dos estaciones y, por consiguiente, hay cierta diferencia en las distancias que recorren las dos señales hasta llegar al objetivo. Esto se traduce en una pequeña diferencia de tiempos entre las señales registradas.*

Así, tenemos pulsos sincronizados que viajan a la velocidad de las señales de radio, $v = 186\,000$ millas por segundo, emitidos por dos estaciones localizadas a cierta distancia una de la otra. Supongamos que la distancia entre las dos estaciones en este caso es de 5 km. El piloto de un avión que sobrevuela la línea que une las estaciones a una altura de 3 km recibe dos pulsos emitidos simultáneamente por estas con una diferencia de tiempos de 10 microsegundos. ¿En qué punto se encuentra el avión?

Problema 4.10: *Halle la posición relativa del punto* $P(2,2)$ *a la elipse*

$$\frac{(x+2)^2}{25} + \frac{(y+1)^2}{16} = 1.$$

Problema 4.11: *Determine la posición relativa de la hipérbola*

$$x^2 - 4y^2 - 6x - 8y + 1 = 0$$

y la recta $x - 2y - 6 = 0$.

Problema 4.12: (a) *Demuestre que la recta tangente a una circunferencia en un punto P es perpendicular al radio vector de dicho punto.*

(b) *Utilizando esta propiedad, calcule la recta tangente a la circunferencia*

$$x^2 + y^2 - 4x - 2y = 0$$

en el punto $P(0,0)$.

Problema 4.13: *Calcule analíticamente la ecuación de una parábola de directriz la recta de ecuación $3x - 4y + 10 = 0$ y cuyo foco está situado en el punto $F(1,-2)$.*

Problema 4.14: *Determine la ecuación de la elipse con focos en los puntos $(2,5)$ y $(2,3)$ y que contiene al punto $(3,6)$. Dibuje la gráfica.*

Problema 4.15: *Escriba la ecuación de circunferencia de radio 2 con centro en el vértice de la parábola de foco situado en el punto $(1,-1)$ y directriz $x = -3$. Dibuje la gráfica.*

Problema 4.16: *Determine la ecuación reducida de una elipse sabiendo que uno de los vértices dista 8 unidades de un foco y 18 del otro.*

Problema 4.17: *Determine el tipo de cónica cuya ecuación es $y^2 = 16x$ y calcule la posición relativa de la misma con la recta $r: x + y - 5 = 0$.*

Problema 4.18: *Halle la ecuación de la cónica tangente a los ejes coordenados en los puntos $A(2,0)$ y $B(0,2)$ cuyo centro es el punto $(2/3, 2/3)$. Estudie la cónica obtenida.*

Problema 4.19: *Dada la circunferencia $x^2 + y^2 - 4x + 10y + 25 = 0$, halle la ecuación de la circunferencia concéntrica a la anterior, que pase por el punto $(2,2)$.*

Problema 4.20: *La Luna describe una órbita elíptica alrededor de la Tierra con el centro de la Tierra en uno de sus focos. Los ejes mayor y menor de la órbita tienen longitudes de 768 806 km y 767 746 km. Halle las distancias máxima y mínima (apogeo y perigeo) del centro de la Tierra al centro de la Luna.*

Problema 4.21: *Dos micrófonos, separados una milla entre sí registran una explosión. El micrófono A recibe el sonido dos segundos después que el micrófono B. ¿Dónde se produjo la explosión? (Una milla equivale a 1609 metros y el sonido viaja a una velocidad de 343 m/s).*

Problema 4.22: *Una partícula se mueve en el sentido de las agujas del reloj por la trayectoria elíptica dada por la ecuación*

$$\frac{x^2}{100} + \frac{y^2}{25} = 1.$$

La partícula deja la órbita en el punto $(8,-3)$ y viaja a lo largo de la recta tangente a la elipse. ¿En qué punto cruzará al eje Y?

Problema 4.23: *Halle la ecuación que verifican los puntos del plano que equidistan del punto $(3,0)$ y de la recta $x = -4$.*

Problema 4.24: *La parábola $y^2 - 4y - 6x - 5 = 0$ tiene por foco el punto $(0,2)$. Encuentre su directriz.*

Problema 4.25: *La hipérbola*

$$\frac{x^2}{36} - \frac{y^2}{b^2} = 1$$

pasa por el punto $P(-10,4)$. Se pide que calcule:

- *Su ecuación.*

- *Los focos y las asíntotas.*

- *Ecuación de la tangente y la normal en P.*

Problema 4.26: *Demuestre que la normal a la parábola en un punto Q genera ángulos iguales con la recta que pasa por Q y F y con la paralela al eje focal trazada por el punto.*

Problema 4.27: *Determine el vértice V y la ecuación de la parábola que tiene como directriz la recta de ecuación $x = 2$ y cuyo foco está localizado en el punto $F(4,2)$.*

5 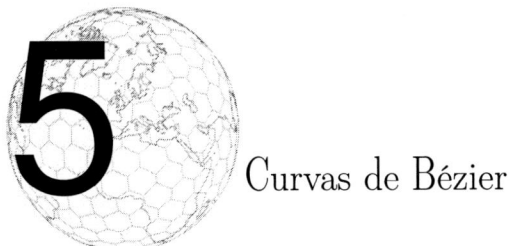 Curvas de Bézier

*La verdadera ciencia enseña, por encima de todo, a dudar y a ser igno-
rante.*
Miguel de Unamuno (1864-1936).

*Si vives cada día de tu vida como si fuera el último, algún día realmente
tendrás razón.*
Steve Jobs (1955-2011).

*Si buscas una buena solución y no la encuentras, consulta al tiempo,
puesto que el tiempo es la máxima sabiduría.*
Tales de Mileto (630 a. C.-545 a. C.).

5.1 Introducción a las curvas de Bézier

Gaudí en sus funiculares, con cuerdas y pesos, las estuvo utilizando a primeros del siglo XX, pero sin ordenadores. Son curvas y formas de movimientos controlables, posiciones de equilibrio que cambian en ese caos de formas, aparentemente desordenados. Ese caos, que para el geómetra no tiene nada de desordenado, es un orden de posibilidades cambiantes.

Kandinsky ya intuyó de forma equilibrada y racional entre arte, ciencia y religión. Su conocida obra *El punto y la línea sobre el plano*, lo anunciaba. Eran líneas y formas vivas, aunque él no las relacionaba con los puntos de control, ni tangentes.

El ingeniero Pierre Étienne Bézier (1910-1999), las introdujo en la Renault, para el diseño de automóviles y hoy día se utilizan para todo el diseño en general. No tanto en arquitectura, aunque de manera incontrolada, sí las hemos estado utilizado, desde Vitruvio.

En noviembre de 1997, a partir del uso estético de las curvas a las que él mismo da nombre, Bézier confecciona un dibujo-regalo para su amigo y profesor en Berkeley, Brian Barsky.

En la flor representada se corporeiza de forma singular cómo una técnica matemática nacida al principio en el contexto de unas determinadas necesidades de diseño industrial permitiría con el tiempo expandir su uso y utilidad mucho más allá de su finalidad inicial, hasta alcanzar los campos del grafismo, el arte y el expresionismo digital.

En su formulación más general, una curva de Bézier consiste en una curva cúbica (o de tercer orden), paramétrica, definida por cuatro puntos, dos de ellos situados en los extremos de la misma y dos de control, que no aparecen sobre la propia curva. Las curvas de Bézier surgen precisamente de un promedio sobre las dos tangentes creadas por los puntos de control, que pueden arrastrarse a voluntad por el usuario del sistema para cambiar libremente su forma hasta obtener prácticamente cualquier tipo de curva posible.

Las curvas de Bézier son un caso especial de la interpolación cúbica de Hermite: mientras que en esta última, las curvas se construyen a partir de los segmentos derivados de los puntos finales, la construcción de las curvas de Bézier depende precisamente de los (dos) puntos de control situados externamente.

El origen de las curvas de Bézier nos retrotrae a los primeros días del diseño asistido por ordenador a finales de los años sesenta y comienzos de los setenta. Aparecen descritas por vez primera en 1972 por Pierre Étienne Bézier, cuando este trabajaba como ingeniero para la empresa Renault. Bézier desarrolló este sistema de ecuaciones simples que permiten que se dibuje muy fácilmente un número infinito de diferentes curvas en una pantalla como método para utilizarlo en el diseño de las carrocerías de los automóviles Renault.

De forma paralela a los trabajos de Bézier, Paul de Casteljou (nacido en Francia en 1930) desarrolló el algoritmo que lleva su nombre y que nos permite construir de forma algorítmica y mediante un método numéricamente estable las curvas de este tipo.

Las curvas de Bézier tienen varias propiedades que hacen que sean especialmente útiles y convenientes para representar formas y superficies en 2D y en 3D de objetos en el ordenador. Y aunque rápidamente las propiamente dichas curvas de Bézier se complementasen con otras herramientas y sistemas de dibujo posteriores (curvas de Bézier racionales y, sobre todo, curvas B-splines y NURBS), estas han llegado a convertirse de facto en el fundamento de la práctica totalidad del *software* de dibujo vectorial más reciente y, por tanto, de la mayor parte de la producción gráfica digital para la web.

Hoy, debido a sus numerosas ventajas y propiedades, las curvas de Bézier se utilizan de forma profusa en prácticamente todos los sistemas y dispositivos de producción gráfica digital para representar formas que aparezcan razonablemente lisas en todas las escalas. En especial, resulta significativa su adopción como estándar de edición tanto en el diseño y la producción de videojuegos, como muy especialmente en la totalidad de los formatos de tipografía digital **PostScript**, **True-Type** y **OpenType**.

Las ventajas que ofrece el dibujo vectorial con curvas y objetos de Bézier resultan numerosas: precisión en la información contenida, facilidad de transmisión y de ampliación y, sobre todo, buenas propiedades geométricas, así como una extrema facilidad de modificación de un punto de control con efectos *naturales* sobre las formas de las curvas resultantes. En el caso específico de los videojuegos, el hecho de no tener que dirigir más que los puntos de control para efectuar, por ejemplo, una rotación o la traslación de un objeto determinado permite una reducción importante del tiempo de cálculo, lo que resulta sumamente necesario para la posibilidad de representación de escenas dinámicas complejas.

Por todo ello, y pese a su invención en el marco de la industria del automóvil, muy rápidamente las curvas de Bézier salieron de este marco para ser utilizadas en prácticamente todo lo que afecta a la concepción y la representación de curvas y superficies cualesquiera. Las curvas de Bézier son tan fáciles de definir y precisar como de modificar y alterar. En la representación vectorial resulta muy sencillo seleccionar capas u otro tipo de elementos individuales y transformarlos de una forma independiente unos de otros.

A diferencia de las imágenes de mapa de bits (su única posible alternativa en la edición gráfica por ordenador), que consisten y están condicionadas por una retícula o matriz de puntos sobre la que se disponen las series de bits de información que representarán los píxeles, las imágenes vectoriales están compuestas, como ya hemos visto, por objetos gráficos independientes, definidos y creados a partir de simples operaciones matemáticas que el ordenador realiza, lo que permite que aumentar, reducir o transformar una imagen vectorial resulte extremamente más sencillo que en el caso de una imagen de mapa de bits. Mientras que en esta última una simple ampliación de la imagen comportaría inmediatamente un incremento de la serie de píxeles que definen su superficie y, en consecuencia, un aumento proporcional y considerable del peso del archivo digital correspondiente, la ampliación de una imagen vectorial conlleva tan solo la modificación de la fórmula matemática que la describe, sin que ello implique ni aumento de peso ni pérdida de definición. Así pues, podremos ampliarla tanto cuanto deseemos y su calidad no se verá afectada, siempre será máxima.

Este es, precisamente, el fundamento que se esconde tras el uso de los términos programas de dibujo y programas de pintura. Mientras que en los denominados programas de pintura (*Bitmap Graphic Software*) como Adobe Photoshop la representación y la alteración de las figuras se obtiene píxel a píxel a través de zonas y capas seleccionadas de la imagen inicial, en los programas de dibujo (**Vector Graphic Software**) como Macromedia FreeHand el desarrollo de tareas similares se simplifica en extremo mediante el control lineal de los manejadores vectoriales de curvas y objetos Bézier.

Podemos definir las curvas de Bézier a través de dos caminos diferentes: el modelo de Bézier (basado en la construcción de los polinomios de Bernstein) y el modelo seguido por Casteljou (utilizando su propio algoritmo). Estudiamos con detalle ambos procedimientos en este capítulo.

5.2 Las curvas de Bézier a partir de los polinomios de Bernstein

Resulta bastante sencillo describir las curvas de Bézier y sus propiedades básicas descubriéndolas explícitamente a través del concepto y propiedades fundamentales de los llamados polinomios de Bernstein. Por ello, comenzamos descubriendo las características esenciales de estos polinomios.

5.2.1 Los polinomios de Bernstein

Podemos escribir la unidad mediante la siguiente expansión binomial

$$1 = (u + (1-u))^n = \sum_{i=0}^{n} \binom{n}{i} u^i (1-u)^{n-i}$$

y, a partir de esta expresión, definimos los llamados polinomios de Bernstein.

Definición 37 (polinomios de Bernstein).

Llamamos *polinomios de Bernstein* de grado n al polinomio dado por la expresión

$$B_i^n(u) = \binom{n}{i} u^i (1-u)^{n-i}, \quad i = 0, 1, \ldots, n.$$

Ejemplo 31 (polinomios de Bernstein de grado 3.).

Construya los polinomios de Bernstein de grado $n = 3$.

SOLUCIÓN: Para el caso $n = 3$ tenemos polinomios cúbicos, que constituyen el caso más utilizado para la construcción de las curvas de Bézier. Tendremos:

$$B_0^3(u) = \binom{3}{0} u^0 (1-u)^{3-0} = \frac{3!}{0!3!}(1-u)^3 = 1 - 3u + 3u^2 - u^3,$$

$$B_1^3(u) = \binom{3}{1} u^1 (1-u)^{3-1} = \frac{3!}{2!1!}u(1-u)^2 = 3u - 6u^2 + 3u^3,$$

$$B_2^3(u) = \binom{3}{2} u^2 (1-u)^{3-2} = \frac{3!}{1!2!}u^2(1-u) = 3u^2 - 3u^3,$$

$$B_3^3(u) = \binom{3}{3} u^3 (1-u)^{3-3} = \frac{3!}{3!0!}u^3(1-u)^0 = u^3.$$

La figura 5.1 resume las representaciones gráficas de los polinomios de Bernstein de grado 3.

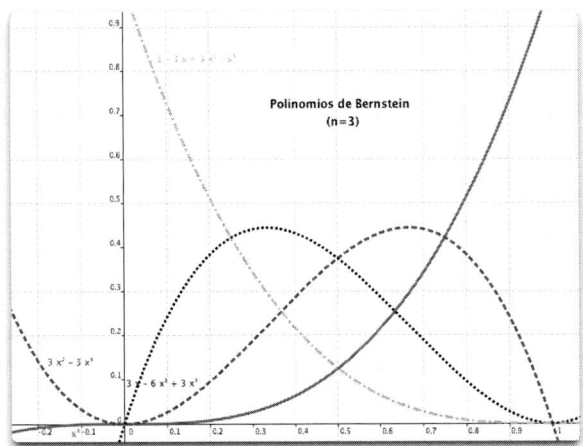

Figura 5.1: *Representación gráfica de los polinomios de Bernstein de grado 3.*

Sin entrar en detalles demasiado técnicos ni exponer de forma exhaustiva las demostraciones, debemos indicar algunas propiedades fundamentales de estos polinomios que son de gran utilidad para construcciones futuras.

La tabla 5.1 resume las propiedades esenciales de los polinomios de Bernstein. No es nuestro propósito entrar en demasiados detalles teóricos sobre la construcción y propiedades teóricas de estos polinomios. Por ello, queda como ejercicio para el lector la demostración de estas propiedades, que pueden consultarse en cualquiera de los libros de curvas de la bibliografía, como por ejemplo [6],[7].

Propiedad 1	Los polinomios de Bernstein son linealmente independientes, simétricos y sus únicas raíces son 0 y 1.
Propiedad 2	Los polinomios de Bernstein pueden generarse fácilmente de forma recursiva mediante la expresión $$B_i^{n+1}(u) = uB_{i-1}^n(u) + (1-u)B_i^n(u), \qquad (5.1)$$ donde $B_{-1}^n = B_{n+1}^n = 0$ y $B_0^0 = 1$.
Propiedad 3	Los polinomios de Bernstein forman una partición de la unidad, lo que podemos expresar mediante la relación $$\sum_{i=0}^n B_i^n(u) = 1, \quad u \in \mathbb{R}.$$
Propiedad 4	Los polinomios de Bernstein son positivos en el intervalo abierto $(0,1)$.

Tabla 5.1: *Propiedades básicas de los polinomios de Bernstein.*

Bases y polinomios de Bernstein.

Los polinomios de Bernstein B_i^n de grado n forman una base para el espacio vectorial de polinomios de grado menor o igual que n. En consecuencia, toda curva polinómica $b(u)$ de grado menor o igual que n tiene una única **representación de Bézier**, entendiendo por representación de Bézier la representación de dicha curva o polinomio como combinación lineal de los polinomios de Bernstein de grado n. Lo representamos algebraicamente como

$$b(u) = \sum_{i=0}^{n} c_i B_i^n(u)$$

donde c_i son los coeficientes de la combinación lineal
Si se aplica la transformación afín

$$u = a(1-t) + bt, \quad a \neq b,$$

el grado de b queda invariante, por lo tanto, la curva $b(u(t))$ también tiene una única representación de grado n, en términos de los polinomios $B_i^n(t)$

$$b(u(t)) = \sum_{i=0}^{n} b_i B_i^n(t). \tag{5.2}$$

5.2.2 Definición de curvas de Bézier

Definición 38 (curvas de Bézier).

Dado un conjunto de $n+1$ puntos $\{b_i\}_{i=0}^{n}$, con $b_i \in \mathbb{R}^2$, que llamaremos **puntos de control**, definimos la curva de Bézier de grado n como

$$b(t) = \sum_{i=0}^{n} b_i B_i^n(t), \tag{5.3}$$

donde $B_i^n(t)$, para $i = 0, 1, \ldots, n$ son los polinomios de Bernstein de grado n sobre el parámetro $t \in [0,1]$.

De aquí en adelante nos referiremos a t como el parámetro local y a u como el parámetro global de la curva b. Hay que señalar que la representación de Bézier de la curva polinómica hereda las propiedades de los polinomios de Bernstein listadas anteriormente.

Ejemplo 32.

Construya, a modo de ejemplo, la curva de Bézier de grado $n = 1$.

Solución: Para $n = 1$ los polinomios de Bernstein son:

$$B_0^1(t) = 1 - t, \qquad B_1^1(t) = t.$$

Por lo tanto, la curva de Bézier es

$$b(t) = (1 - t)b_0 + tb_1.$$ □

Esta expresión es una recta que va desde el punto b_0 a b_1.

Ejemplo 33.

Construya la curva de Bézier de grado $n = 2$.

Solución: Para $n = 2$ tenemos los polinomios de Bernstein siguientes:

$$B_0^2(t) = (1 - t)^2, \quad B_1^2(t) = 2t(1 - t), \quad B_2^2(t) = t^2.$$

Por lo tanto, la curva de Bézier es

$$b(t) = (1 - t)^2 b_0 + 2t(1 - t)b_1 + t^2 b_2.$$

Esta curva es la representación matemática de un arco parabólico que va desde el punto b_0 al punto b_2, como se aprecia en la figura 5.2.

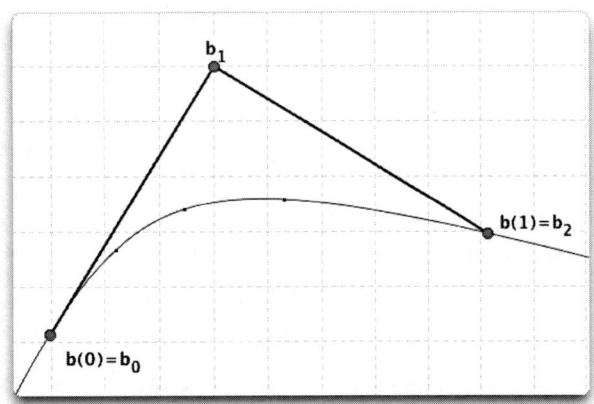

Figura 5.2: *Representación gráfica de la curva de Bézier de grado 2.*

Notemos los siguientes puntos importantes:

- El polígono $\{b_0, b_1, b_2\}$ es el llamado polígono de control y aproxima la forma de la curva.
- Se cumple que $b_0 = b(0)$ y $b_2 = b(1)$.
- Las direcciones tangentes a la curva en sus puntos finales son paralelas a $b_1 - b_0$ y $b_2 - b_1$.
- La curva está contenida en el triángulo que forman los puntos b_0, b_1 y b_2. □

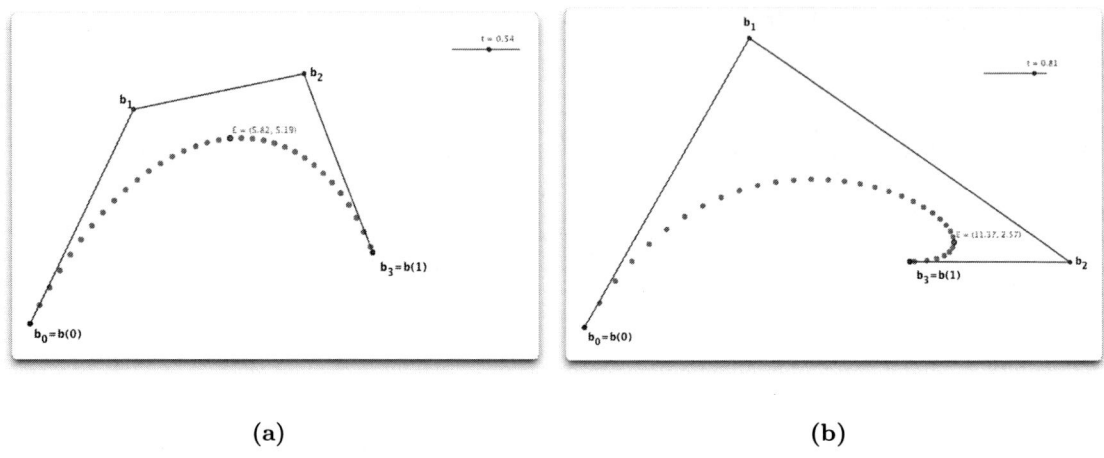

(a)   (b)

Figura 5.3

Ejemplo 34 (Curva de Bézier de grado 3).

Construya la curva de Bézier de grado $n = 3$.

SOLUCIÓN: Si tenemos en cuenta los polinomios de Bernstein de grado $n = 3$ que construimos anteriormente, podemos escribir la curva de Bézier de grado $n = 3$ de la forma

$$b_t = (1-t)^3 b_0 + 3t(1-t)^2 b_1 + 3t^2(1-t)b_2 + t^3 b_3.$$ □

De acuerdo con la posición de los puntos de control de la curva, que en este caso son b_1 y b_2, tenemos distintas formas para la curva de Bézier. La figura 5.3(a) nos muestra un ejemplo típico de curva de Bézier de grado $n = 3$, en el que los puntos de control de la curva son $b_1(3,6)$ y $b_2(8,7)$ y la figura se muestra por medio de los puntos de color rojo.

Las figuras 5.3–5.4 nos muestran distintos ejemplos de curvas de Bézier, con distintos puntos de control.

Debemos destacar las distintas formas que presentan las curvas de Bézier cuando variamos los puntos de control. En la figura 5.3(b) se observa que se han situado los puntos b_2 y b_3 sobre una misma línea horizontal, siendo en este caso $b_2(15,2)$. En el caso de la figura 5.4(a) tenemos los siguientes puntos:

$$b_1(10.73, 4.97), \quad b_2(3.5, 8.76).$$

Se observa que, aunque los puntos de control de la curva forman una especie de bucle, este bucle no se produce en el dibujo de la curva de Bézier final. Se anima al lector, como ejercicio, a que trate de encontrar un ejemplo en el que un bucle en los puntos de control conlleve asociado un bucle posterior en la curva resultante.

El caso que se muestra en la figura 5.4(b) es un tanto particular en el sentido que se cumple que $b_0 = b_3$, con lo que el polígono que se forma es un triángulo, por lo que la curva de Bézier es, en este caso, una curva cerrada.

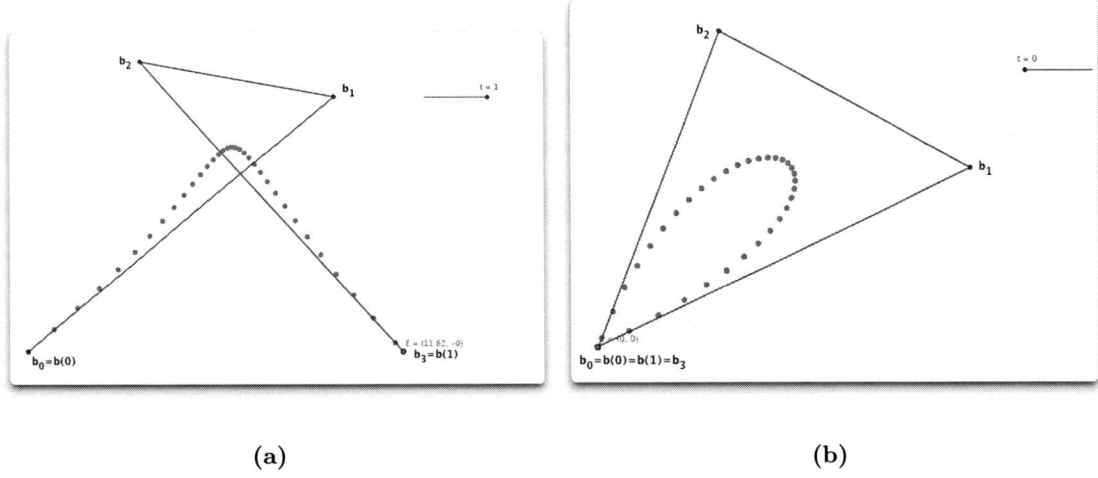

(a)   (b)

Figura 5.4

Del estudio de los casos anteriores, notemos las siguientes características:

- El polígono $\{b_0, b_1, b_2, b_3\}$ es el polígono de control y aproxima la forma de la curva.
- Se cumple que $b_0 = b(0)$ y $b_3 = b(1)$.
- Las direcciones tangentes a la curva en sus puntos finales son paralelas a $b_1 - b_0$ y $b_3 - b_2$.
- La curva está contenida en la envoltura convexa de los puntos de control.
- Un bucle en el polígono de control puede o no significar un bucle en la curva.

Ejercicio.

Se propone, como ejercicio, la construcción de curvas de Bézier de grados superiores, tratando de estudiar con ejemplos sus características más importantes, como se han venido describiendo en los casos de $n = 2$ y $n = 3$. Para ello, será necesario establecer los polinomios de Bernstein del grado correspondientes puesto que estos actúan como funciones base.

En el siguiente ejemplo detallamos la construcción de una curva de Bézier de grado 3 a partir de sus puntos de control.

Ejemplo 35.

Determine la curva de Bézier de grado $n = 3$ que tiene los puntos de control siguientes:

$$b_0(0,0), \quad b_1(1,0), \quad b_2(1,1), \quad b_3(0,1).$$

SOLUCIÓN: Sabemos, a partir de la definición de los polinomios de Bernstein de grado 3, que podemos escribir la expresión de la curva de Bézier de grado 3 como

$$b_t = b_0 B_0^3(t) + b_1 B_1^3(t) + b_2 B_2^3(t) + b_3 B_3^3(t).$$

En nuestro caso, realizando los cálculos oportunos, tendremos que

$$
\begin{aligned}
b_t &= b_0 B_0^3(t) + b_1 B_1^3(t) + b_2 B_2^3(t) + b_3 B_3^3(t) \\
&= (1-t)^3 b_0 + 3t(1-t)^2 b_1 + 3t^2(1-t)b_2 + t^3 b_3 \\
&= (1-t)^3(0,0) + 3t(1-t)^2(1,0) + 3t^2(1-t)(1,1) + t^3(0,1) \\
&= (3t(1-t)^2 + 3t^2(1-t), 3t^2(1-t) + t^3) \\
&= (3t - 3t^2, 3t^2 - 2t^3).
\end{aligned}
$$
$\square$

Podemos utilizar las enormes posibilidades de GeoGebra para el estudio de la geometría dinámica para construir curvas de Bézier de distintos grados y manipular fácilmente los puntos de control para modificar las formas. Veamos más específicamente una construcción para curvas de grado 3.

> **Construcción de una curva de Bézier de grado 3 con GeoGebra.**
>
> Las curvas de Bézier de grado $n = 3$ pueden generarse de una forma sencilla con GeoGebra. Para ello se definen los puntos inicial y final, b_0 y b_3. Posteriormente, definimos los puntos de control de la curva $b_0, \ldots, b_3$. El paso siguiente consiste en definir un deslizador, que representa el parámetro t, deslizador numérico que debemos acotar entre los valores 0 y 1. Una vez definido el parámetro t, definimos el punto E como un punto de la curva:
>
> $$ E = (1-t)^3 b_0 + 3t(1-t)^2 b_1 + 3t^2(1-t)b_2 + t^3 b_3. $$
>
> Para que al variar t veamos la trayectoria que sigue la curva, debemos marcar la opción en las propiedades de E para visualizar el trazo. Una vez construido el dibujo, podemos variar los puntos de control para observar las distintas formas.
>
> Construimos con GeoGebra la curva de Bézier del ejemplo 35. Para ello, seguimos los siguientes pasos:
>
> **Paso 1.** Introducimos los puntos $b_0 = (0,0)$, $b_1 = (1,0)$, $b_2 = (1,1)$, $b_3 = (0,1)$.
>
> **Paso 2.** Construimos segmentos de b_0 a b_1, de b_1 a b_2 y de b_2 a b_3.
>
> **Paso 3.** Introducimos un deslizador t que va a representar el parámetro t local de la curva. Dicho deslizador se define entre 0 y 1, con incrementos de 0.001.
>
> **Paso 4.** Podemos introducir directamente la ecuación de la curva de Bézier en el campo de entrada como:
>
> ```
> b = (1-t)^3 * b_0 + 3*t*(1-t)^2 * b_1 + 3*t^2 * (1-t) * b_2 + t^3 * b_3.
> ```
>
> **Paso 5.** Modificamos las propiedades del punto b, activando su rastro para poder seguir su traza.
>
> **Paso 6.** Cuando movemos t observamos la curva de Bézier para estos puntos de control. Notemos que si movemos alguno de los puntos de control, cambiamos la forma de la curva.

Las figuras 5.5 - 5.6 nos muestran distintos ejemplos de curvas de Bézier, con distintos puntos de control. Se ha realizado una construcción con GeoGebra siguiendo los pasos expuestos anteriormente. La figura 5.5(a) representa la curva de Bézier del ejemplo 35. El resto de figuras se ha conseguido modificando

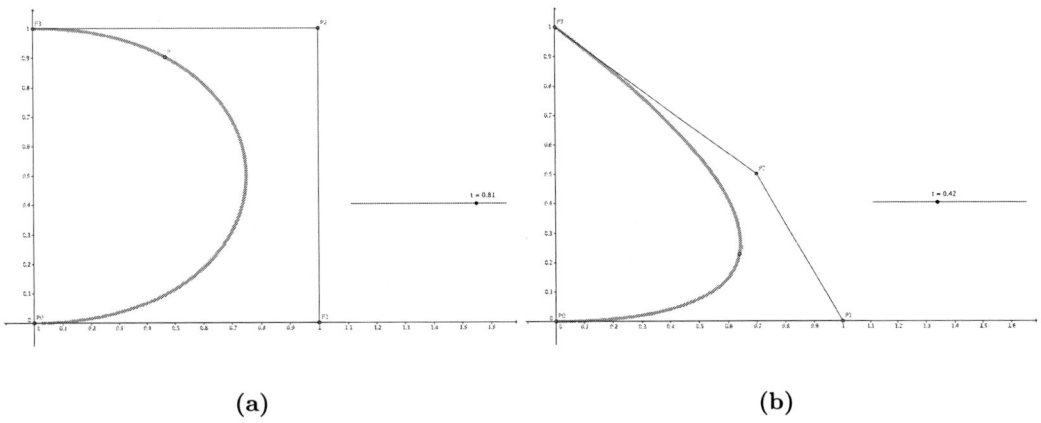

(a) (b)

Figura 5.5

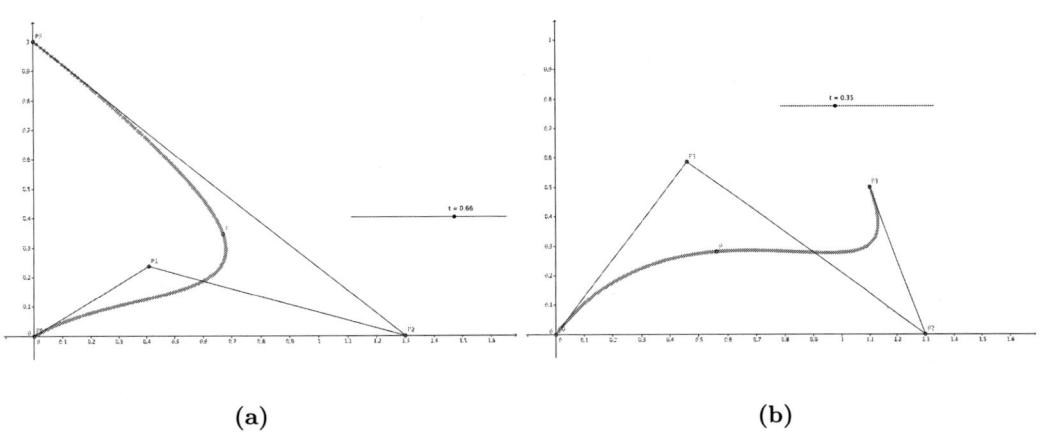

(a) (b)

Figura 5.6

de distintas formas los puntos de control.

Así, por ejemplo, en la figura 5.5(b) únicamente se ha modificado el punto b_2, que ahora se ha definido como $b_2(0.7, 0.5)$. En las figuras siguientes se han modificado diversos puntos de control, cambiando de manera drástica la forma y apariencia de la curva, como se aprecia claramente.

Sabemos que, dado un conjunto de puntos $\{b_i\}_{i=0}^n$, con $b_i \in \mathbb{R}^2$, la curva de Bézier viene dada por la expresión

$$b(t) = \sum_{i=0}^{n} b_i B_i^n(t),$$

donde $B_i^n(t)$, para $i = 0, 1, \ldots, n$ son los polinomios de Bernstein de grado n sobre el parámetro $t \in [0, 1]$.

Supongamos que los puntos de control vienen dados por sus coordenadas $b_i = (x_i, y_i)$, para $i = 0, 1, \ldots, n$.

Entonces podemos escribir la expresión de la curva de Bézier como

$$b(t) = (x(t), y(t)),$$

donde

$$x(t) = \sum_{i=0}^{n} x_i B_i^n(t), \qquad y(t) = \sum_{i=0}^{n} y_i B_i^n(t).$$

Ejemplo 36.

Encuentre la curva de Bézier en coordenadas paramétricas de los puntos de control

$$b_0(2,2), b_1(1,1.5), b_2(3.5,0), b_3(4,1).$$

SOLUCIÓN: Utilizamos la expresión anterior

$$
\begin{aligned}
b_t &= (x(t), y(t)) \\[2mm]
&= \left(\sum_{i=0}^{3} x_i B_i^3(t), \sum_{i=0}^{3} y_i B_i^3(t) \right) \\[2mm]
&= (x_0 B_0^3(t) + x_1 B_1^3(t) + x_2 B_2^3(t) + x_3 B_3^3(t), y_0 B_0^3(t) + y_1 B_1^3(t) + y_2 B_2^3(t) + y_3 B_3^3(t)) \\[2mm]
&= (2B_0^3(t) + 1B_1^3(t) + 3.5B_2^3(t) + 4B_3^3(t), 2B_0^3(t) + 1.5B_1^3(t) + 0B_2^3(t) + 1B_3^3(t)).
\end{aligned}
$$

Ahora, teniendo en cuenta las expresiones de $B_0^3(t)$, $B_1^3(t)$, $B_2^3(t)$, $B_3^3(t)$, tendremos que

$$
\begin{aligned}
x_t &= 2(1 - 3t + 3t^2 - t^3) + 3t(1 - 2t + t^2) + 10.5t^2 - 10.5t^3 + 4t^3 \\[2mm]
&= 2 - 3t + 10.5t^2 - 5.5t^3.
\end{aligned}
$$

$$
\begin{aligned}
y_t &= 2(1 - 3t + 3t^2 - t^3) + 4.5t(1 - 2t + t^2) + t^3 \\[2mm]
&= 2 - 1.5t - 3t^2 + 3.5t^3.
\end{aligned}
$$

Así,

$$b(t) = (2 - 3t + 10.5t^2 - 5.5t^3, 2 - 1.5t - 3t^2 + 3.5t^3), \quad t \in [0,1]. \qquad \square$$

Notemos que en este ejemplo hemos calculado la curva de Bézier por componentes.

5.2.3 Propiedades básicas de las curvas de Bézier

Estudiamos algunas de las propiedades más importantes de las curvas de Bézier.

Para una consulta o ampliación de las propiedades de estas curvas podemos consultar cualquiera de los libros sobre curvas que aparecen citados en los libros recomendados, como por ejemplo [6], [7] o también [14].

Propiedad 1

Los puntos de control b_0 y b_n son puntos de $b(t)$.

Sustituimos por $t = 0$ en los polinomios de Bernstein

$$B_i^n(t) = \binom{n}{i} t^i(1-t)^{n-i}, \quad \longrightarrow \quad B_i^n(0) = \binom{n}{i} t^i(1-t)^{n-i} =$$

$$1 \quad si \quad r = n$$

$$0 \quad si \quad i \neq n$$

Así,

$$b(0) = \sum_{i=0}^{n} b_i B_i^n(0) = b_0, \qquad b(1) = \sum_{i=0}^{n} b_i B_i^1(t) = b_n,$$

luego los puntos b_0 y b_n son puntos de la curva de Bézier, más concretamente el inicial y el final.

Propiedad 2

La curva de Bézier $b(t)$ es continua y derivable en $[0,1]$.

Se puede demostrar que

$$b'(0) = n(b_1 - b_0).$$

Análogamente,

$$b'(1) = n(b_n - b_{n-1}).$$

Estas dos condiciones pueden interpretarse diciendo que las rectas tangentes a la curva de Bézier en los puntos finales son paralelas a las líneas que pasan por los puntos finales y los puntos de control.

Propiedad 3

La curva de Bézier $b(t)$ se encuentra en el interior del conjunto que forma la envoltura convexa de los puntos de control.

5.2.4 Uniendo curvas de Bézier

Una de las enormes ventajas que nos ofrece trabajar con curvas de Bézier es lo sencillo que resulta modificar la forma de cualquiera de ellas realizando pequeños ajustes sobre los puntos de control. Cambiando las coordenadas de cualquier punto b_k conseguimos cambiar la forma de la curva, sin necesidad de generarla de nuevo.

Sin embargo, estos cambios están, de alguna manera, localizados. Esto se debe a que el polinomio de

Bernstein correspondiente al punto de control b_k tiene un máximo en el valor del parámetro $t = k/n$.

En consecuencia, la mayor influencia en el cambio de forma de la curva ocurrirá cerca del punto $b_{k/n}$.

En la práctica no se suele trabajar con curvas de Bézier de un orden muy alto (mayor de tres o cuatro); lo que se hace en la práctica es construir diversas curvas de Bézier unidas para crear la curva deseada. Esto se consigue uniendo los puntos final e inicial de cada trozo de la curva. Veamos este procedimiento con un ejemplo.

Ejemplo 37.

Encuentre la curva de Bernstein compuesta para los siguientes conjuntos de puntos de control:

$$C_1 = \{(-9,0), (-8,1), (-8,2.5), (-4,2.5)\} \qquad C_2 = \{(-4,2.5), (-3,3.5), (-1,4), (0,4)\}.$$

$$C_3 = \{(0,4), (2,4), (3,4), (5,2)\} \qquad C_4 = \{(5,2), (6,2), (20,3), (18,0)\}.$$

SOLUCIÓN: Notemos que el punto final de cada uno de los trozos de la curva coincide con el punto inicial de la siguiente. Construimos las cuatro curvas de Bézier por separado.

Curva C_0.

$$C_0 = \{c_{00}, c_{01}, c_{02}, c_{03}\} = \{(-9,0), (-8,1), (-8,2.5), (-4,2.5)\}.$$

Entonces,

$$
\begin{aligned}
c_0(t) &= c_{00}B_0^3(t) + c_{01}B_1^3(t) + c_{02}B_2^3(t) + c_{03}B_3^3(t) \\
&= (1-t)^3(-9,0) + 3t(1-t)^2(-8,1) + 3t^2(1-t)(-8,2.5) + t^3(-4,2.5) \\
&= (-9 + 3t - 3t^2 + 5t^3, 3t + 1.5t^2 - 2t^3).
\end{aligned}
$$

Curva C_1.

$$C_1 = \{c_{10}, c_{11}, c_{12}, c_{13}\} = \{(-4,2.5), (-3,3.5), (-1,4), (0,4)\}.$$

Entonces,

$$
\begin{aligned}
c_1(t) &= c_{10}B_0^3(t) + c_{11}B_1^3(t) + c_{12}B_2^3(t) + c_{13}B_3^3(t) \\
&= (1-t)^3(-4,2.5) + 3t(1-t)^2(-3,3.5) + 3t^2(1-t)(-1,4) + t^3(0,4) \\
&= (-4 + 3t + 3t^2 - 2t^3, 2.5 + 3t - 1.5t^2).
\end{aligned}
$$

Curva C_2.

$$C_2 = \{c_{20}, c_{21}, c_{22}, c_{23}\} = \{(0,4), (2,4), (3,4), (5,2)\}.$$

Entonces,

$$
c_2(t) = c_{20}B_0^3(t) + c_{21}B_1^3(t) + c_{22}B_2^3(t) + c_{23}B_3^3(t)
$$

$$= \quad (1-t)^3(0,4) + 3t(1-t)^2(2,4) + 3t^2(1-t)(3,4) + t^3(5,2)$$
$$= \quad (6t - 3t^2 + 2t^3, 4 - 2t^3).$$

Curva C_3.

$$C_3 = \{c_{30}, c_{31}, c_{32}, c_{33}\} = \{(5,2), (6,2), (20,3), (18,0)\}.$$

Entonces,

$$c_3(t) \quad = \quad c_{30}B_0^3(t) + c_{31}B_1^3(t) + c_{32}B_2^3(t) + c_{33}B_3^3(t)$$
$$= \quad (1-t)^3(5,2) + 3t(1-t)^2(6,2) + 3t^2(1-t)(20,3) + t^3(18,0)$$
$$= \quad (5 + 3t + 39t^2 - 29t^3, 2 + 3t^2 - 5t^3). \qquad \square$$

Veamos el modo en que podemos representar el conjunto de curvas estudiadas en el ejemplo 37 mediante GeoGebra.

Uniendo curvas de Bézier con GeoGebra.

La idea es construir en la misma ventana gráfica las cuatro curvas, todas en función del parámetro t, de manera que al variar t vayamos construyendo las distintas partes de la curva global.

Realizamos los siguientes pasos.

Paso 1. Adaptamos la vista gráfica a la ventana $[-10, 21] \times [-1, 5]$.

Paso 2. Introducimos los puntos

$$P_0 = (-9, 0), \quad P_1 = (-8, 1), \quad P_2 = (-8, 2.5), \quad P_3 = (-4, 2.5).$$

Paso 3. Introducimos un deslizador t que va a representar el parámetro t local de la curva. Dicho deslizador se define entre 0 y 1, con incrementos de 0.001.

Paso 4. Podemos introducir directamente la ecuación de la curva de Bézier en el campo de entrada como el punto P:

```
P = (1-t)^3 * P_0 + 3*t*(1-t)^2 * P_1 + 3*t^2 * (1-t) * P_2 + t^3 * P_3.
```

En Propiedades, activamos el rastro y modificamos el color.

Paso 5. Introducimos los puntos

$$P_4 = (-3, 3.5), \quad P_5 = (-1, 4), \quad P_6 = (0, 4).$$

Paso 6. Podemos introducir directamente la ecuación de la curva de Bézier en el campo de entrada como el punto Q:

```
P = (1-t)^3 * P_3 + 3*t*(1-t)^2 * P_4 + 3*t^2 * (1-t) * P_5 + t^3 * P_6.
```

En Propiedades, activamos el rastro y modificamos el color.

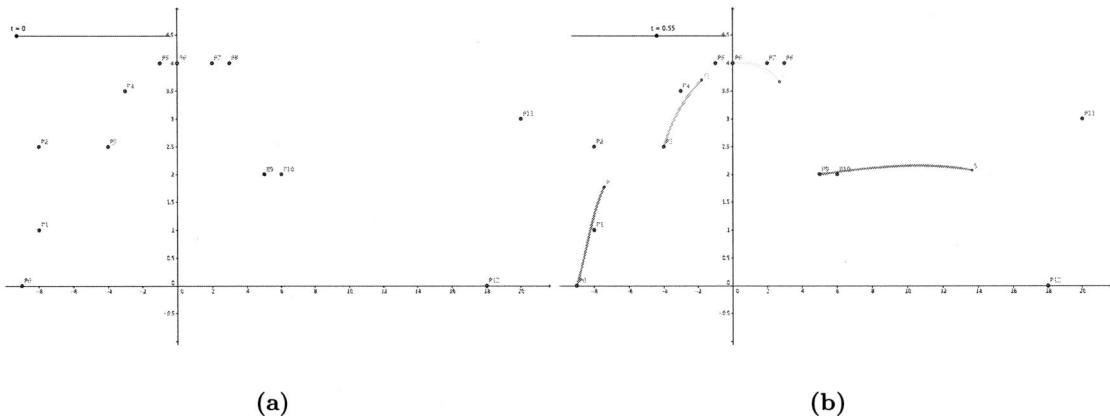

(a)　　　　　　　　　　　　　　　　　(b)

Figura 5.7

Paso 7. Introducimos los puntos

$$P_7 = (2,4), \quad P_8 = (3,4), \quad P_9 = (5,2).$$

Paso 8. Podemos introducir directamente la ecuación de la curva de Bézier en el campo de entrada como el punto R:

```
P = (1-t)^3 * P_6 + 3*t*(1-t)^2 * P_7 + 3*t^2 * (1-t) * P_8 + t^3 * P_9.
```

En Propiedades, activamos el rastro y modificamos el color.

Paso 9. Introducimos los puntos

$$P_{10} = (6,2), \quad P_{11} = (20,3), \quad P_{12} = (18,0).$$

Paso 10. Podemos introducir directamente la ecuación de la curva de Bézier en el campo de entrada como el punto S:

```
P = (1-t)^3 * P_9 + 3*t*(1-t)^2 * P_{10} + 3*t^2 * (1-t) * P_{11} + t^3 * P_{12}.
```

En Propiedades, activamos el rastro y modificamos el color.

Notemos que al mover el deslizador t vamos construyendo la curva.

La figura 5.7(a) nos muestra los 12 puntos que forman el conjunto de cuatro curvas de Bézier unidas. A medida que movemos el deslizador t, parámetro local de la curva, se van dibujando las cuatro curvas simultáneamente (véase la figura 5.7(b)).

La figura 5.8 nos presenta el conjunto de curvas de Bézier una vez dibujadas y unidas en su totalidad.

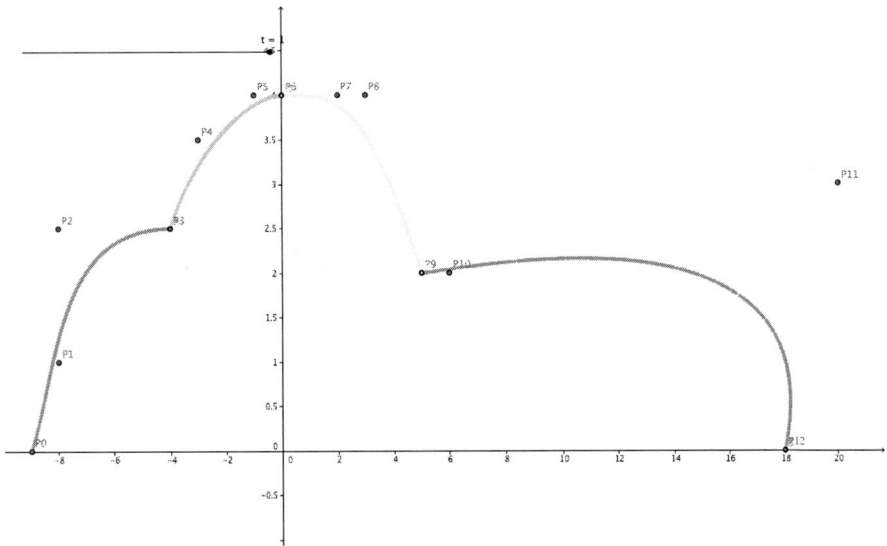

Figura 5.8: *Representación gráfica de las cuatro curvas del ejemplo 37.*

Ejemplo 38.

Construya la curva de Bézier compuesta por los conjuntos de puntos de control siguientes

$$C_1 = \{(0,3), (1,5), (2,1), (3,3)\} \qquad C_2 = \{(3,3), (4,5), (5,1), (6,3)\}.$$

SOLUCIÓN: Construimos las curvas de una manera totalmente análoga a la del ejemplo 37. Tendremos las siguientes curvas:

$$C_1 = (3t, 3 + 6t - 18t^2 + 12t^3), \qquad C_2 = (3 + 3t, 3 + 6t - 18t^2 + 12t^3). \qquad \square$$

La figura 5.9 nos muestra la representación gráfica de las curvas del ejemplo 38.

En los ejemplos anteriores se observa una diferencia entre el modo en que se produce el salto de un trozo a otro de las curvas representadas. Concretamente se observa que en el ejemplo 37, no se produce un salto suave entre los puntos final e inicial de cada uno de los trozos. Sin embargo, en el ejemplo 38, se observa que el salto entre el punto final de la primera curva y el inicial de la segunda es mucho más suave que en el caso anterior.

Supongamos que tenemos dos conjuntos de curvas con sus puntos de control

$$C_1 = \{P_0, P_1, \ldots, P_n\}, \qquad C_2 = \{P_n, Q_1, \ldots, Q_n\}.$$

Entonces se puede demostrar que es suficiente que los puntos P_{n-1}, P_n y Q_1 sean colineales para que la curva presente un trazado suave en la intersección de las dos partes.

Si observamos la figura 5.10 podemos observar que los puntos $P_2(2,1)$, $P_3(3,3)$ y $Q_1(4,5)$ resultan ser colineales. Más concretamente los tres se encuentran sobre la recta

$$\frac{x-2}{1} = \frac{y-1}{2}.$$

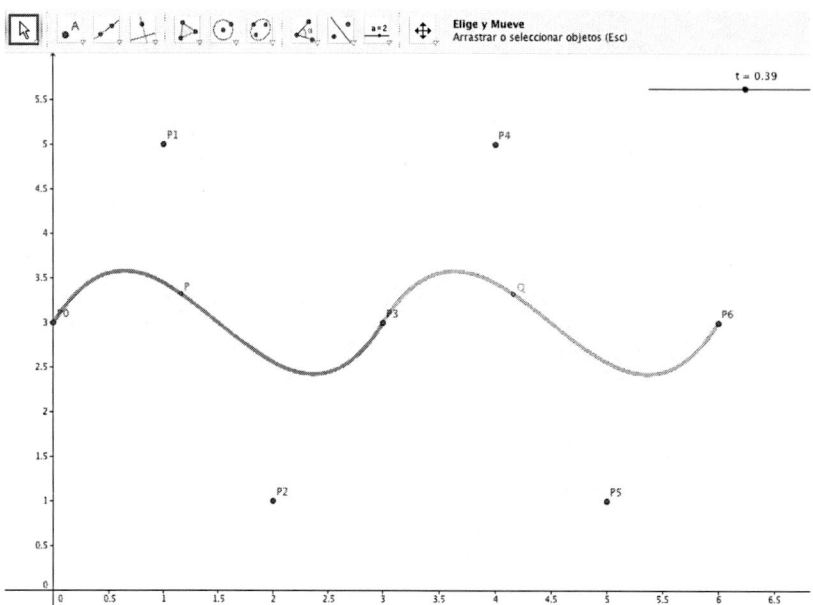

Figura 5.9: *Representación gráfica de las dos curvas del ejemplo 38.*

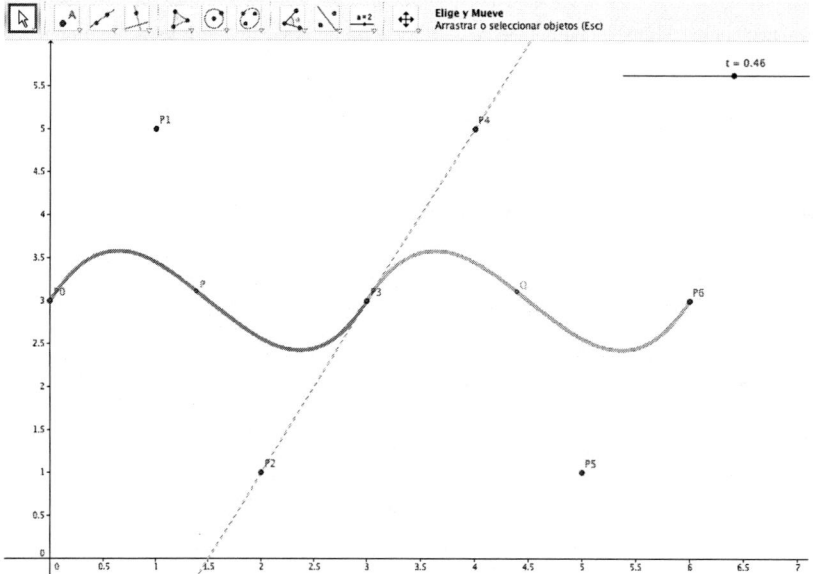

Figura 5.10: *Representación gráfica de las dos curvas del ejemplo 38 y la recta que une sus puntos en común.*

5.3   El algoritmo de Casteljou

En la primera parte de este tema hemos construido las curvas de Bézier a partir de la definición de los polinomios de Bernstein. Ahora vamos a llegar al concepto de curva de Bézier desde una perspectiva totalmente diferente, basándonos en el llamado **algoritmo de Casteljou.**

Este algoritmo se basa en el concepto de interpolación lineal: dados dos puntos del plano P_0 y P_1, la curva

$$\alpha : [0,1] \longrightarrow \mathbb{R}^2$$

$$t \longrightarrow \alpha(t) = (1-t)P_0 + tP_1$$

tiene como imagen el segmento de recta que une P_0 con P_1.

Para construir la curva de Bézier hacemos algo que podríamos llamar una interpolación iterada.

Consideramos $n+1$ puntos del plano $P_0, P_1, \ldots, P_n \in \mathbb{R}^2$ y el parámetro $t \in [0,1]$.

Como paso inicial del algoritmo consideramos los puntos iniciales, es decir

$$P_i^0(t) = P_i, \quad i = 0, 1, \ldots, n.$$

El siguiente paso del algoritmo consiste en aplicar una interpolación lineal de estos puntos, de la forma

$$P_i^1(t) = (1-t)P_i^0(t) + tP_{i+1}^0(t), \quad i = 0, 1, \ldots, n-1$$

y así sucesivamente en los siguientes pasos.

Definición 39 (curva de Bézier).

Dados $n+1$ puntos del plano $P_0, P_1, \ldots, P_n \in \mathbb{R}^2$ se define la curva de Bézier como la curva

$$\alpha : [0,1] \longrightarrow \mathbb{R}^2$$

$$t \longrightarrow \alpha(t) = P_0^n,$$

donde

$$P_i^0(t) = P_i$$
$$P_i^r(t) = (1-t)P_i^{r-1}(t) + tP_{i+1}^{r-1}(t),$$

donde $i = 0, 1, \ldots, n-r$ y $r = 1, 2, \ldots, n$.

Una vez definida la curva de Bézier veamos qué se entiende por polígono de control.

Definición 40.

Llamaremos **polígono de control** P al formado por los puntos $P_0, P_1, \ldots, P_n$. Los puntos P_i reciben el nombre de **puntos de control**.

Este algoritmo puede ser representado mediante un diagrama triangular escalonado.

Definición 41 (algoritmo de Casteljou).

Al algoritmo descrito y representado mediante la tabla 5.2 que nos permite construir la curva de Bézier de grado n, dados $n+1$ puntos de control $P_0, P_1, \ldots, P_n$, se le llama **algoritmo de Casteljou**.

$$P_0^0(t) \longrightarrow P_0^1(t) \longrightarrow P_0^2(t) \cdots P_0^{n-1}(t) \longrightarrow P_0^n(t)$$
$$P_1^0(t) \longrightarrow P_1^1(t) \longrightarrow P_1^2(t) \cdots P_1^{n-1}(t)$$
$$P_2^0(t) \longrightarrow P_2^1(t) \longrightarrow P_2^2(t)$$
$$\vdots$$
$$\vdots$$
$$P_{n-1}^0(t) \longrightarrow P_{n-1}^1(t)$$
$$P_n^0(t)$$

Tabla 5.2: *Diagrama triangular del algoritmo de Casteljou.*

Algoritmo de Casteljou con GeoGebra

Podemos utilizar GeoGebra para visualizar geométricamente el algoritmo de Casteljou.

Podemos utilizar las posibilidades que nos ofrece el trabajar con una hoja de cálculo para desarrollar los sucesivos pasos del algoritmo y, al mismo tiempo, visualizar los puntos en la ventana gráfica. Podemos realizar una construcción basada en los pasos siguientes:

Paso 1. Dibujamos los puntos

$$P_0 = (0,0), \quad P_1 = (1,0), \quad P_2 = (1,1), \quad P_3 = (0,1), \quad P_4 = (0,0).$$

Paso 2. Introducimos un deslizador t que va a representar el parámetro t local de la curva. Dicho deslizador se define entre 0 y 1, con incrementos de 0.001.

Paso 3. Escribimos en la hoja de cálculo los puntos en las casillas correspondientes:

$$A_1 \longrightarrow (0,0), \quad A_2 \longrightarrow (1,0), \quad A_3 \longrightarrow (1,1), \quad A_4 \longrightarrow (0,1), \quad A_5 \longrightarrow (0,0).$$

Paso 4. Construimos una lista con los puntos, mediante la instrucción

$$lista1 \longrightarrow \{A_1, A_2, A_3, A_4, A_5\}$$

Paso 5. Unimos con segmentos los puntos de la lista anterior.

Paso 6. Ahora ejecutamos el paso inicial del algoritmo de Casteljou, para $r = 1$. Para ello,
- En la casilla B_1 definimos el punto $B_1 \longrightarrow (1-t)A_1 + tA_2$.
- En la casilla B_2 definimos el punto $B_2 \longrightarrow (1-t)A_2 + tA_3$.
- En la casilla B_3 definimos el punto $B_3 \longrightarrow (1-t)A_3 + tA_4$.
- En la casilla B_4 definimos el punto $B_4 \longrightarrow (1-t)A_4 + tA_5$.

Paso 7. Ahora unimos con segmentos los puntos B_1, B_2, B_3, B_4 y establecemos un color diferente para estos puntos.

Paso 8. Ahora, para $r = 2$, hacemos
- En la casilla C_1 definimos el punto $C_1 \longrightarrow (1-t)B_1 + tB_2$.
- En la casilla C_2 definimos el punto $C_2 \longrightarrow (1-t)B_2 + tB_3$.

- En la casilla C_3 definimos el punto $C_3 \longrightarrow (1-t)B_3 + tB_4$.

Paso 9. Unimos con segmentos los puntos C_1, C_2, C_3.

Paso 10. Ahora, para $r = 3$, hacemos

- En la casilla D_1 definimos el punto $D_1 \longrightarrow (1-t)C_1 + tC_2$.
- En la casilla D_2 definimos el punto $D_2 \longrightarrow (1-t)C_2 + tC_3$.

Paso 11. Unimos con segmentos los puntos D_1, D_2.

Paso 12. Ahora, para $r = 4$, calculamos $P_0^4(t)$ como

- En la casilla E_1 definimos el punto $E_1 \longrightarrow (1-t)D_1 + tD_2$.

Con esta construcción ya podemos visualizar el algoritmo de Casteljou cuando movemos el parámetro t por medio del deslizador correspondiente. Las figuras 5.11 y 5.12 nos muestran un ejemplo gráfico de esta construcción.

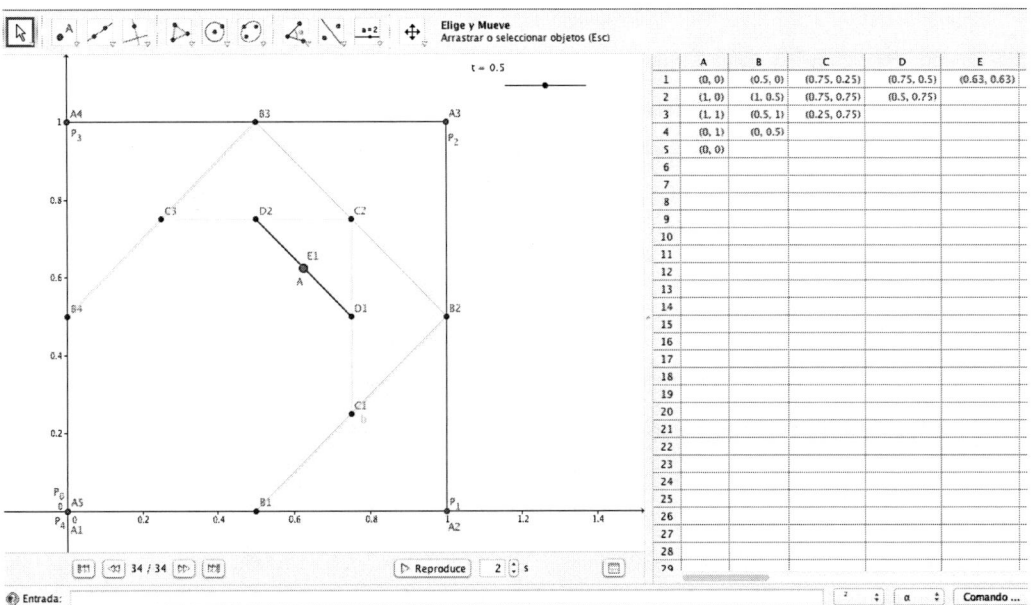

Figura 5.11: *Representación gráfica del algoritmo de Casteljou.*

Ejemplo 39 (algoritmo de Casteljou).

Calcule la curva de Bézier asociada a los puntos de control

$$P_0(0,0), \quad P_1(1,0), \quad P_2(1,1), \quad P_3(0,1), \quad P_4(0,0),$$

siguiendo el algoritmo de Casteljou.

SOLUCIÓN: El esquema de resolución es similar al que se muestra en la tabla 5.2. La tabla 5.3 adapta la tabla general a nuestro ejemplo, con los cálculos requeridos para el caso de tres puntos de control.

Los diferentes P_i^r, para $r = 1, \ldots, n$ e $i = 0, 1, \ldots, n - r$ vienen dados por las expresiones siguientes:

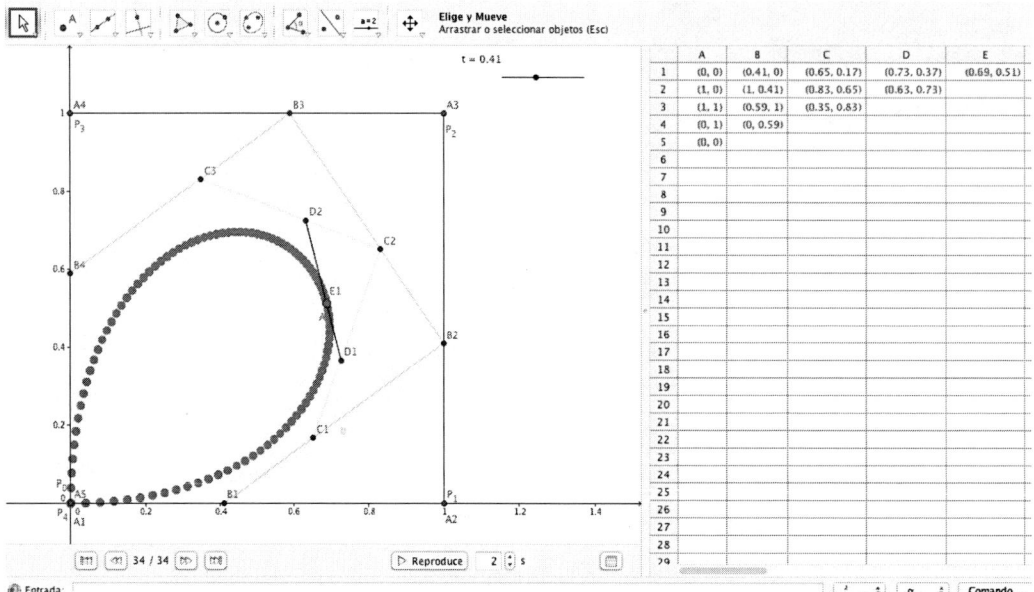

Figura 5.12: *Representación gráfica del algoritmo de Casteljou.*

$P_0^0(t)$	$\longrightarrow$ $P_0^1(t)$	$\longrightarrow$ $P_0^2(t)$ $P_0^3(t)$	$\longrightarrow$ $P_0^4(t)$	
$P_1^0(t)$	$\longrightarrow$ $P_1^1(t)$	$\longrightarrow$ $P_1^2(t)$ $P_1^3(t)$		
$P_2^0(t)$	$\longrightarrow$ $P_2^1(t)$	$\longrightarrow$ $P_2^2(t)$		
$P_3^0(t)$	$\longrightarrow$ $P_3^1(t)$			
$P_4^0(t)$				

Tabla 5.3: *Diagrama triangular del algoritmo de Casteljou del ejemplo 39.*

$\boxed{r = 1}$

$$P_0^1(t) = (1-t)P_0^0(t) + tP_1^0(t)$$

$$P_1^1(t) = (1-t)P_1^0(t) + tP_2^0(t)$$

$$P_2^1(t) = (1-t)P_2^0(t) + tP_3^0(t)$$

$$P_3^1(t) = (1-t)P_3^0(t) + tP_4^0(t).$$

$\boxed{r = 2}$

$$P_0^2(t) = (1-t)P_0^1(t) + tP_1^1(t)$$

$$P_1^2(t) = (1-t)P_1^1(t) + tP_2^1(t)$$

$$P_2^2(t) = (1-t)P_2^1(t) + tP_3^1(t).$$

$\boxed{r=3}$

$$
\begin{aligned}
P_0^3(t) &= (1-t)P_0^2(t) + tP_1^2(t) \\
P_1^3(t) &= (1-t)P_1^2(t) + tP_2^2(t).
\end{aligned}
$$

$\boxed{r=4}$

$$P_0^4(t) = (1-t)P_0^3(t) + tP_1^3(t).$$

Ahora efectuamos las sustituciones oportunas para realizar los cálculos:

$\boxed{r=1}$

$$
\begin{aligned}
P_0^1(t) &= (1-t)(0,0) + t(1,0) = (t,0) \\
P_1^1(t) &= (1-t)(1,0) + t(1,1) = (1,t) \\
P_2^1(t) &= (1-t)(1,1) + t(0,1) = (1-t,1) \\
P_3^1(t) &= (1-t)(0,1) + t(0,0) = (0,1-t).
\end{aligned}
$$

$\boxed{r=2}$

$$
\begin{aligned}
P_0^2(t) &= (1-t)(t,0) + t(1,t) = (2t - t^2, t^2) \\
P_1^2(t) &= (1-t)(1,t) + t(1-t,1) = (1 - t^2, 2t - t^2) \\
P_2^2(t) &= (1-t)(1-t,1) + t(0,1-t) = (1 - 2t + t^2, 1 - t^2).
\end{aligned}
$$

$\boxed{r=3}$

$$
\begin{aligned}
P_0^3(t) &= (1-t)(2t - t^2, t^2) + t(1 - t^2, 2t - t^2) = (3t - 3t^2, 3t^2 - 2t^3) \\
P_1^3(t) &= (1-t)(1 - t^2, 2t - t^2 + t(1 - 2t + t^2, 1 - t^2) = (1 - 3t^2 + 2t^3, 3t - 3t^2).
\end{aligned}
$$

$\boxed{r=4}$

$$P_0^4(t) = (1-t)(3t - 3t^2, 3t^2 - 2t^3) + t(1 - 3t^2 + 2t^3, 3t - 3t^2) = (4t - 6t^2 + 2t^4, 6t^2 - 8t^3 + 2t^4). \qquad \square$$

En la figura 5.12 hemos realizado una construcción con GeoGebra de este ejemplo, donde se muestra la hoja de cálculo integrada en el *software* sobre la que realizamos las operaciones aritméticas requeridas por el algoritmo. En la ventana gráfica aparece la construcción de la curva.

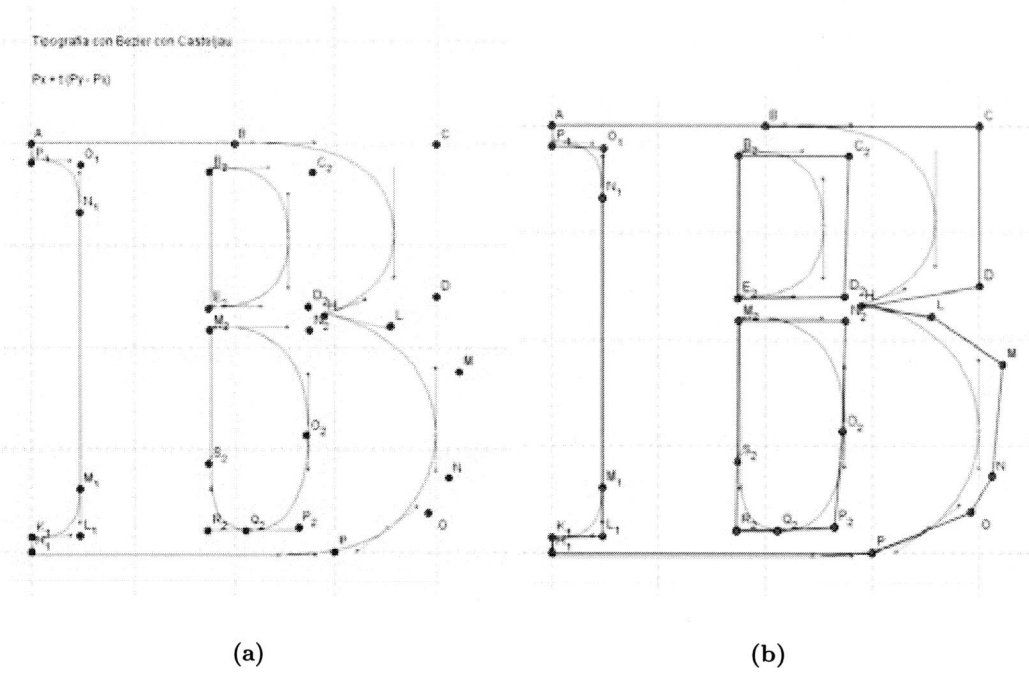

(a)   (b)

Figura 5.13

5.4   Aplicaciones

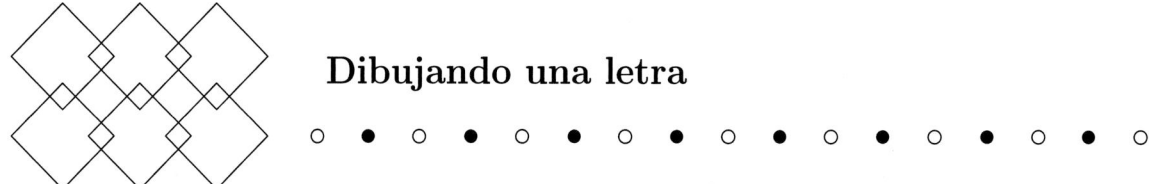

Dibujando una letra

Veamos un ejemplo de aplicación de las curvas de Bézier un poco más sofisticado que los ejemplos estudiados hasta ahora.

En este caso vamos a dibujar una letra por medio de un conjunto de curvas de Bézier. La herramienta informática que vamos a utilizar es, de nuevo, GeoGebra.

Elegimos la letra que queremos dibujar, en nuestro caso hemos elegido la letra B, que anteriormente ha sido vectorizada añadiéndole así los puntos de control específicos para poder visualizar con un mayor detalle y precisión la forma en que se van generando las curvas de Bézier.

Con la Herramienta de *Nuevo Punto* añadimos los puntos de control en GeoGebra sobre la imagen de la tipografía anterior (véase la figura 5.13(a)).

Con la herramienta *Segmento* entre dos puntos unimos con segmentos los diferentes puntos de control, para luego sobre dichos segmentos realizar las operaciones necesarias para obtener los puntos que generen la curva de Bézier (véase la figura 5.13(b)).

Introducimos como deslizador el parámetro local t de las diferentes curvas de Bézier que vamos a

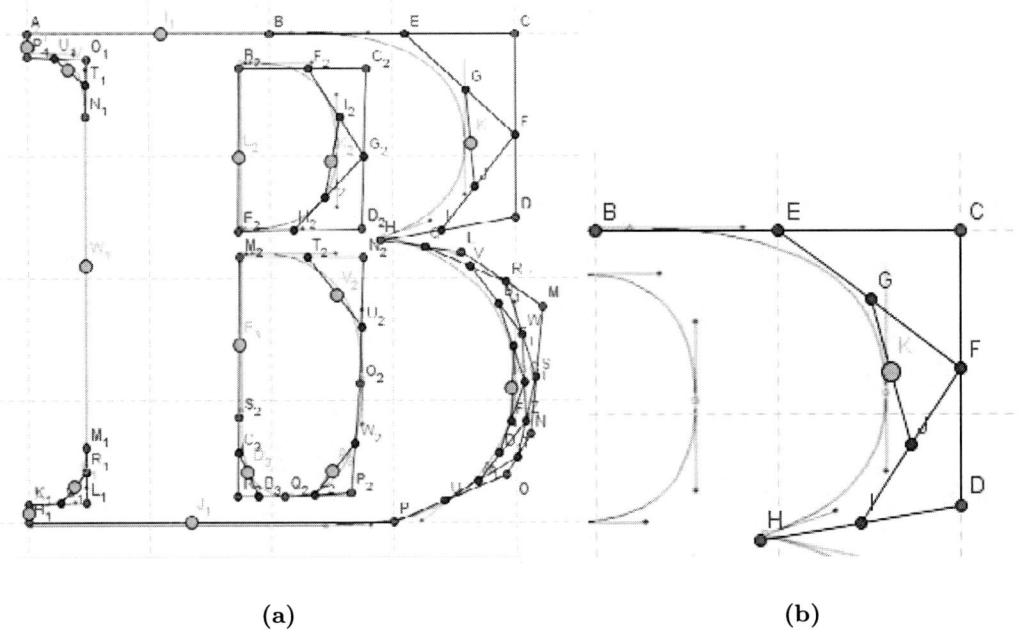

(a)

(b)

Figura 5.14

crear. Dicho deslizador es lineal y se define entre 0 y 1 con incrementos de 0.001.

Una vez tenemos los puntos de control unidos por segmentos tenemos que crear las diferentes curvas de Bézier a lo largo de toda la letra. En este ejemplo tenemos varios tipos de curvas con diferentes grados. Así, por ejemplo, el segmento AB representa una curva de Bézier con dos puntos de control; por otro lado, los puntos B, C, D y H forman otra curva de Bézier con cuatro puntos de control (véanse las figuras 5.14(a) y 5.14(b)).

Para obtener la curva general debemos introducir la siguiente expresión en la barra de entrada de GeoGebra,

$$P_n = P_i + t(P_f - P_i),$$

siendo P_i el punto Inicial del segmento y P_f el punto final del segmento.

Esta acción la debemos realizar repetidamente hasta que solamente nos quede un punto final en el segmento.

Finalmente, para poder observar cómo se va trazando la curva, debemos activar el rastro de los puntos correspondientes a las diferentes curvas de Bézier de nuestra letra. La figura 5.15 nos muestra el resultado final.

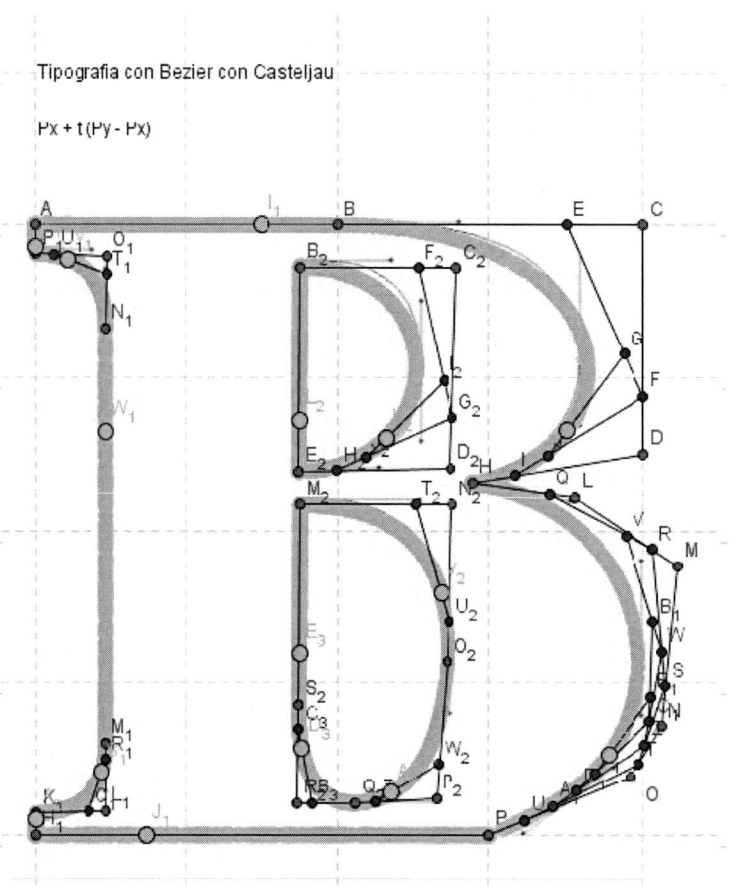

Figura 5.15: *Representación gráfica de la letra B.*

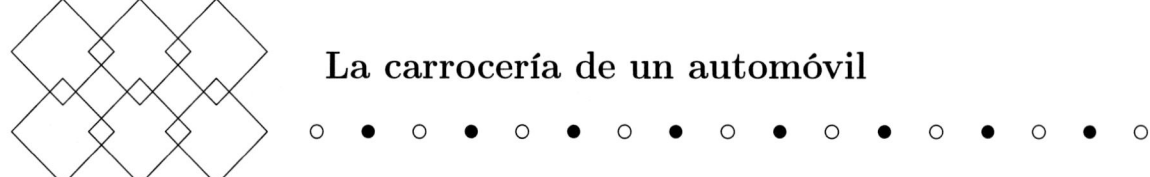

La carrocería de un automóvil

Como ya se ha comentado en la introducción, la aparición de este tipo de curvas se encuentra íntimamente relacionado con el diseño de la carrocería de los automóviles. En este ejemplo vemos, a través de una construcción de GeoGebra, cómo podemos simular las curvas que forman la carrocería exterior de un automóvil simplemente uniendo unas pocas curvas de Bézier.

Siguiendo un proceso similar al del ejemplo anterior, definimos los puntos de control sobre el dibujo del coche que queremos dibujar; en este caso, vamos a introducir los datos a partir de la hoja de cálculo que implementa el programa. Nombraremos a los diferentes puntos de control como A_n (en total tenemos 25 puntos definidos para un total de 6 curvas de Bézier de diferentes grados, como se aprecia en la figura 5.16).

Una vez definidos los puntos de control, se unen con segmentos.

Igual que en el caso anterior debemos definir el parámetro t, entre 0 y 1 a partir del que dibujaremos

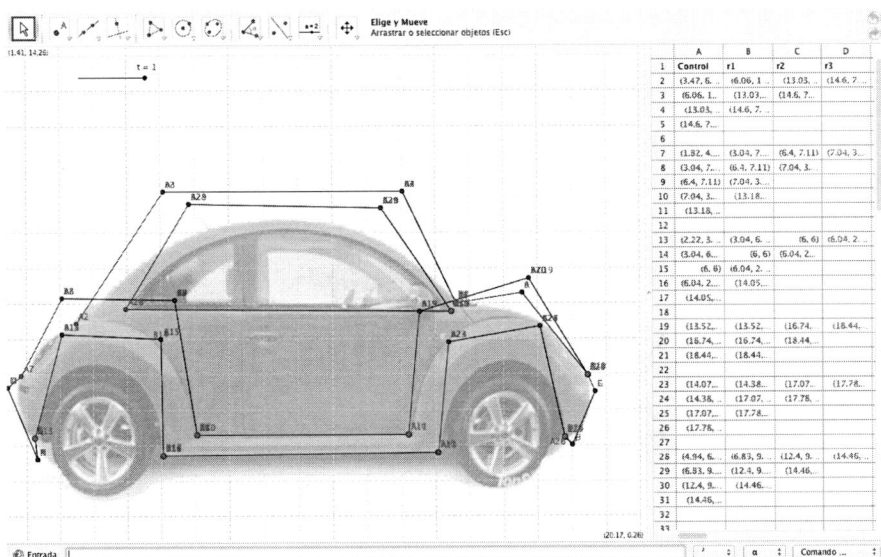

Figura 5.16: *Diferentes puntos representando las seis curvas de Bézier que componen el dibujo.*

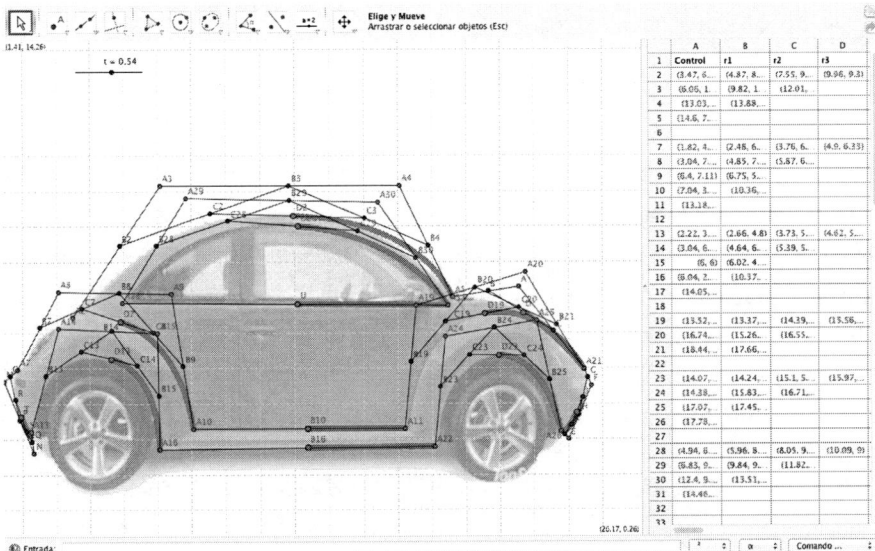

Figura 5.17: *Al variar t vamos construyendo la curva.*

todas las curvas al mismo tiempo.

Siguiendo el proceso, se utiliza el algoritmo de Casteljou para calcular los puntos de interpolación, mediante la expresión

$$P_n = P_i + t(P_f - P_i),$$

siendo P_i el punto Inicial del segmento y P_f el punto final del segmento.

Finalmente, una vez activado el rastro de los diferentes punto que dibujan las curvas de Bézier, las vamos obteniendo al variar el parámetro t. Vemos una simulación del resultado obtenido por medio de las figuras 5.17 y 5.18.

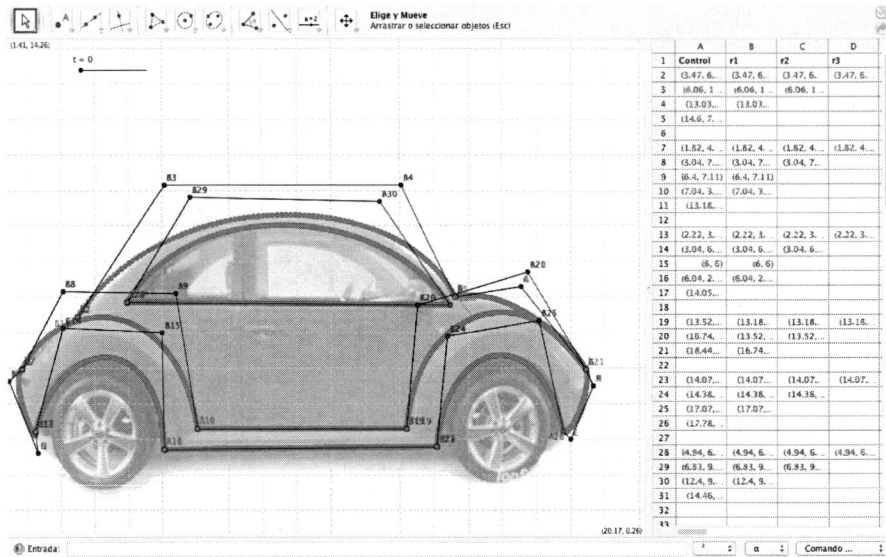

Figura 5.18: *Carrocería del automóvil una vez recorrido los valores del parámetro t.*

Las curvas de Bézier y los gráficos vectoriales.

Una imagen vectorial es una imagen digital formada por objetos geométricos independientes (segmentos, polígonos, arcos, etc.), cada uno definido por distintos atributos matemáticos de forma, de posición, de color, etc.

Este formato de imagen es completamente distinto al formato de los gráficos rasterizados, también llamados *imágenes matriciales*, que están formados por píxeles. El interés principal de los gráficos vectoriales es poder ampliar el tamaño de una imagen a voluntad sin sufrir el efecto de escalado que sufren los gráficos rasterizados. Asimismo, permiten mover, estirar y retorcer imágenes de manera relativamente sencilla. Su uso también está muy extendido en la generación de imágenes en tres dimensiones, tanto dinámicas como estáticas.

Todos los ordenadores actuales traducen los gráficos vectoriales a gráficos rasterizados para poder representarlos en pantalla al estar estas formadas físicamente por píxeles.

Hay varias formas de codificar una imagen a partir de vectores. La más extendida entre los programas y los formatos de fichero de gráficos vectoriales es la que se basa en las curvas de Bézier o por extensión objetos Bézier. La curva se calcula a partir de una interpolación creada por una secuencia de funciones que se basa en las coordenadas de los puntos. Esto hace que sea escalable y se vea bien a cualquier nivel de ampliación.

En tipografía digital es necesario un sistema de codificación de la información geométrica que permita que los tipos se impriman perfectamente a cualquier tamaño. Para ello también se usa el sistema de Bézier, que fue adoptado como sistema estándar de codificación de curvas para el lenguaje PostScript. Es, pues, el sistema usado en las fuentes TrueType (con curvas de segundo orden) y PostScript Tipo 1 (con curvas de tercer orden).

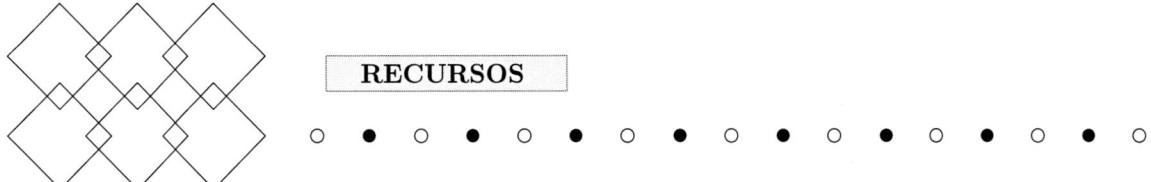

RECURSOS

Se pueden encontrar buenos recursos en la red acerca de las curvas de Bézier, así como de sus múltiples aplicaciones.

Simplemente reseñamos unas cuantas páginas.

- graficos.conclase.net/curso/

  Página de un curso sobre programación de gráficos. En el mismo se explican los contenidos básicos para crear gráficos en pantalla, comenzando con imágenes en dos dimensiones para pasar después a la modelización de objetos en tres dimensiones.

- www.math.ucla.edu/~baker/java/hoefer/Bézier.htm

  Aquí tenemos un applet para construir curvas de Bézier de tercer grado. Podemos manipular los puntos y vemos cómo va cambiando la forma.

- paulbourke.net/geometry/

  Página web de Paul Bourke en la que encontramos muchísima información sobre geometría, especialmente sobre curvas y superficies. También podemos encontrar construcciones en POV-Ray y una galería extraordinaria de curvas y superficies en la que hay enlaces a información teórica, ejemplos, etc. También se muestran los códigos que generan las figuras.

- www.tinaja.com/cubic01.asp

  A través de esta web de Don Lancaster tenemos acceso a gran cantidad de información, especialmente tutoriales, sobre curvas de Bézier, Splines y otros tipos de curvas relacionadas con el CAD. Además, hay una relación de libros que tratan estos temas, así como una relación de grupos de noticias interesante sobre gráficos.

- processingjs.nihongoresources.com/Bézierinfo/

  Una buena introducción a las curvas de Bézier, en la que las implementaciones se han realizado con el *software Processing.js*.

5.5   Ejercicios propuestos

Problema 5.1: *Calcule analíticamente la curva de Bézier que tiene su origen en el punto $P_0(2,2)$ y termina en el punto $P_3(4,1)$, teniendo como puntos intermedios de control los puntos $P_1(0,1)$ y $P_2(3,-1)$, respectivamente.*

Problema 5.2: *Determine, utilizando las ecuaciones paramétricas, la curva de Bézier con los puntos de control*

$$P_0(2,2), \quad P_1(1,1.5), \quad P_2(3.5,0), \quad P_3(4,1).$$

Problema 5.3: *Calcule la curva de Bézier asociada a los puntos de control*

$$P_0(0,2), \quad P_1(1,1), \quad P_2(1,2), \quad P_3(2,1), \quad P_4(2,2),$$

siguiendo el algoritmo de Casteljou.

Problema 5.4: *Calcule la curva de Bézier asociada a los puntos de control*

$$P_0(0,0), \quad P_1(1,1), \quad P_2(1,2), \quad P_3(2,1), \quad P_4(0,0),$$

siguiendo el algoritmo de Casteljou.

Problema 5.5: *Represente con GeoGebra las dos curvas de los problemas anteriores en una misma construcción, observando las diferencias entre ambas.*

Problema 5.6: *Determine con la ayuda de GeoGebra la curva de Bézier que pasa por los siguientes puntos: $(0,2)$, $(1,4.4366)$, $(1.5,6.7134)$, $(2.25,13.9130)$.*

Problema 5.7: *Demuestre que el polinomio de Bernstein B_i^n tiene solo un máximo en $[0,1]$, concretamente en $t = i/n$.*

Problema 5.8: *Tenemos una curva de Bézier de grado tres definida por los puntos de control $P_1(0,1)$, $P_2(1,2)$, $P_3(2,2)$, $P_4(3,1)$. Determine analíticamente la curva de Bézier. Represéntela gráficamente y determine analíticamente el vector tangente a la misma para $t = 0.25$, y $t = 0.75$.*

Problema 5.9: *Determine con GeoGebra la curva de Bézier que tiene por puntos de control $P_1(0,1)$, $P_2(4,2)$, $P_3(2,4)$, $P_4(1,0)$. Determine el vector tangente de manera que cuando t vaya variando su valor, el vector se desplace y nos muestre el vector tangente en cada punto.*

Problema 5.10: *A partir de los puntos de control de la curva anterior, aplique el algoritmo de Casteljou y obtenga la curva de Bézier resultante.*

6

Superficies de Bézier

Cuando me preguntaron algún arma capaz de contrarrestar el poder de la bomba atómica yo sugerí la mejor de todas: la paz.
Albert Einstein (1879-1955).

Qué pena, tan joven y ya tan desconocido.
Wolfrang Pauli (1900-1958).

Muchas personas están demasiado educadas para hablar con la boca llena, pero no se preocupan por hacerlo con la cabeza hueca.
Orson Wells (1915-1985).

6.1 Paraboloide hiperbólico

Comenzamos definiendo el paraboloide hiperbólico, base de nuestra construcción de las superficies.

Definición 42 (paraboloide hiperbólico).

El **paraboloide hiperbólico** es una superficie cuadrática cuya ecuación es

$$\frac{y^2}{b^2} - \frac{x^2}{a^2} = \frac{z}{c}.$$

Esta superficie presenta la forma que vemos en la figura 6.1.

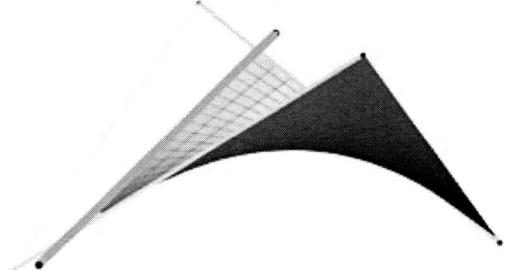

Figura 6.1: *Paraboloide hiperbólico.*

Una de las propiedades más interesantes del paraboloide hiperbólico es que, siendo una superficie curvada, se puede construir con líneas rectas. Lo único que debemos hacer para su construcción es variar el ángulo de inclinación de una recta que se mueve encima de otra curva. Este tipo de superficie recibe el nombre de **superficies regladas**.

Además, podemos decir que dados cuatro puntos en el espacio que no se encuentren en el mismo plano, P_{00}, P_{01}, P_{10}, P_{11}, existe un único paraboloide hiperbólico que pasa exactamente por estos cuatro puntos. En consecuencia, constituye la superficie más simple del tipo

$$x : [0,1] \times [0,1] \longrightarrow \mathbb{R}^3$$

que pasa por los cuatro puntos de los extremos.

La ecuación del paraboloide hiperbólico a partir de los cuatro puntos $\{P_{00}, P_{01}, P_{10}, P_{11}\}$ viene dada por

$$x(u,v) = (1-u)(1-v)P_{00} + u(1-v)P_{10} + (1-u)vP_{01} + uvP_{11}. \tag{6.1}$$

Los paraboloides hiperbólicos contituyen una superficie muy estudiada y utilizada en arquitectura.

El gran arquitecto Gaudí la utilizó en el diseño de la Sagrada Familia de Barcelona, aunque el arquitecto que más ampliamente la empleó en sus construcciones fue Félix Candela (véase, por ejemplo, es.wikiarquitectura.com/index.php/Félix-Candela). Como ejemplo de estas construcciones tenemos el Oceanogràfic (2002), en la Ciudad de las Artes y las Ciencias de Valencia.

Podemos parametrizar la ecuación (6.1) mediante la expresión matricial

$$x(u,v) = [1-u \quad u] \begin{bmatrix} P_{00} & P_{01} \\ P_{10} & 0 \end{bmatrix} \begin{bmatrix} 1-v \\ v \end{bmatrix}.$$

6.2 Superficies de Bézier a partir de paraboloides hiperbólicos

Recordemos que en el algoritmo de Casteljou para puntos en $\mathbb{R}^2$ se utilizaba, como herramienta básica en la construcción de la curva, la interpolación lineal entre dos puntos. A través de un proceso iterativo construíamos la curva de Bézier mediante interpolación lineal.

Ahora en el espacio podemos generalizar a tres dimensoines el algoritmo de Casteljou sustituyendo la interpolación lineal entre dos puntos por una interpolación basada en paraboloides hiperbólicos. Esto es consecuencia directa de la propiedad de los paraboloides hiperbólicos de constituir la superficie de menor área que pasa por los puntos $\{P_{00}, P_{01}, P_{10}, P_{11}\}$.

Ejemplo 40 (paraboloide hiperbólico).

Construya el paraboloide hiperbólico que pasa por los puntos

$$P_{00}(0,0,0), P_{01}(0,1,1), P_{10}(1,0,1), P_{11}(1,1,0).$$

SOLUCIÓN: Aplicamos la expresión (6.1) a estos cuatro puntos, es decir,

$$
\begin{aligned}
x(u,v) &= (1-u)(1-v)P_{00} + u(1-v)P_{10} + (1-u)vP_{01} + uvP_{11} \\
&= (1-u)(1-v)(0,0,0) + u(1-v)(1,0,1) + (1-u)v(0,1,1) + uv(1,1,0) \\
&= (1-u-v+uv)(0,0,0) + (u-uv)(1,0,1) + (v-uv)(0,1,1) + uv(1,1,0) \\
&= (0,0,0) + (u-uv,0,u-uv) + (0,v-uv,v-uv) + (uv,uv,0) \\
&= (u,v,u+v-2uv).
\end{aligned}
$$

En consecuencia,

$$x(u,v) = (u,v,u+v-2uv). \qquad \square$$

Una vez establecido el paraboloide hiperbólico como superficie básica para la interpolación bilineal, podemos generalizar el algoritmo de Casteljou para curvas de Bézier a superficies en $\mathbb{R}^3$.

Establecemos la definición de superficie de Bézier.

Definición 43 (superficie de Bézier).

Dado el sistema de puntos $\{P_{ij}\}_{0\leqslant i,j\leqslant n}$ y valores del parámetro $(u,v) \in \mathbb{R}^2$, definimos

$$P_{ij}^r(u,v) = [1-u \quad u] \begin{bmatrix} P_{ij}^{r-1}(u,v) & P_{ij+1}^{r-1}(u,v) \\ P_{i+1j}^{r-1}(u,v) & P_{i+1j+1}^{r-1}(u,v) \end{bmatrix} \begin{bmatrix} 1-v \\ v \end{bmatrix}, \tag{6.2}$$

siendo $r = 1, 2, \ldots, n$ e $i, j = 0, 1, \ldots, n-r$ y $P_{ij}^0(u,v) = P_{ij}$.

Entonces, la **superficie de Bézier** asociada a este sistema de puntos es la superficie

$$x : [0,1] \times [0,1] \longrightarrow \mathbb{R}^3$$

$$x(u,v) \longrightarrow x(u,v) = P_{00}^n(u,v).$$

El conjunto de puntos $\{P_{ij}\}_{0\leqslant i,j\leqslant n}$ se denomina **red de control**, **puntos de control** o **red de Bézier**.

La ecuación 6.2 puede reescribirse de la forma

$$P_{ij}^r(u,v) = \left[(1-u)P_{ij}^{r-1}(u,v) + uP_{i+1j}^{r-1}(u,v) \quad (1-u)P_{ij+1}^{r-1}(u,v) + uP_{i+1j+1}^{r-1}(u,v)\right] \begin{bmatrix} 1-v \\ v \end{bmatrix} =$$

$$(1-u)(1-v)P_{ij}^{r-1}(u,v) + u(1-v)P_{i+1j}^{r-1}(u,v) + (1-u)vP_{ij+1}^{r-1}(u,v) + uvP_{i+1j+1}^{r-1}(u,v),$$

siendo $r = 1, 2, \ldots, n$ e $i, j = 0, 1, \ldots, n-r$ y $P_{ij}^0(u,v) = P_{ij}$.

Estudiamos con detalle un ejemplo en el que se explique paso a paso el procedimiento para construir una superficie de Bézier a partir de una red de puntos de control de tamaño $n = 3$.

Ejemplo 41.

Se considera la red de control formada por los puntos

$$P_{00}(0,0,0) \quad P_{01}(0,1,1) \quad P_{02}(0,2,0)$$
$$P_{10}(1,0,0) \quad P_{11}(1,1,0) \quad P_{12}(1,2,0)$$
$$P_{20}(2,0,0) \quad P_{21}(2,1,1) \quad P_{22}(2,2,1)$$

Constuya la superficie de Bézier para esta red de control siguiendo el algoritmo de Casteljou.

SOLUCIÓN: Aplicamos a estos cuatro puntos la expresión (6.2) para calcular $P_{00}^2(u,v)$, teniendo en cuenta que $n = 2$.

Como $n = 2$, entonces $r = 0, 1, 2$, por lo que $i, j = 0, 1, \ldots, 2-r$.

Para $r = 0$,

$$P_{00}^0 = P_{00} \quad P_{01}^0 = P_{01} \quad P_{02}^0 = P_{02}$$
$$P_{10}^0 = P_{10} \quad P_{11}^0 = P_{11} \quad P_{12}^0 = P_{12}$$
$$P_{20}^0 = P_{20} \quad P_{21}^0 = P_{21} \quad P_{22}^0 = P_{22}$$

Para $r = 1$, debemos calcular P_{00}^1, P_{01}^1, P_{10}^1, P_{11}^1.

$$P_{00}^1 = (1-u)(1-v)P_{00} + (1-u)vP_{01} + u(1-v)P_{10} + uvP_{11}.$$

$$P_{01}^1 = (1-u)(1-v)P_{01} + (1-u)vP_{02} + u(1-v)P_{11} + uvP_{12}.$$

$$P_{10}^1 = (1-u)(1-v)P_{10} + (1-u)vP_{11} + u(1-v)P_{20} + uvP_{21}.$$

$$P_{11}^1 = (1-u)(1-v)P_{11} + (1-u)vP_{12} + u(1-v)P_{21} + uvP_{22}.$$

Así,

$$
\begin{aligned}
P_{00}^1 &= (1-u)(1-v)(0,0,0) + (1-u)v(0,1,1) + u(1-v)(1,0,0) + uv(1,1,0) \\
&= (0,0,0) + (0, v-uv, v-uv) + (u-uv, 0, 0) + (uv, uv, 0) \\
&= (u, v, v-uv).
\end{aligned}
$$

$$
\begin{aligned}
P_{01}^1 &= (1-u)(1-v)(0,1,1) + (1-u)v(0,2,0) + u(1-v)(1,1,0) + uv(1,2,0) \\
&= (0, (1-u)(1-v), (1-u)(1-v)) + (0, 2v(1-u), 0) + (u-uv, u-uv, 0) + (uv, 2uv, 0) \\
&= (u, 1+v, (1-u)(1-v)).
\end{aligned}
$$

$$
\begin{aligned}
P_{10}^1 &= (1-u)(1-v)(1,0,0) + (1-u)v(1,1,0) + u(1-v)(2,0,0) + uv(2,1,1) \\
&= ((1-u)(1-v), 0, 0) + ((1-u)v, (1-u)v, 0) + (2u(1-v), 0, 0) + (2uv, uv, uv) \\
&= (1+u, v, uv).
\end{aligned}
$$

$$
\begin{aligned}
P_{11}^1 &= (1-u)(1-v)(1,1,0) + (1-u)v(1,2,0) + u(1-v)(2,0,0) + uv(2,1,1) \\
&= ((1-u)(1-v), (1-u)(1-v), 0) + ((1-u)v, 2v(1-u), 0) + (2u(1-v), 0, 0) + (2uv, 2uv, uv) \\
&= (1+u, 1+v, u).
\end{aligned}
$$

Para $r = 2$, calculamos de forma análoga P_{00}^2,

$$
\begin{aligned}
P_{00}^2 &= (1-u)(1-v)P_{00}^1 + (1-u)vP_{01}^1 + u(1-v)P_{10}^1 + uvP_{11}^1 \\
&= (1-u)(1-v)(u, v, v-uv) + (1-u)v(u, 1+v, (1-u)(1-v)) + u(1-v)(1+u, v, uv) \\
&\quad + uv(1+u, 1+v, u) \\
&= (2u, 2v, (2 + u^2(4-3v) + 4u(v-1) - 2v)v)). \qquad \square
\end{aligned}
$$

La figura 6.2 nos muestra la superficie calculada.

| Superficies de Bézier con Matlab |

La siguiente función construye superficies de Bézier para $n = 2$, es decir, a partir de nueve puntos de control. En la función se nos pide inicialmente la introducción de los puntos de la red de Bézier

```
function supbezier2
%Comenzamos definiendo los puntos de control
p00=input('Punto P00=')
p01=input('Punto P01=')
p02=input('Punto P02=')
p10=input('Punto P10=')
p11=input('Punto P11=')
p12=input('Punto P12=')
p20=input('Punto P20=')
p21=input('Punto P21=')
p22=input('Punto P22=')

%Ahora definimos las variables u y v como simbólicas
syms m n;

%Ahora hacemos la primera iteracion: r=1
p001=simplify((1-m)*(1-n).*p00 + (1-m)*n.*p01 + m*(1-n).*p10 + m*n .*p11);
p011=simplify((1-m)*(1-n).*p01 + (1-m)*n.*p02 + m*(1-n).*p11 + m*n .*p12);
p101=simplify((1-m)*(1-n).*p10 + (1-m)*n.*p11 + m*(1-n).*p20 + m*n .*p21);
p111=simplify((1-m)*(1-n).*p11 + (1-m)*n.*p12 + m*(1-n).*p21 + m*n .*p22);

%Ahora hacemos la primera iteracion: r=2
p002=simplify((1-m)*(1-n).*p001 + (1-m)*n.*p011 + m*(1-n).*p101 + m*n .*p111)
```

Ejemplo 42.

Veamos un ejemplo con esta función. Para ello introducimos los puntos $P_{00}(0,0,0)$, $P_{01}(0,1,1)$, $P_{02}(0,2,0)$, $P_{10}(1,0,0)$, $P_{11}(1,1,0)$, $P_{12}(1,2,0)$, $P_{20}(2,0,0)$, $P_{21}(2,1,1)$, $P_{22}(2,2,1)$. El resultado que proporciona la función es

```
[ 2*m, 2*n, 2*m^2*n - m^2*n^2 - 2*n*(m - 1)^2*(n - 1)]
```

que representa la superficie de Bézier. En la figura 6.2 vemos la representación gráfica de esta superficie realizada con Matlab.

Representación gráfica de superficies de Bézier con Matlab

Para representar gráficamente con Matlab la superficie del ejemplo 42 podemos seguir las instrucciones siguientes:

```
u=linspace(0,1,100);
v=linspace(0,1,100);
[u,v]=meshgrid(u,v);
x=2*u;
```

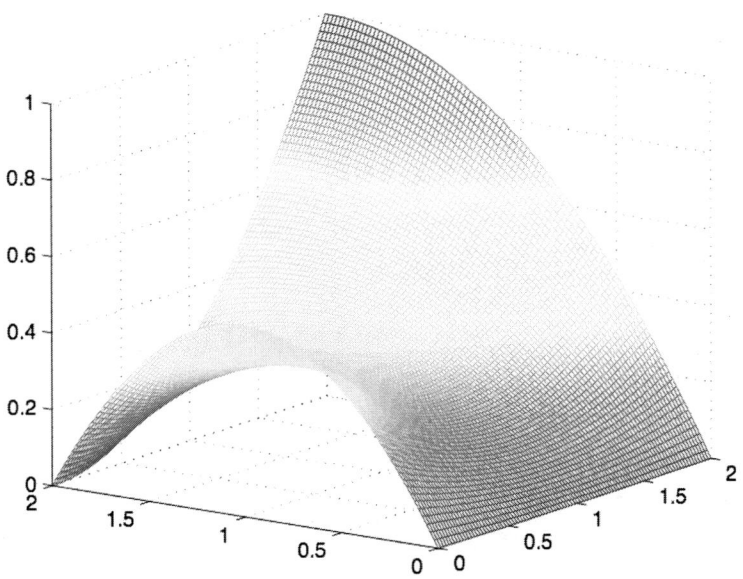

Figura 6.2: *Superficie de Bézier.*

```
y=2*v;
z=2*u.^2.*v - u.^2.*v.^2 - 2.*v.*(u - 1).^2.*(v - 1);
mesh(x,y,z)
```

Ejemplo 43.

En este ejemplo generamos la red de control formada por los puntos $P_{00}(0,0,0), P_{01}(1,0,0),$ $P_{02}(0,0,2), P_{10}(1,1,0),$ $P_{11}(1,1,1), P_{12}(1,1,2), P_{20}(2,1,0), P_{21}(2,1,2), P_{22}(2,2,2).$

SOLUCIÓN: El resultado que nos devuelve la función es

```
[ 2*m+2*n - 4*m*n - 2 *n^2+2 *m^2 *n + 4 *m*n^2 - 2*m^2 *n^2,
m^2 * n^2- m^2 + 2*m, 4*n*m + 2*n^2 - 4*m *n^2 ]
```

que representa la superficie de Bézier.

En la figura 6.3 vemos la representación gráfica de esta superficie.   □

Ejemplo 44.

En este ejemplo se genera la red de control formada por los puntos $P_{00}(0,0,0), P_{01}(0,1,0),$ $P_{02}(0,0,1), P_{10}(2,0,0),$ $P_{11}(1,1,1), P_{12}(1,2,0), P_{20}(1,-1,0), P_{21}(2,0,1), P_{22}(0,0,0).$

SOLUCIÓN: Notemos que hemos tomado el punto inicial y final de la red de control el punto origen de

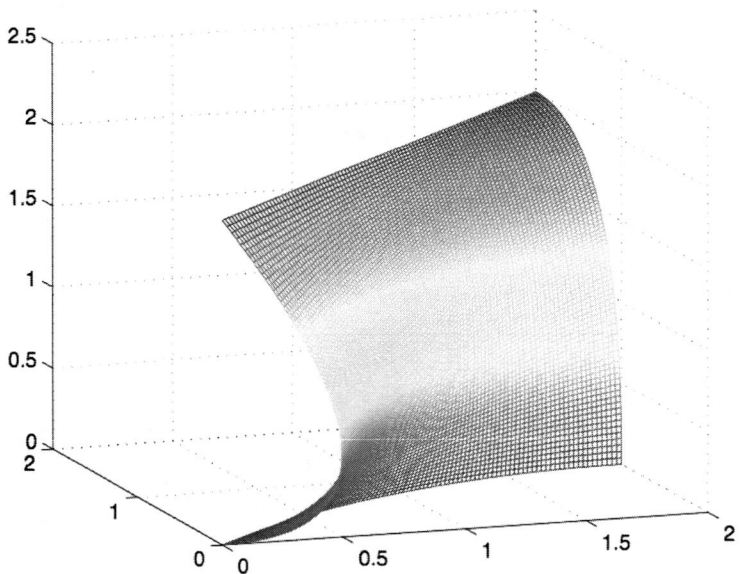

Figura 6.3: *Superficie de Bézier.*

coordenadas, $(0,0,0)$. Podemos crear superficies cerradas de esta forma.

El resultado que nos calcula la función implementada en Matlab es el siguiente

```
[-m*(3*m + 4*n - 6*m*n + 5*m*n^2 - 2*n^2 - 4),
- 3*m^2*n^2 - m^2 + 4*m*n^2 - 2*n^2 + 2*n,
n*(4*m + n - 6*m*n + 3*m^2*n - 2*m^2)]
```

que representa la superficie de Bézier.

En la figura 6.4 vemos la representación gráfica de esta superficie. □

En www.math.psu.edu/dlittle/java/parametricequations/beziersurfaces/index.html, David Little implementa un *applet* de Java con el que podemos dibujar superficies de Bézier, utilizando 16 puntos de control, de forma interactiva. Los puntos de control se sitúan inicialmente sobre el plano XY, mientras que moviendo la coordenada z de cada punto de control vamos modificando la forma de la superficie.

Hemos utilizado Matlab para implementar una función simple que nos permita representar gráficamente una superficie de Bézier, aunque podríamos haber utilizado otro software matemático del tipo Mathematica, Maple, etc.

Concretamente Mathematica dispone de una función para representar gráficamente una superficie de Bézier a partir de los puntos de control. Dicha función es

BezierFunction[array]

Podemos ver un ejemplo con dicha función.

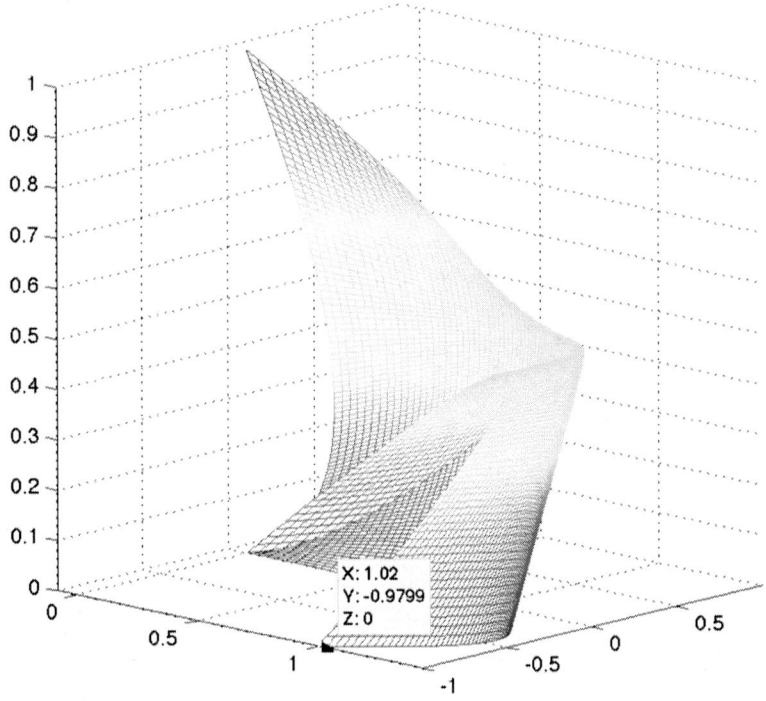

Figura 6.4: *Superficie de Bézier.*

Ejemplo 45.

En este ejemplo creamos una superficie de Bézier con Mathematica, utilizando 16 puntos de control, es decir, una malla 4×4.

```
pts={{{0,0,0}, {0,1,0}, {0,2,0}, {0,3,0}, {1,0,0}, {1,1,1}, {1,2,1}, {1,3,0},
{2,0,0}, {2,1,1}, {2,2,1}, {2,3,0}, {3,0,0}, {3,1,0}, {3,2,0}, { 3,3,0} }};
f = BezierFunction[pts]
```

Si queremos representar gráficamente la superficie, podemos utilizar el comando siguiente:

```
Show[Graphics3D[{PointSize[Medium], Red, Map[Point, pts]}],
Graphics3D[{Gray, Line[pts], Line[Transpose[pts]]}],
ParametricPlot3D[f[u,v], {u,0,1}, {v,0,1}, Mesh --> None]]
```

6.3 Superficies de Bézier construidas a partir de los polinomios de Bernstein

En la sección anterior generamos superficies de Bézier siguiendo el conocido esquema algorítmico de Casteljou. En este caso, el grado de las variables u y v era el mismo. El objetivo en esta sección es introducir las superficies de Bézier desde otro punto de vista, como un producto tensorial de las curvas de Bézier.

La idea intuitiva se basa en la idea de superficie como lugar geométrico de los puntos obtenidos al desplazar una curva de manera que su forma se vaya modificando. En nuestro caso la curva que utilizaremos para este desplazamiento será una curva de Bézier de grado m, determinada por un conjunto de puntos de control.

Definición 44 (superficie de Bézier).

Dado un conjunto de puntos P_{ij}, con $0 \leqslant i \leqslant m$ y $0 \leqslant j \leqslant n$ se define la **superficie de Bézier** asociada como la superficie

$$x : [0,1] \times [0,1] \longrightarrow \mathbb{R}^3$$

$$x(u,v) \longrightarrow x(u,v) = \sum_{i=0}^{m} \sum_{j=0}^{n} B_i^m(u) B_j^n(v) P_{ij},$$

donde $B_i^m(u)$ y $B_j^n(v)$ son los polinomios de Bernstein correspondientes, en las variable u y v, respectivamente.

Notemos que esta definición es equivalente a la construcción basada en el algoritmo de Casteljou cuando $m = n$. Veamos un ejemplo en el que se ponga de manifiesto la construcción basada en polinomios de Bernstein.

Ejemplo 46.

Utilizamos la red de puntos de control del ejemplo 42, es decir, $P_{00}(0,0,0)$, $P_{01}(0,1,1)$, $P_{02}(0,2,0)$, $P_{10}(1,0,0)$, $P_{11}(1,1,0)$, $P_{12}(1,2,0)$, $P_{20}(2,0,0)$, $P_{21}(2,1,1)$, $P_{22}(2,2,1)$. Queremos determinar la ecuación de la superficie de Bézier asociada a esta red de puntos de control.

SOLUCIÓN: En este caso, tomamos $m = n = 2$. Los polinomios de Bernstein para estos valores de m y n son:

$$B_0^2(u) = (1-u)^2 \quad B_1^2(u) = 2u(1-u) \quad B_2^2(u) = u^2$$
$$B_0^2(v) = (1-v)^2 \quad B_1^2(v) = 2v(1-v) \quad B_1^2(v) = v^2.$$

La superficie de Bézier vendrá dada por la expresión

$$x(u,v) = \sum_{i=0}^{2} \sum_{j=0}^{2} B_i^2(u) B_j^2(v) P_{ij}$$

$$
\begin{aligned}
&= \sum_{j=0}^{2} B_0^2(u)B_j^2(v)P_{0j} + \sum_{j=0}^{2} B_1^2(u)B_j^2(v)P_{1j} + \sum_{j=0}^{2} B_2^2(u)B_j^2(v)P_{2j} \\
&= B_0^2(u)B_0^2(v)P_{00} + B_0^2(u)B_1^2(v)P_{01} + B_0^2(u)B_2^2(v)P_{02} \\
&\quad + B_1^2(u)B_0^2(v)P_{10} + B_1^2(u)B_1^2(v)P_{11} + B_1^2(u)B_2^2(v)P_{12} \\
&\quad + B_2^2(u)B_0^2(v)P_{20} + B_2^2(u)B_1^2(v)P_{21} + B_2^2(u)B_2^2(v)P_{22} \\
&= (1-u)^2(1-v)^2(0,0,0) + (1-u)^2 2v(0,1,1) + (1-u)^2 v^2(0,2,0) + 2u(1-u)(1-v)^2(1,0,0) + \\
&\quad + 2u(1-u)2v(1-v)(1,1,0) + 2u(1-u)v^2(1,2,0) + u^2(1-v)^2(2,0,0) + u^2 2v(1-v)(2,1,1) + \\
&\quad + u^2 v^2(2,2,1) \\
&= (2u, 2v, (2 + u^2(4-3v) + 4u(v-1) - 2v)v). \qquad \square
\end{aligned}
$$

A continuación, enunciamos algunas de las propiedades más interesantes de las superficies de Bézier (véase [6], [7] de los libros recomendados).

- Las superficies de Bézier se definen mediante formas polinómicas de grados m y n, respectivamente.
- La superficie de Bézier está contenida en la envoltura convexa de la red de puntos de control.

Curvas coordenadas.

Las curvas coordenadas de una superficie de Bézier son las que se obtienen haciendo u y v constantes.

Intentamos comprender lo que significan las curvas coordenadas en las superficies que estamos estudiando. Tomamos, por ejemplo, la curva coordenada que se origina haciendo $v = v_0$ (constante).

$$
\begin{aligned}
x(u, v_0) &= \sum_{i=0}^{m}\sum_{j=0}^{n} B_i^m(u)B_j^n(v_0)P_{ij} \\
&= B_0^m(u)\left[\sum_{j=0}^{n} B_j^n(v_0)P_{0j}\right] + \ldots + B_m^m(u)\left[\sum_{j=0}^{n} B_j^n(v_0)P_{mj}\right] \\
&= B_0^m(u)\left[B_0^n(v_0)P_{00} + B_1^n(v_0)P_{01} + \ldots + B_n^n(v_0)P_{0n}\right] + \\
&= B_1^m(u)\left[B_0^n(v_0)P_{10} + B_1^n(v_0)P_{11} + \ldots + B_n^n(v_0)P_{1n}\right] + \\
&\quad \ldots \; + B_m^m(u)\left[B_0^n(v_0)P_{m0} + B_1^n(v_0)P_{m1} + \ldots + B_n^n(v_0)P_{mn}\right].
\end{aligned}
$$

Ahora particularizamos esta cálculo general para el caso en que $m = n = 2$.

$$
\begin{aligned}
x(u, v_0) &= \sum_{i=0}^{2}\sum_{j=0}^{2} B_i^2(u)B_j^2(v_0)P_{ij} \\
&= B_0^2(u)\left[B_0^2(v_0)P_{00} + B_1^2(v_0)P_{01} + B_2^2(v_0)P_{02}\right] \\
&\quad + B_1^2(u)\left[B_0^2(v_0)P_{10} + B_1^2(v_0)P_{11} + B_2^2(v_0)P_{12}\right] \\
&\quad + B_2^2(u)\left[B_0^2(v_0)P_{20} + B_1^2(v_0)P_{21} + B_2^2(v_0)P_{22}\right].
\end{aligned}
$$

Los polinomios de Bernstein $B_i^2(v_0)$ son

$$
\begin{aligned}
B_0^2(v_0) &= (1-v_0)^2. \\
B_1^2(v_0) &= 2v_0(1-v_0). \\
B_2^2(v_0) &= v_0^2.
\end{aligned}
$$

Supongamos ahora que particularizamos al caso en que $v_0 = 1/2$. Obtengamos la curva coordenada de la superficie de Bézier.

$$
\begin{aligned}
x(u,1/2) &= (1-u)^2 \left[B_0^2(1/2)P_{00} + B_1^2(1/2)P_{01} + B_2^2(1/2)P_{02} \right] \\
&+ 2u(1-u) \left[B_0^2(1/2)P_{10} + B_1^2(1/2)P_{11} + B_2^2(1/2)P_{12} \right] \\
&+ u^2 \left[B_0^2(1/2)P_{20} + B_1^2(1/2)P_{21} + B_2^2(1/2)P_{22} \right].
\end{aligned}
$$

En consecuencia,

$$
B_0^2(1/2) = 1/4 \quad B_1^2(1/2) = 1/2 \quad B_2^2(1/2) = 1/4.
$$

Sustituyendo

$$
\begin{aligned}
x(u,1/2) &= 1/4(1-u)^2 P_{00} + 1/2(1-u)^2 P_{01} + 1/4(1-u)^2 P_{02} \\
&+ 1/2u(1-u)P_{10} + u(1-u)P_{11} + 1/2u(1-u)P_{12} \\
&+ 1/4u^2 P_{20} + 1/2u^2 P_{21} + 1/4u^2 P_{22}.
\end{aligned}
$$

Ejemplo 47.

Utilizamos la red de puntos de control del ejemplo 42, es decir, $P_{00} = (0,0,0)$, $P_{01} = (0,1,1)$, $P_{02} = (0,2,0)$, $P_{10} = (1,0,0)$, $P_{11} = (1,1,0)$, $P_{12} = (1,2,0)$, $P_{20} = (2,0,0)$, $P_{21} = (2,1,1)$, $P_{22} = (2,2,1)$.
Calcule la curva coordenada para $v_0 = 1/2$.

SOLUCIÓN: Partiendo de la expresión

$$
x(u,1/2) = 1/4u^2 P_{20} + 1/2u^2 P_{21} + 1/4u^2 P_{22}
$$

tendremos que

$$
\begin{aligned}
x(u,1/2) &= 1/4(1-u)^2(0,0,0) + 1/2(1-u)^2(0,1,1) + 1/4(1-u)^2(0,2,0) \\
&+ 1/2u(1-u)(1,0,0) + u(1-u)(1,1,0) + 1/2u(1-u)(1,2,0) \\
&+ 1/4u^2(2,0,0) + 1/2u^2(2,1,1) + 1/4u^2(2,2,1) \\
&= (2u, 1, 1/2 - u + 5/4u^2). \qquad \square
\end{aligned}
$$

Definición 45 (curvas frontera).

Las cuatro curvas coordenadas determinadas por los valores $u = 0$, $u = 1$, $v = 0$ y $v = 1$ se denominan **curvas frontera** de la superficie de Bézier. Sus puntos de control son precisamente los puntos de control exteriores de la red de puntos de control.

Ejemplo 48.

Utilizamos la red de puntos de control del ejemplo 42 para calcular las curvas frontera de las superficies de Bézier.

SOLUCIÓN: | Caso 1: $u = 0$. |

Para $u = 0$ los polinomios de Bernstein son

$$B_0^2(u) = (1-u)^2 \longrightarrow B_0^2(0) = 1$$
$$B_1^2(u) = 2u(1-u) \longrightarrow B_1^2(0) = 0$$
$$B_2^2(u) = u^2 \longrightarrow 0.$$

Por consiguiente,

$$
\begin{aligned}
x(u = 0, v) &= \sum_{i=0}^{2}\sum_{j=0}^{2} B_i^2(0)B_j^2(v)P_{ij} \\[2mm]
&= B_0^2(v)\left[\sum_{i=0}^{2} B_i^2(0)P_{i0}\right] + B_1^2(v)\left[\sum_{i=0}^{2} B_i^2(0)P_{i1}\right] + B_2^2(v)\left[\sum_{i=0}^{2} B_i^2(0)P_{i2}\right] \\[2mm]
&= B_0^2(v)B_0^2(0)P_{00} + B_1^2(v)B_0^2(0)P_{01} + B_2^2(v)B_0^2(0)P_{02} \\[2mm]
&= (1-v)^2(0,0,0) + 2v(1-v)(0,1,1) + v^2(0,2,0) \\[2mm]
&= (0, 2v, 2v(1-v)).
\end{aligned}
$$

| Caso 2: $u = 1$. |

Para $u = 1$ los polinomios de Bernstein son

$$B_0^2(u) = (1-u)^2 \longrightarrow B_0^2(1) = 0$$
$$B_1^2(u) = 2u(1-u) \longrightarrow B_1^2(1) = 0$$
$$B_2^2(u) = u^2 \longrightarrow B_2^2(1) = 1.$$

Entonces,

$$x(u = 1, v) = \sum_{i=0}^{2}\sum_{j=0}^{2} B_i^2(1)B_j^2(v)P_{ij}$$

$$
\begin{aligned}
&= \quad B_0^2(1)\left[B_0^2(v)P_{00}B_1^2(v)P_{01} + B_2^2(v)P_{02}\right] \\
&+ \quad B_1^2(1)\left[B_0^2(v)P_{10}B_1^2(v)P_{11} + B_2^2(v)P_{12}\right] \\
&+ \quad B_2^2(1)\left[B_0^2(v)P_{20}B_1^2(v)P_{21} + B_2^2(v)P_{22}\right] \\
&= \quad (1-v)^2(2,0,0) + 2v(1-v)(2,1,1) + v^2(2,2,1) \\
&= \quad (2, 2v, 2v - v^2).
\end{aligned}
$$

Caso 3: $v = 0$.

Para $v = 0$ los polinomios de Bernstein son

$$
\begin{aligned}
B_0^2(v) = (1-v)^2 &\longrightarrow B_0^2(0) = 1 \\
B_1^2(v) = 2v(1-v) &\longrightarrow B_1^2(0) = 0 \\
B_2^2(v) = v^2 &\longrightarrow B_2^2(0) = 0.
\end{aligned}
$$

Así,

$$
\begin{aligned}
x(u, v = 0) &= \quad B_0^2(u)B_0^2(0)P_{00} + B_0^2(u)B_1^2(0)P_{01} + B_0^2(u)B_2^2(0)P_{02} \\
&+ \quad B_1^2(u)B_0^2(0)P_{10} + B_1^2(u)B_1^2(0)P_{11} + B_1^2(u)B_2^2(0)P_{12} \\
&+ \quad B_2^2(u)B_0^2(0)P_{20} + B_2^2(u)B_1^2(0)P_{21} + B_2^2(u)B_2^2(0)P_{22} \\
&= \quad B_0^2(u) \cdot 1 \cdot P_{00} + B_1^2(u) \cdot 1 \cdot P_{10} + B_2^2(u) \cdot 1 \cdot P_{20} \\
&= \quad (1-u)^2(0,0,0) + 2u(1-u)(1,0,0) + u^2(2,0,0) \\
&= \quad (2u, 0, 0).
\end{aligned}
$$

Caso 4: $v = 1$.

Para $v = 1$ los polinomios de Bernstein son

$$
\begin{aligned}
B_0^2(v) = (1-v)^2 &\longrightarrow B_0^2(1) = 0 \\
B_1^2(v) = 2v(1-v) &\longrightarrow B_1^2(1) = 0 \\
B_2^2(v) = v^2 &\longrightarrow B_2^2(1) = 1.
\end{aligned}
$$

De forma análoga a los casos anteriores,

$$
\begin{aligned}
x(u, v = 1) &= \quad B_0^2(u)B_0^2(1)P_{00} + B_0^2(u)B_1^2(1)P_{01} + B_0^2(u)B_2^2(1)P_{02} \\
&+ \quad B_1^2(u)B_0^2(1)P_{10} + B_1^2(u)B_1^2(1)P_{11} + B_1^2(u)B_2^2(1)P_{12} \\
&+ \quad B_2^2(u)B_0^2(1)P_{20} + B_2^2(u)B_1^2(1)P_{21} + B_2^2(u)B_2^2(1)P_{22} \\
&= \quad B_0^2(u) \cdot 1 \cdot P_{02} + B_1^2(u) \cdot 1 \cdot P_{12} + B_2^2(u) \cdot 1 \cdot P_{22}
\end{aligned}
$$

$$= (1-u)^2(0,2,0) + 2u(1-u)(1,2,0) + u^2(2,2,1)$$

$$= (2u, 2, u^2).$$ $\square$

6.4 Superficies de Bézier triangulares

Las superficies de Bézier que se han estudiado hasta ahora reciben el nombre de superficies de Bézier rectangulares ya que la aplicación está definida sobre un rectángulo

$$x : [0,1] \times [0,1] \longrightarrow \mathbb{R}^3.$$

Además, la red de puntos de control es rectangular.

Sin embargo, puede resultar interesante trabajar con superficies formadas por triángulos, en lugar de rectángulos. Para construir las superficies de Bézier a partir de triángulos debemos modificar ligeramente los polinomios de Berstein. La clave de esta modificación se basa en escribir los polinomios de Bernstein en coordenadas baricéntricas, cuya expresión es la siguiente:

$$B^u_{ijk}(u,v,w) = \frac{n!}{i!j!k!} u^i v_i w_i,$$

donde $i + j + k = n$ y $u + v + w = 1$.

> **Ejemplo 49.**
>
> Calcule los polinomios de Bernstein en coordenadas baricéntrias para $n = 3$.

SOLUCIÓN: Por definición,

$$B^3_{ijk}(u,v,w) = \frac{3!}{i!j!k!} u^i v_i w_i,$$

siendo $i + j + k = 3$ y $w = 1 - u - v$.

Como $i + j + k = 3$ tenemos las siguientes posibilidades:

i	j	k		i	j	k
3	0	0		1	0	2
2	1	0		0	3	0
2	0	1		0	2	1
1	2	0		0	1	2
1	1	1		0	0	3

lo que da lugar a los polinomios siguientes:

$$B^3_{300}(u,v,w) = \frac{3!}{3!0!0!} u^3 v_0 w_0 = u^3.$$

$$B^3_{210}(u,v,w) = \frac{3!}{2!1!0!} u^2 v_1 w_0 = 3u^2 v.$$

$$B_{201}^3(u,v,w) = \frac{3!}{2!0!1!}u^2 v_0 w_1 = 3u^2(1-u-v).$$

$$B_{120}^3(u,v,w) = \frac{3!}{1!2!0!}u^1 v_2 w_0 = 3uv^2.$$

$$B_{111}^3(u,v,w) = \frac{3!}{1!1!1!}u^1 v_1 w_1 = 6uv(1-u-v).$$

$$B_{102}^3(u,v,w) = \frac{3!}{1!0!2!}u^1 v_0 w_2 = 3u(1-u-v)^2.$$

$$B_{030}^3(u,v,w) = \frac{3!}{0!3!0!}u^0 v_3 w_0 = v^3.$$

$$B_{021}^3(u,v,w) = \frac{3!}{0!2!1!}u^0 v_2 w_1 = 3v^2(1-u-v).$$

$$B_{012}^3(u,v,w) = \frac{3!}{0!1!2!}u^0 v_1 w_2 = 3v(1-u-v)^2.$$

$$B_{003}^3(u,v,w) = \frac{3!}{0!0!3!}u^0 v_0 w_3 = (1-u-v)^3. \qquad \square$$

Ahora la red de control de puntos es una red triangular; los puntos de control están formados por los índices i, j, k verificando la relación $i + j + k = n$. Como hemos visto en el ejemplo anterior, para el caso $n = 3$ tendremos el conjunto de puntos:

$$\{P_{ijk}\}_{i+j+k=3} = \{P_{300}, P_{210}, P_{201}, P_{120}, P_{111}, P_{102}, P_{030}, P_{021}, P_{012}, P_{003}\}.$$

Una vez definidos los polinomios de Bernstein en coordenadas baricéntricas y la red de puntos de control, podemos definir una superficie de Bézier triangular asociada a una red de puntos de control triangular, como

$$x(u,v,w) = \sum_{i+j+k=n} B_{ijk}^n(u,v,w)P_{ijk}.$$

En realidad, las coordenadas u, v, w verifican la relación $u + v + w = 1$, por lo que $w = 1 - u - v$. De esta manera, podemos construir la superficie de Bézier como

$$x(u,v,1-u-v) = \sum_{i+j+k=n} B_{ijk}^n(u,v,1-u-v)P_{ijk},$$

donde los parámetros u, v verifican la relación $0 \leqslant 1$ y $u + v \leqslant 1$.

Ahora se define la aplicación sobre el conjunto

$$T = \{(u,v) \in \mathbb{R}^3 : 0 \leqslant u,v \leqslant 1, u+v \leqslant 1\}.$$

La figura 6.5 nos muestra el conjunto T, donde se aprecia perfectamente que es un triángulo.

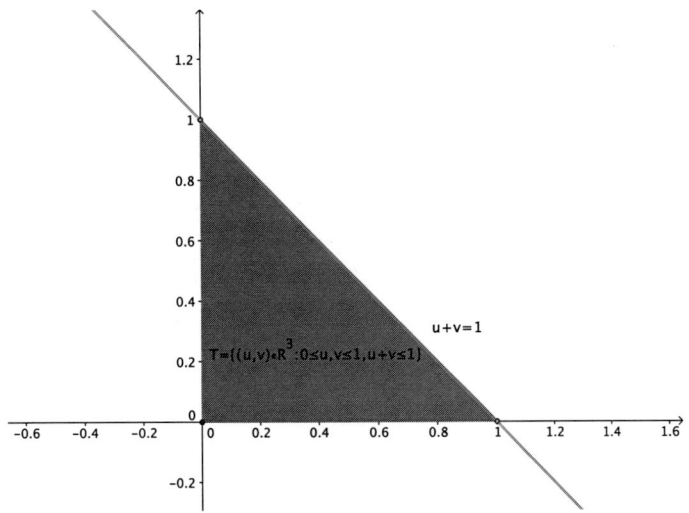

Figura 6.5: *Conjunto T.*

Ejemplo 50.

Consideramos la red de control triangular formada por los siguientes puntos:

$$\{P_{ijk}\}_{i+j+k=3} = \{P_{300}(3,0,0), P_{210}(2,1,0), P_{201}(2,0,1), P_{120}(1,2,0), P_{111}(-1,-1,-1)$$
$$P_{102}(1,0,2), P_{030}(0,3,0), P_{021}(0,2,1), P_{012}(0,1,2), P_{003}(0,0,3)\}.$$

Calcule la superficie de Bézier que genera esta red de control.

SOLUCIÓN: La superficie de Bézier generada a partir de esta red de control es

$$
\begin{aligned}
x(u,v,1-u-v) &= B_{300}^3(u,v,1-u-v)P_{300} + B_{210}^3(u,v,1-u-v)P_{210} + B_{201}^3(u,v,1-u-v)P_{201} \\
&+ B_{120}^3(u,v,1-u-v)P_{120} + B_{111}^3(u,v,1-u-v)P_{111} + B_{102}^3(u,v,1-u-v)P_{102} \\
&+ B_{030}^3(u,v,1-u-v)P_{030} + B_{021}^3(u,v,1-u-v)P_{021} + B_{012}^3(u,v,1-u-v)P_{012} \\
&+ +B_{003}^3(u,v,1-u-v)P_{003} \\
&= u^3(3,0,0) + 3u^2v(2,1,0) + 3u^2(1-u-v)(2,0,1) + 3uv^2(1,2,0) \\
&+ 6uv(1-u-v)(-1,-1,-1) + 3u(1-u-v)^2(1,0,2) + v^3(0,3,0) \\
&+ 3v^2(1-u-v)(0,2,1) + 3v(1-u-v)^2(0,1,2) + (1-u-v)^3(0,0,3) \\
&= (12u^2v + 12uv^2 - 12uv + 3u, 12u^2v + 12uv^2 - 12uv + 3v, \\
&\quad 3 + 15u - 3v - 12uv + 12u^2v + 12uv^2).
\end{aligned}
$$

$\square$

En el caso de las superficies de Bézier triangulares, las curvas fronteras también son curvas de Bézier y sus puntos de control son los puntos exteriores de la red de control. Notemos que ahora solamente hay tres curvas frontera:

$$x(u,0), \quad x(0,v), \quad x(u,1-u).$$

Por ejemplo,

$$
\begin{aligned}
x(u,0) &= \sum_{i+j+k=n} B_{ijk}^n(u,0,1-u)P_{ijk} \\
&= \sum_{i+k=n} B_{i0k}^n(u,0,1-u)P_{i0k} \\
&= \sum_{i=0}^{n} B_i^n(u)P_{i0n-i}
\end{aligned}
$$

Las otras curvas frontera se calculan de forma totalmente análoga.

Bezier Surface Patch Demo

El proyecto denominado **Bezier Surface Patch Demo** (http://bezdemo.sourceforge.net/) se basa en la creación de un programa demostración para crear superficies de Bézier. Se trata de una herramienta que puede ayudar al estudiante a comprender la creación y manipulación de las superficies de Bézier. Fue creada por Wei Li, cuando era estudiante de Doctorado en la Universidad de Berkeley (California, USA).

En esta herramienta, el usuario debe crear un fichero de texto (*.txt*) donde especifica los puntos de control de la superficie. Dicho fichero tiene esta estructura:

```
m
n
x y z
x y z
...
x y z
```

El parámetro m indica el número de filas del conjunto de puntos de control, mientras que n indica el número de columnas. Las siguientes líneas representan las coordenadas de los puntos de control.

En la figura 6.6 vemos un ejemplo de una superficie creada con esta función. En la parte izquierda de la figura vemos los controles del programa, así como sus diversas opciones, que nos permiten modificar la superficie creada.

Si introducimos los puntos de la red de control del ejemplo 42 y ejecutamos el programa obtenemos la superficie de Bézier que ya habíamos representado con Matlab. La representación la podemos ver en la figura 6.7.

Las diversas opciones que nos ofrece el programa nos permiten rotar la superficie, así como mover los puntos de control de la red. Evidentemente, si modificamos uno de los puntos de la red, notamos inmediatamente como la superficie cambia su forma. Podemos distorsionar la superficie simplemente arrastrando los puntos de control en la pantalla.

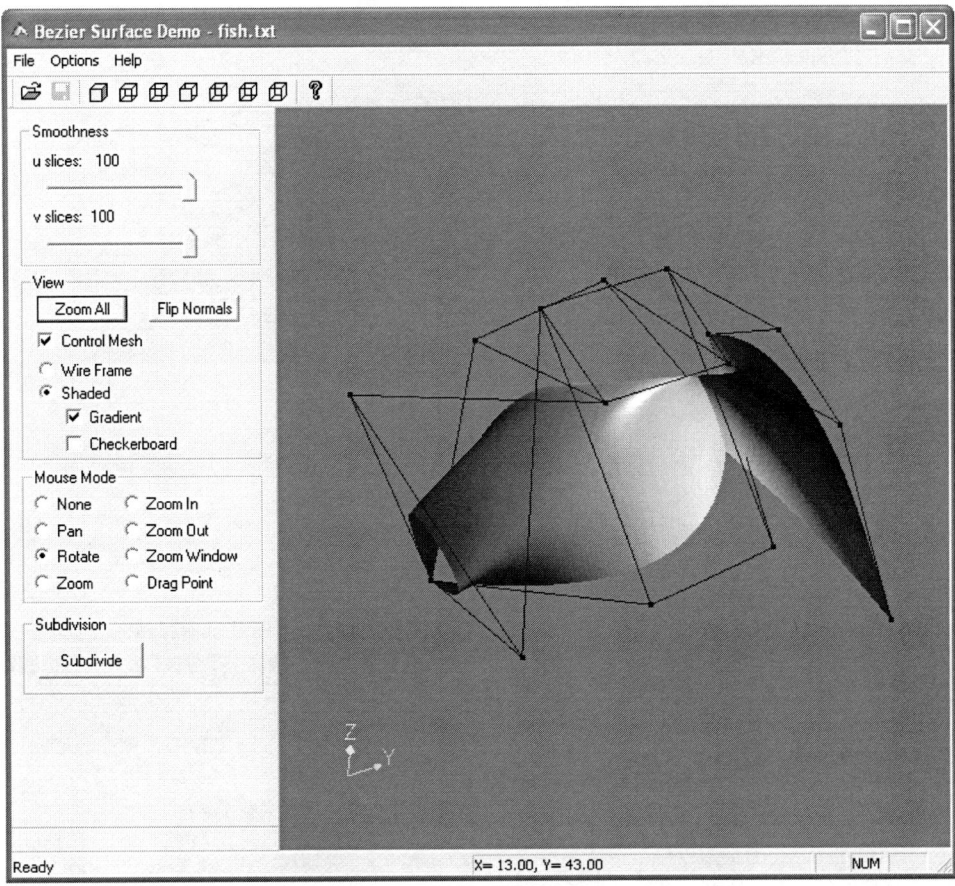

Figura 6.6: *Superficie de Bézier.*

También podemos determinar la resolución con la que se muestra la superficie, así como observarla simplemente como una malla tridimensional o como una superficie sólida.

Otra de las posibilidades interesantes que nos ofrece el software es poder subdividir la superficie en varias partes. Concretamente tenemos la opción *Subdivide*; lo que hace es subdividir la superficie en el punto con valores de parámetro $(0.5, 0.5)$. De esta manera tenemos subdividida la superficie en catro trozos. Además, tenemos la opción de ajustar el hueco (*gap*) que se produce entre las cuatro partes, pudiendo unirlas o separalas con el movimiento del ratón.

Notemos que el programa dispone de una ayuda en la que podemos encontrar una referencia de todas las posibles opciones y posibilidades del *software*.

Las imágenes que aparecen en las figuras de la página siguiente nos muestran algunas superficies generadas a partir de ficheros de texto que ya vienen incluidos en el *software*, a modo de ejemplo. Observamos superficies de distintas formas y topologías. Podemos crear nuestros ficheros de texto con los puntos de control para crear nuestras propias superficies y luego modificar gráficamente dichos puntos para modificar la forma de las mismas.

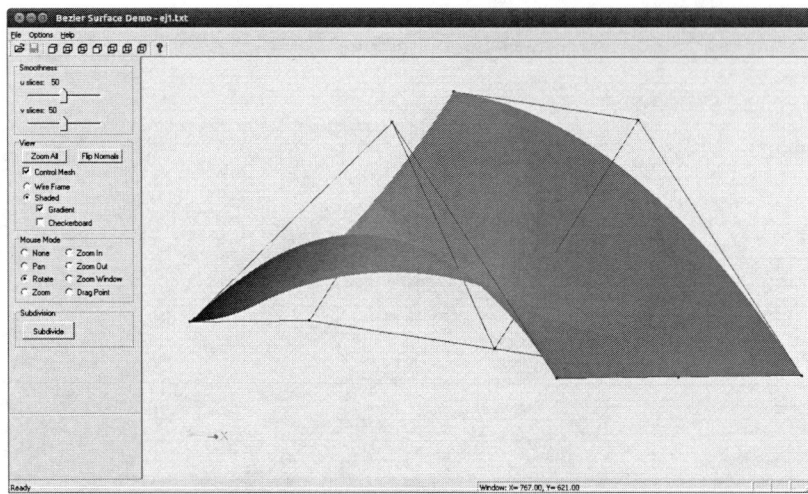

Figura 6.7: *Superficie de Bézier.*

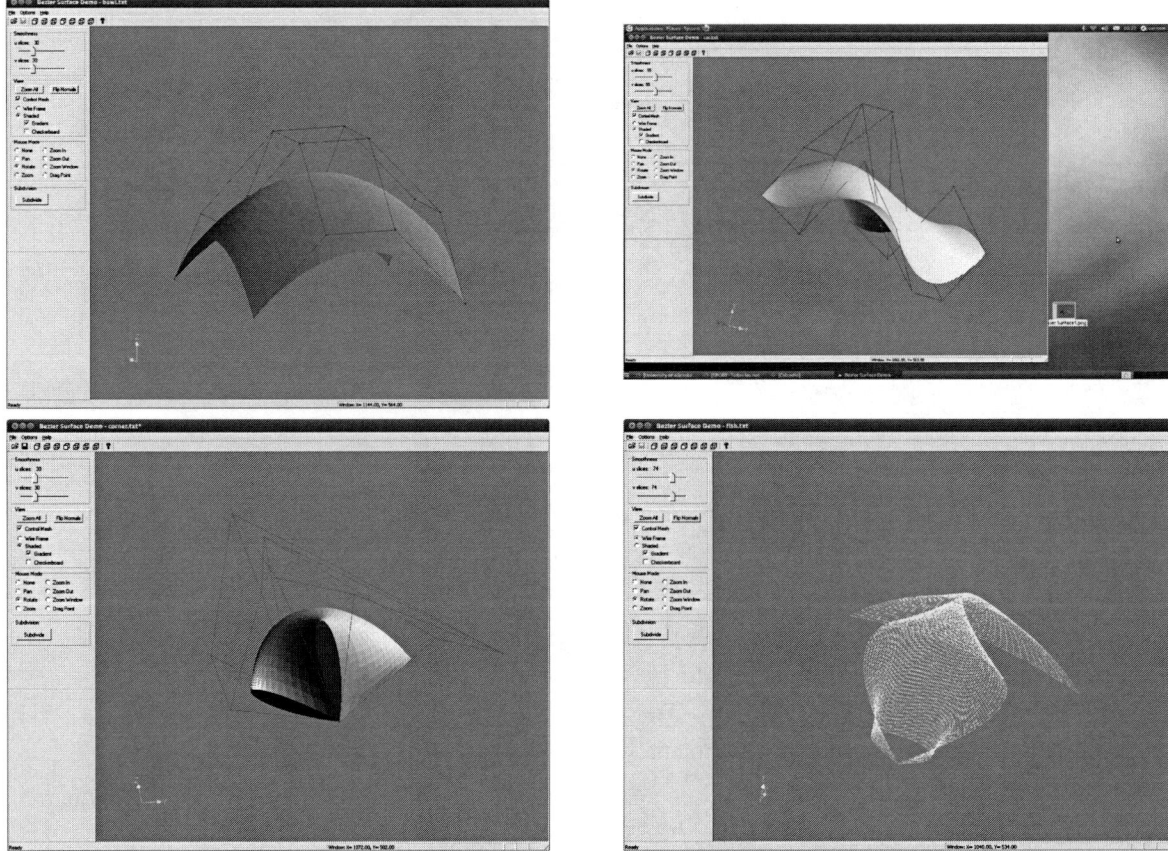

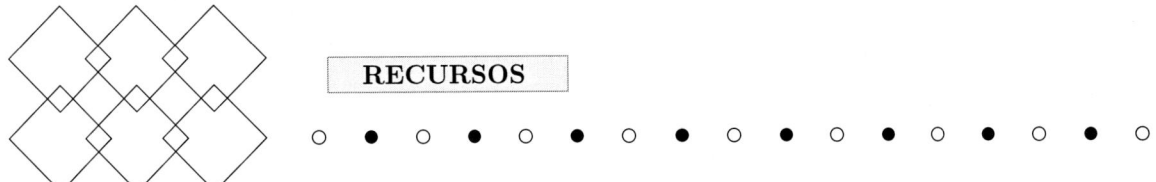

RECURSOS

Se pueden encontrar buenos recursos en la red acerca de las superficies de Bézier, así como de sus múltiples aplicaciones.

Solamente citamos unas páginas a modo de ejemplo.

- www.math.psu.edu/dlittle/java/parametricequations/beziersurfaces/index.html
  En esta página web, David Little ha implementado un *applet* de Java extraordinario para representar superficies de Bézier. Nos permite dibujar superficies de Bézier con 16 puntos de control. Cada punto se dispone en el plano XY. La coordenada z de cada punto puede variarse y modificarse simplemente arrastrando el punto en la dirección perpendicular al plano. También nos permite girar la superficie y observarla desde diferentes puntos de vista. Además, podemos descargarnos el *applet* para ejecutarlo sin conexión a la red. En esta página también hay *applets* relacionados con otras curvas, como cónicas, cicloides, etc.

- www.singsurf.org/
  Página web de Richard Morris donde hay mucha información teórica y visual sobre curvas y superficies. Hay implementaciones en Java interactivas en las que visualizamos todo tipo de curvas.

- www.ams.org/mathimagery/
  Página de la American Mathematical Society (AMS) dedicada al estudio de las conexiones entre las matemáticas y el arte. Podemos encontrar muchos enlaces a otras páginas donde se pone de manifiesto la estrecha relación entre algunos artistas y matemáticos, así como sus creaciones.

- www.miqel.com/fractals_math_patterns/visual-math-minimal-surfaces.html
  Aquí podemos introducirnos en el tema de las superficies mínimas y formas geodésicas. Entendemos por superficies mínimas las que generan conexiones más económicas entre las líneas en el espacio tridimensional. Hay formas extraordinariamente atractivas y disponemos de algunas animaciones para visualizar algunas de estas superficies.

- www.ibiblio.org/e-notes/Splines/Intro.htm
  Gran cantidad de información sobre el tema de los Splines.

- www.josleys.com/show_gallery.php?galid=274
  Aquí podemos ver una galería de imágenes sobre superficies, de distintas formas y tipos, aunque todas ellas son visualmente muy atractivas. También encontramos artículos relacionados con el tema de las superficies y enlaces a otras páginas interesantes.

- www.emis.de/journals/NNJ/Mar-Gra-Can.html
  Artículo en el que los autores explican cómo aplican una nueva propiedad de las cónicas a la arquitectura, con el proyecto de construcción de una catedral en Río de Janeiro.

- divulgamat2.ehu.es/divulgamat15/
  index.php?option=com_content&view=article&id=12828&directory=67&limitstart=1
  Podemos contemplar las obras del escultor Cayetano Ramírez, en las que se aprecian curvas y superficies matemáticas como cicloides, espirales, botellas de Klein, etc.

- www.antonigaudi.org/

Página dedicada al genial arquitecto Antonio Gaudí, en la que encontramos abundante información sobre su vida, su obra, etc. También podemos admirar algunas de sus construcciones más interesantes y conocidas.

- `www.epdlp.com/arquitecto.php?id=31`

  En esta página se nos habla sobre la vida y la obra del arquitecto hispano-mexicano Félix Candela, autor entre otras obras del Oceanográfico de la ciudad de las Artes y las Ciencias de Valencia.

6.5 Ejercicios propuestos

Problema 6.1: *Construya el paraboloide hiperbólico que pasa por los puntos*

$$P_{00}(0,0,0), P_{01}(0,1,1), P_{10}(1,0,1), P_{11}(1,1,0).$$

Problema 6.2: *Consideremos la superficie de Bézier bicuadrada definida por la red de puntos de control:*

$$P_{00}(0,0,0), \quad P_{01}(0,1,0), \quad P_{02}(0,2,1), \quad P_{10}(1,0,0),$$
$$P_{11}(1,1,1), \quad P_{12}(1,2,1), \quad P_{20}(2,0,-1), \quad P_{21}(2,1,0),$$
$$P_{22}(2,2,0).$$

Entonces,

(a) *Calcule la superficie de Bézier asociada con el algoritmo de Casteljou.*

(b) *Calcule la superficie de Bézier utilizando los polinomios de Bernstein.*

Problema 6.3: *Consideremos la superficie de Bézier definida por la red de puntos de control:*

$$P_{00}(0,0,0), \quad P_{01}(0,1,1), \quad P_{02}(0,2,0), \quad P_{10}(1,0,1),$$
$$P_{11}(1,1,0), \quad P_{12}(1,2,1).$$

Entonces.

(a) *Calcule la superficie de Bézier utilizando los polinomios de Bernstein.*

(b) *Calcule las curvas frontera.*

Problema 6.4: *Determine la superficie de Bézier triangular definida por la red de puntos de control:*

$$P_{300}(3,0,0), P_{210}(2,1,0), P_{201}(2,0,1),$$

$$P_{120}(-1,2,0), P_{111}(-1,-1,-1), P_{102}(1,0,2),$$
$$P_{030}(0,3,0), P_{021}(0,2,1), P_{012}(0,1,2), P_{003}(0,0,3).$$

Problema 6.5: *Construya una función utilizando Matlab o Mathematica que nos proporcione la superficie de Bézier a partir de una malla 4×4, es decir, que tengamos 16 puntos de control.*

Problema 6.6: *Implemente una función para el programa Mathematica en la que se visualice una superficie de Bézier en la que la red de control venga dada por los puntos siguientes:*

$$(0,0,0),(1,1,0),(1,2,0),(0,3,0),$$

$$(1,0,1),(1,1,1),(1,2,1),(1,3,1),$$

$$(2,0,0),(2,1,2),(2,2,1),(2,3,0),$$

$$(3,0,2),(3,1,0),(3,2,2),(3,3,1).$$

Problema 6.7: *Se considera la red de control formada por los puntos*

$$\begin{array}{lll} P_{00}(0,0,0) & P_{01}(0,1,0) & P_{02}(1,2,0) \\ P_{10}(1,0,0) & P_{11}(1,1,0) & P_{12}(1,2,1) \\ P_{20}(2,0,2) & P_{21}(2,1,1) & P_{22}(2,2,2) \end{array}$$

Constuya la superficie de Bézier para esta red de control siguiendo el algoritmo de Casteljou.

7  Introducción a la geometría computacional

Creo que el conocimiento científico tiene propiedades fractales: que por mucho que aprendamos, lo que queda, por pequeño que parezca, es tan infinitamente complejo como el todo por el que empezamos. Ese, creo yo, es el secreto del universo.
Isaac Asimov (1920-1992).

Dado que existe una ley como la de la gravedad, el universo pudo crearse a sí mismo de la nada, como así ocurrió. La creación espontánea es la razón de que exista algo, en vez de nada, de que el universo exista, de que nosotros existamos. No es necesario invocar a Dios para que encienda la mecha y ponga el universo en funcionamiento.
Stephen Hawking (1942-).

7.1 Introducción

Comenzamos planteando una serie de problemas que nos sirven para introducir el tipo de problemas que intenta resolver la geometría computacional.

Problema	Descripción
El controlador aéreo	Un controlador aéreo debe avisar a los pilotos de dos aviones si están demasiado próximos para que cambien su ruta. En su pantalla hay 80 puntos que representan los 80 aviones que en ese momento sobrevuelan su zona de control. Tiene claro que debe prestar un interés especial a la pareja de aviones que estén más próximos entre sí. Sería bueno disponer de un sistema que le mantenga informado en todo momento de cuál es el par más próximo de entre los puntos de su pantalla. ¿Cómo hallar el par más próximo en un conjunto de n puntos del plano?
Central de rescates	El responsable de planificación de un servicio aéreo de rescate se encuentra decidiendo dónde ubicar la central de helicópteros de la comarca. Sabe que debe atender a cualquiera de las localidades en el menor tiempo posible. Dispone de un plano en el que figuran, representados por n puntos, los n pueblos de la región. Debe hallar el menor círculo que contiene a los n puntos para situar en su centro la central.
Localización vertedero	Un técnico de medioambiente debe decidir dónde se ha de situar el vertedero de una cierta comarca (con incineradora incluida). Sabe que nadie quiere tenerlo cerca. Su única alternativa es buscar un lugar lo más alejado posible de cualquier pueblo. Al pensar en el problema se da cuenta enseguida de que lo que tiene que hacer es buscar el mayor círculo vacío de puntos para situar el vertedero en el centro de ese círculo. Sabe que el círculo estará determinado por tres de los puntos. También él se da cuenta de que mirar todos los círculos determinados por cada tres puntos es un procedimiento que le llevará demasiado tiempo.
Telefonía móvil	Cada teléfono móvil se conecta con la antena más próxima al lugar donde se encuentra. Cada antena de telefonía tiene asignada una cierta región del plano a la que presta servicio. ¿Cómo son esas regiones?¿Cómo queda descompuesto el plano en función de la antena que se encarga de la cobertura? ¿Qué zonas van a estar más saturadas?

Tabla 7.1: *Algunos problemas de geometría computacional.*

Estos problemas planteados en esta introducción se resuelven utilizando técnicas, más o menos sofisticadas de geometría computacional. Formalmente, podemos decir que la geometría computacional se ocupa del diseño y análisis de algoritmos de computación para resolver problemas de tipo geométrico. Existe una gran cantidad de problemas que se resuelven desde la perspectiva de la geometría computacional relacionados con emplazamiento de servicios, áreas de polígonos, triangulaciones de puntos y polígonos y otros muchos, siendo su ámbito de aplicación muy variado y diverso.

Algunos problemas prácticos de carácter geométrico eran bien conocidos en la antigüedad. Podemos poner un ejemplo de localización de servicios en la actualidad, cuya base teórica ya se conocía por los antiguos.

Ejemplo 51 (problema de localización de servicios).

Supongamos que tenemos dos pueblos a y b cercanos a una autopista recta, y una compañía de tiendas de ferretería (servicios) quiere instalar una sucursal para atender la demanda de ambos pueblos. ¿En qué punto p de la autopista debe instalarse la tienda, de tal manera que las distancias de cada pueblo a la tienda sea mínima?

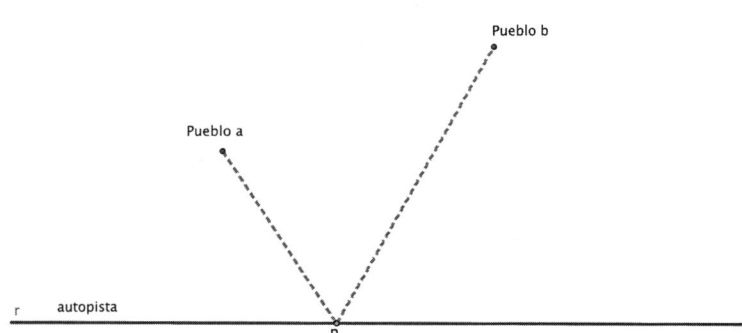

Figura 7.1: *Problema de localización de servicios.*

SOLUCIÓN: La figura 7.1 nos muestra el problema de localización de servicios que hemos planteado, donde suponemos que la autopista se puede representar por una línea recta y el problema consiste en la localización del punto p sobre la misma.

El problema, desde el punto de vista geométrico, consiste en hallar un punto p sobre la recta r, tal que minimice la expresión

$$d(a, p) + d(b, p),$$

donde d representa la distancia euclídea usual en el espacio tridimensional.

Este problema era conocido desde hace varios milenios, siendo resuelto por el matemático Henón de Alejandría en el año 100.

Henón no hizo mas que emplear las leyes de reflexión de la luz sobre un espejo, establecidas por Euclides en su libro *Catoptrica*. Las dos leyes establecen que

(a) El ángulo de incidencia de la luz está sobre el mismo plano que el ángulo de refracción.

(b) La medida del ángulo de incidencia es igual a la del ángulo de refracción.

Inspirados en este principio, concluimos que la localización del punto p, debe ajustarse a estas leyes y, por consiguiente, la luz se propaga siguiendo el camino más corto.

La solución a este problema viene dada por situar el punto p sobre la recta r, de manera que se cumpla la igualdad $\alpha = \beta$. (Véase la figura 7.2). $\square$

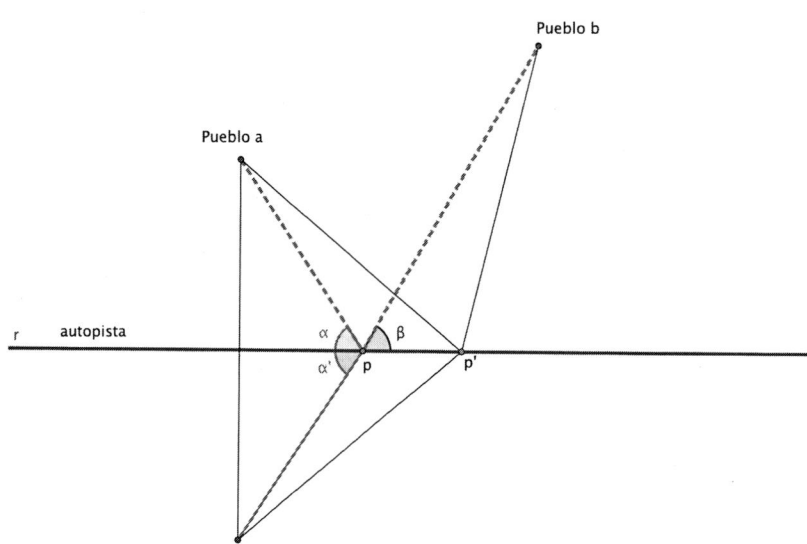

Figura 7.2: *Problema de localización de servicios.*

7.2   La envolvente convexa

Estudiemos en esta sección un conjunto geométrico de gran importancia dentro de la geometría computacional, como es la **envolvente convexa** o **cierre convexo** de un conjunto de puntos. Supongamos que S es un conjunto finito de puntos del plano. Nos interesa determinar el menor conjunto convexo que contiene a S. Dicho conjunto siempre existe y se llama la envolvente convexa de S.

Notemos que únicamente vamos a tratar el problema de la envolvente convexa en el plano; sin embargo, este concepto puede generalizarse perfectamente al espacio tridimensional. De hecho, existe una extensa bibliografía y es un problema que se sigue estudiando en la actualidad: el de la envoltura convexa en tres dimensiones. Para una introducción a este tema podemos ver [3], una referencia en temas de geometría computacional.

Antes de exponer algún método para el cálculo de la envoltura convexa de un conjunto de puntos, debemos introducir unas definiciones básicas que nos permitan introducir el concepto de conjunto convexo.

Definición 46 (polígono).

Un **polígono** P en el plano es un conjunto de n puntos $\{p_1, p_2, \ldots, p_n\}$ llamados **vértices**, y n segmentos de rectas $\{l_1, l_2, \ldots, l_n\}$ llamados **lados**, tales que:

(a) Los puntos extremos de los lados son vértices del polígono.

(b) Todo vértice del polígono está en la intersección de exactamente dos lados.

Definición 47 (lados consecutivos de un polígono).

Dos lados que se intersectan en un vértice v, se llaman lados consecutivos.

Definición 48 (polígono simple).

Un polígono P se llama **polígono simple** si dos lados no consecutivos no se intersectan.

Estamos en condiciones de introducir el concepto de conjunto convexo.

Definición 49 (conjunto convexo).

Un conjunto A del plano se llama **convexo**, si para todo par de puntos a, b en A, el segmento ab está contenido en A.

El resultado siguiente, que no vamos a demostrar, relaciona la envoltura convexa de un conjunto de puntos en el marco de los conjuntos poligonales.

Teorema 3.

Si S es un conjunto finito de puntos, entonces la frontera de su envolvente convexa es un polígono simple.

DEMOSTRACIÓN: La demostración puede consultarse en [7].

La demostración se basa en probar que el conjunto frontera de la envolvente convexa es un conjunto convexo y que dicha frontera es un polígono cuyos vértices son puntos del conjunto de puntos inicial S.

Pero antes de entrar en el estudio detallado de algún algoritmo que nos resuelve el problema del cálculo de la envoltura convexa de un conjunto de puntos, conviene detenerse un instante en un cálculo que es fundamental en muchos problemas de geometría computacional, como es la forma práctica de calcular el área de un triángulo.

Cálculo del área de un triángulo.

Si queremos calcular el área del triángulo de vértices $A(a_1, a_2)$, $B(b_1, b_2)$ y $C(c_1, c_2)$ podemos utilizar la expresión

$$\triangle(A, B, C) = \frac{1}{2}\left[a_1(b_2 - c_2) + b_1(c_2 - a_2) + c_1(a_2 - b_2)\right]. \qquad (7.1)$$

Esta fórmula se obtiene al aplicar el producto vectorial a los vectores $\boldsymbol{u} = B - A$ y $\boldsymbol{v} = C - A$. Recordemos que el producto vectorial de dos vectores es otro vector cuyo módulo es el área del paralelogramo que forman dichos vectores.

Decimos que el área es positiva si el ángulo entre ellos está dado en sentido contrario a las agujas del reloj, mientras que es negativo si el ángulo avanza en el sentido de las agujas del reloj. El área viene dada por la mitad del valor del determinante

$$\begin{vmatrix} a_1 & a_2 & 1 \\ b_1 & b_2 & 1 \\ c_1 & c_2 & 1 \end{vmatrix}.$$

7.2.1 Un algoritmo intuitivo

La envolvente convexa es un polígono convexo cuyos vértices son elementos de S. Si de forma intuitiva consideramos los puntos de S como clavos sobre un panel de madera, entonces podemos pensar en la frontera de la envolvente convexa como la forma que toma una liga elástica que encierra a todos los clavos.

La pregunta que nos hacemos es: ¿Cómo calculamos la envolvente convexa?

Consideremos un conjunto de puntos S y el polígono P que forma la frontera de la envoltura convexa. Entonces se cumple la propiedad siguiente:

Teorema 4.

Dos puntos p y q están sobre el polígono P si y solo si al trazar la línea l que une a p con q, todos los puntos de S que no están sobre l, se encuentran a la izquierda o a la derecha de l.

Esta propiedad va a constituir nuestra base a partir de la cual será factible diseñar un algoritmo que nos facilite el cálculo de la envoltura convexa de S de una manera sencilla.

Podemos consultar una prueba de este teorema en [7].

Un problema geométrico interesante sobre el que se basa el cálculo de la envolvente convexa de un conjunto de puntos en el plano es el de determinar la posición de un punto respecto de una recta, como se desprende del teorema 4. Parece un asunto trivial pero conviene tener claro el procedimiento para determinar si un punto se encuentra por arriba o por debajo de una recta.

> **Posición de un punto respecto una recta.**
>
> Consideremos una recta l y dos puntos sobre ella $Q(x_q, y_q)$ y $R(x_r, y_r)$. Queremos saber si un punto $P(x_p, y_p)$ se encuentra por arriba o por debajo de la misma.
>
> Los puntos Q, R, P determinan un triángulo $\triangle(QRP)$. La idea es calcular el área del triángulo anterior. Entonces,
>
> - Si el área $\triangle(QRP)$ es positiva podemos afirmar que el recorrido de vértices Q, R, P se hace en el sentido de las agujas del reloj y se dice que el punto está por debajo de l.
> - Si el área $\triangle(QRP)$ es negativa, dicho recorrido es en sentido contrario a las agujas del reloj y el punto está por arriba.
>
> Recordemos que el área del triángulo venía dada por la expresión (7.1).

Estudiamos ahora el primer algoritmo para el cálculo de la envoltura convexa.

Supongamos que $S = \{p_1, p_2, \ldots, p_n\}$ es un conjunto de n puntos. El algoritmo puede resumirse en los siguientes pasos:

Paso 1. Iniciamos el proceso, tomando uno a uno los puntos del conjunto S.

Paso 2. Para cada punto p seleccionado, se calculan las $(n-1)$ rectas l_i que unen este punto con el resto.

Paso 3. Hay que determinar si todos los elementos de S se hallan a la izquierda o a la derecha de l_i.

Paso 4. Si para algún punto $q \in S - \{p\}$ la recta que une p y q divide al plano en dos regiones, una de las cuales contiene todos los elementos de S, entonces p y q son vértices del polígono y el lado pq pertenece al polígono. En caso de no obtener este resultado, el punto p se descarta, y pasamos a otro punto de S.

Puesto que S es finito, después de aplicar el mismo proceso n veces se obtendrán todos los vértices de la envolvente.

Un algoritmo de este tipo se dice que realiza la búsqueda por **fuerza bruta** puesto que va probando una a una todas las posibilidades, lo que conlleva, como analizaremos posteriormente con un ejemplo, un alto coste computacional.

Algorithm 7.1: Envoltura convexa

Data: Un conjunto S de n puntos.

Result: La envoltura convexa de S.

1 **for** $i = 1, 2, \ldots, n$ **do**
2   **for** $j = 1, 2, \ldots, n$, *con* $j \neq i$ **do**
3   **for** $j = 1, 2, \ldots, n$, *con* $j \neq i$ **do**
4   **if** *área* $\triangle(p_i, p_j, p_s) > 0$ *o área* $\triangle(p_i, p_j, p_s) < 0$ **then**
5                  $\{p_i, p_j\}$ está en la envolvente de S
6   **else**
7   Ir a 1 de nuevo

Veamos un ejemplo en el que se demuestre la enorme complejidad computacional de un algoritmo por fuerza bruta de estas características.

Ejemplo 52.

Vamos a estudiar los cálculos que debemos realizar utilizando el algoritmo 7.1 para el caso en que tenemos un conjunto de diez puntos, es decir,

$$S = \{p_1, p_2, p_3, p_4, p_5, p_6, p_7, p_8, p_9, p_{10}\},$$

donde

$$p_1(2, 11), \ p_2(15, 9), \ p_3(8, 13), \ p_4(6, 9), \ p_5(9, 8),$$

$$p_6(11, 11), \ p_7(4, 11), \ p_8(8, 11), \ p_9(11, 9), \ p_{10}(6, 10).$$

SOLUCIÓN: La figura 7.3 muestra una representación gráfica de los puntos de este ejemplo. Los cálculos que realizamos al ejecutar el algoritmo 1 se resumen a continuación.

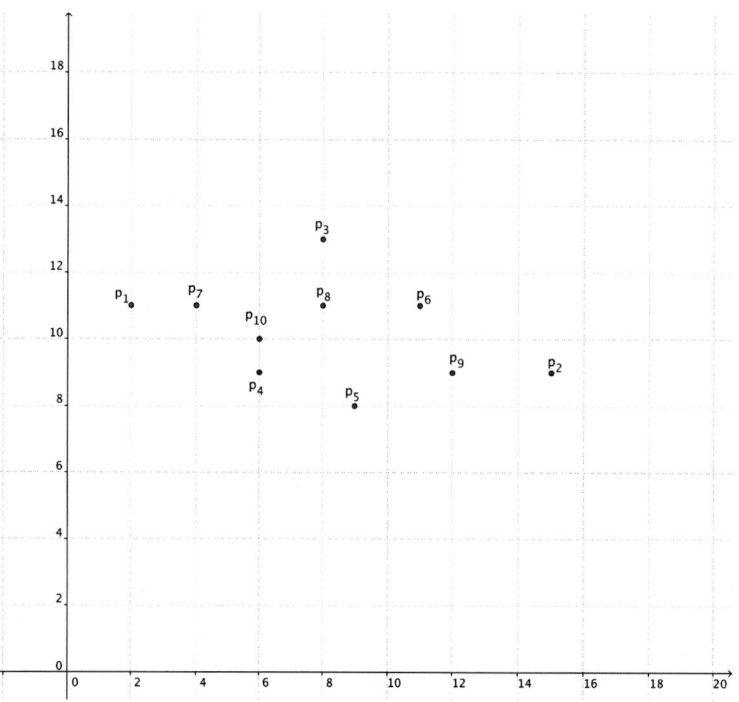

Figura 7.3: *Puntos del ejemplo 52.*

$i = 1$. De acuerdo con el algoritmo, $j = 2, 3, \ldots, 10$. Así,

$j = 2$, tendremos que $s \neq i, j$ por lo que $s = 3, 4, 5, 6, 7, 8, 9, 10$. Los cálculos involucrados en este paso son las áreas de los triángulos siguientes:

$$\triangle(p_1, p_2, p_3), \ \triangle(p_1, p_2, p_4), \ \triangle(p_1, p_2, p_5), \ \triangle(p_1, p_2, p_6)$$

$$\triangle(p_1, p_2, p_7), \ \triangle(p_1, p_2, p_8), \ \triangle(p_1, p_2, p_9), \ \triangle(p_1, p_2, p_{10}).$$

$\boxed{j=3}$, tendremos que $s \neq i, j$ por lo que $s = 2, 4, 5, 6, 7, 8, 9, 10$. Los cálculos involucrados en este paso son las áreas de los triángulos siguientes:

$$\triangle(p_1, p_3, p_2), \ \triangle(p_1, p_3, p_4), \ \triangle(p_1, p_3, p_5), \ \triangle(p_1, p_3, p_6)$$

$$\triangle(p_1, p_3, p_7), \ \triangle(p_1, p_3, p_8), \ \triangle(p_1, p_3, p_9), \ \triangle(p_1, p_3, p_{10}).$$

$\boxed{j=4}$, tendremos que $s \neq i, j$ por lo que $s = 2, 3, 5, 6, 7, 8, 9, 10$. Los cálculos involucrados en este paso son las áreas de los triángulos siguientes:

$$\triangle(p_1, p_4, p_2), \ \triangle(p_1, p_4, p_3), \ \triangle(p_1, p_4, p_5), \ \triangle(p_1, p_4, p_6)$$

$$\triangle(p_1, p_4, p_7), \ \triangle(p_1, p_4, p_8), \ \triangle(p_1, p_4, p_9), \ \triangle(p_1, p_4, p_{10}).$$

$\boxed{j=5}$, tendremos que $s \neq i, j$ por lo que $s = 2, 3, 4, 6, 7, 8, 9, 10$. Los cálculos involucrados en este paso son las áreas de los triángulos siguientes:

$$\triangle(p_1, p_5, p_2), \ \triangle(p_1, p_5, p_3), \ \triangle(p_1, p_5, p_4), \ \triangle(p_1, p_5, p_6)$$

$$\triangle(p_1, p_5, p_7), \ \triangle(p_1, p_5, p_8), \ \triangle(p_1, p_5, p_9), \ \triangle(p_1, p_5, p_{10}).$$

$\boxed{j=6}$, tendremos que $s \neq i, j$ por lo que $s = 2, 3, 4, 5, 7, 8, 9, 10$. Los cálculos involucrados en este paso son las áreas de los triángulos siguientes:

$$\triangle(p_1, p_6, p_2), \ \triangle(p_1, p_6, p_3), \ \triangle(p_1, p_6, p_4), \ \triangle(p_1, p_6, p_5)$$

$$\triangle(p_1, p_6, p_7), \ \triangle(p_1, p_6, p_8), \ \triangle(p_1, p_6, p_9), \ \triangle(p_1, p_6, p_{10}).$$

$\boxed{j=7}$, tendremos que $s \neq i, j$ por lo que $s = 2, 3, 4, 5, 6, 8, 9, 10$. Los cálculos involucrados en este paso son las áreas de los triángulos siguientes:

$$\triangle(p_1, p_7, p_2), \ \triangle(p_1, p_7, p_3), \ \triangle(p_1, p_7, p_4), \ \triangle(p_1, p_7, p_5)$$

$$\triangle(p_1, p_7, p_6), \ \triangle(p_1, p_7, p_8), \ \triangle(p_1, p_7, p_9), \ \triangle(p_1, p_7, p_{10}).$$

$\boxed{j=8}$, tendremos que $s \neq i, j$ por lo que $s = 2, 3, 4, 5, 6, 7, 9, 10$. Los cálculos involucrados en este paso son las áreas de los triángulos siguientes:

$$\triangle(p_1, p_8, p_2), \ \triangle(p_1, p_8, p_3), \ \triangle(p_1, p_8, p_4), \ \triangle(p_1, p_8, p_5)$$

$$\triangle(p_1, p_8, p_6), \ \triangle(p_1, p_8, p_7), \ \triangle(p_1, p_8, p_9), \ \triangle(p_1, p_8, p_{10}).$$

$\boxed{j=9}$, tendremos que $s \neq i, j$ por lo que $s = 2, 3, 4, 5, 6, 7, 8, 10$. Los cálculos involucrados en este paso son las áreas de los triángulos siguientes:

$$\triangle(p_1, p_9, p_2), \ \triangle(p_1, p_9, p_3), \ \triangle(p_1, p_9, p_4), \ \triangle(p_1, p_9, p_5)$$

$$\triangle(p_1, p_9, p_6), \ \triangle(p_1, p_9, p_7), \ \triangle(p_1, p_9, p_8), \ \triangle(p_1, p_9, p_{10}).$$

$\boxed{j = 10}$, tendremos que $s \neq i, j$ por lo que $s = 2, 3, 4, 5, 6, 7, 8, 9$. Los cálculos involucrados en este paso son las áreas de los triángulos siguientes:

$$\triangle(p_1, p_{10}, p_2), \ \triangle(p_1, p_{10}, p_3), \ \triangle(p_1, p_{10}, p_4), \ \triangle(p_1, p_{10}, p_5)$$

$$\triangle(p_1, p_{10}, p_6), \ \triangle(p_1, p_{10}, p_7), \ \triangle(p_1, p_{10}, p_8), \ \triangle(p_1, p_{10}, p_9).$$

Ahora, repetiríamos estos cálculos para $i = 2, 3, 4, 5, 6, 7, 8, 9, 10$.

Como podemos comprender fácilmente el número de operaciones y cálculos que requiere un algoritmo de este tipo es elevadísimo, teniendo en cuenta que este ejemplo es simplemente con diez puntos. $\square$

Complejidad del algoritmo.

Como hemos podido comprobar en el ejemplo, cuando el número de puntos es alto, el número de operaciones que se requieren para ejecutar el algoritmo anterior es muy alto. Pensemos en ejemplos reales con cientos o miles de puntos, lo que significaría aplicar un algoritmo de este tipo.

Se puede demostrar que la complejidad del algoritmo es del orden de $O(n^3)$, por lo que el problema resulta intratable para valores no demasiado grande de n. Por ejemplo, para $n = 10$, la complejidad es del orden de 10^3, mientras que para $n = 100$ ya alcanzamos el valor 100^3.

Esta complejidad excesiva nos lleva a estudiar nuevos algoritmos cuya complejidad se vea reducida de manera drástica.

7.2.2 Método de Graham

Existen muchos algoritmos que resuelven el problema de la envolvente convexa con un coste computacional mucho menor, entre los que cabe citar los algoritmos basados en el método **divide y vencerás** (*divide and conquer*), los algoritmos del tipo llamado de **Barrido Geométrico** (*Geometric Sweeping*), cuya complejidad ya se reduce al orden $O(n^2)$, o también el algoritmo llamado **Quick-Hull**, que consiste básicamente en desechar la mayor parte de puntos interiores, ya que no forman parte de la envolvente convexa.

El método que vamos a estudiar es el llamado de **Graham** y la razón de esta elección es su simplicidad desde el punto de vista conceptual.

En el método de Graham se calculan de forma independiente las envolventes convexas superior e inferior del conjunto de puntos. Se procede de la forma que se detalla a continuación.

Cálculo de la envolvente superior.

(a) Ordenamos los puntos del conjunto S de izquierda a derecha, es decir, en orden creciente de su componente x.

(b) Obtenemos una poligonal siguiendo el orden establecido en el apartado (a).

(c) Cada vértice de esa poligonal que quede por debajo del segmento que une el vértice anterior y posterior a él se elimina, uniendo estos vértices para formar una poligonal con un vértice menos.

(d) Cuando esta operación ya no se puede realizar, hemos calculado la envolvente superior.

Cálculo de la envolvente inferior.

Se procede de forma análoga al cálculo de la envolvente superior, aunque ahora eliminamos los puntos que están por encima del segmento que une el vértice anterior y posterior.

Ejemplo 53 (método de Graham).

Aplicamos el método de Graham al conjunto de puntos S del ejemplo anterior, donde

$$p_1(2,11), \ p_2(15,9), \ p_3(8,13), \ p_4(6,9), \ p_5(9,8),$$

$$p_6(11,11), \ p_7(4,11), \ p_8(8,11), \ p_9(11,9), \ p_{10}(6,10).$$

SOLUCIÓN: Aplicamos el método de Graham, por lo que comenzamos con el cálculo de la envolvente superior.

Cálculo de la envolvente superior.

Inicialmente, debemos ordenar los puntos $p_1, p_2, \ldots, p_{10}$ según el valor de sus componentes x, de menor a mayor y construimos la poligonal que se forma al unir los puntos siguiendo el nuevo orden establecido.

En la figura 7.4 hemos representado el polígono inicial del que partimos con los puntos ya ordenados de acuerdo con el criterio anterior. Notemos que en el dibujo aparecen los puntos con la notación A_i, relacionada con su posición en la hoja de cálculo correspondiente. Evidentemente, $A_i \equiv P_i$.

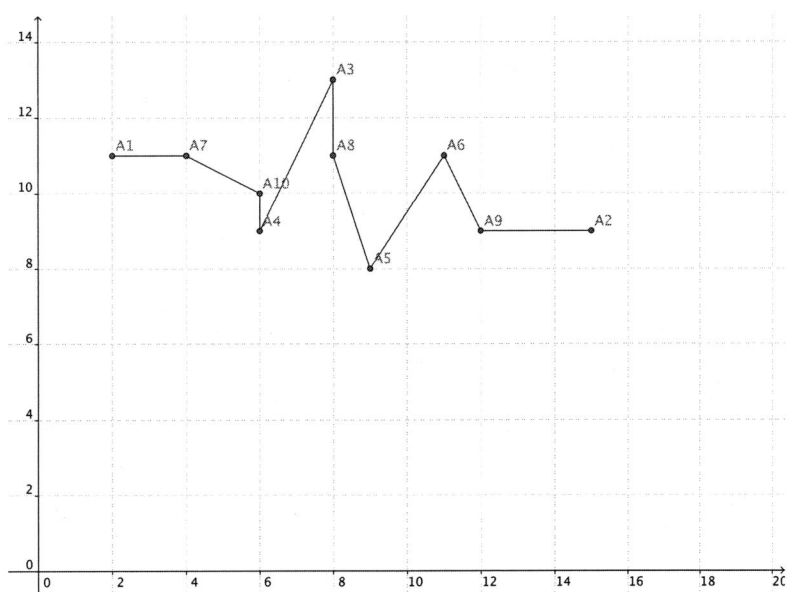

Figura 7.4: *Polígono ordenado de los puntos del ejemplo 52.*

Así, el conjunto S ordenado de esta forma lo denotamos por S_{ord} y es

$$S_{ord} = \{p_1, p_7, p_{10}, p_4, p_3, p_8, p_5, p_6, p_9, p_2\}.$$

Realizamos los siguientes pasos.

Paso 1. | Vértice $A_7 = p_7$. |

Para ver si este vértice se encuentra en la envolvente convexa, se traza el segmento $p_1 p_{10}$ y se verifica si p_7 se encuentra en la parte superior o inferior.

En nuestro caso, observando la figura 7.4 podemos comprobar que el punto p_7 se encuentra por arriba del segmento, por lo que no se elimina dicho vértice y se pasa al vértice siguiente.

Paso 2. | Vértice $A_{10} = p_{10}$. |

Para ver si este vértice se encuentra en la envolvente convexa, se traza el segmento $p_7 p_4$ y se comprueba si p_{10} se encuentra en la parte superior o inferior.

En nuestro caso, observando la figura 7.4 podemos comprobar que el punto p_{10} se encuentra por arriba del segmento, por lo que no se elimina dicho vértice y se pasa al vértice siguiente.

Paso 3. | Vértice $A_4 = p_4$. |

Para ver si este vértice se encuentra en la envolvente convexa, se traza el segmento $p_{10} p_3$ y se comprueba si p_4 se encuentra en la parte superior o inferior.

Observando la figura 7.4 podemos comprobar que el punto p_4 se encuentra por debajo del segmento, por lo que se elimina p_4 y, en consecuencia, debemos modificar la poligonal, eliminando este vértice. De esta forma la poligonal queda formada por las conexiones entre los vértices

$$p_1 \to p_7 \to p_{10} \to p_3 \to \dots$$

La figura 7.5 nos muestra una representación gráfica de los primeros pasos del algoritmo.

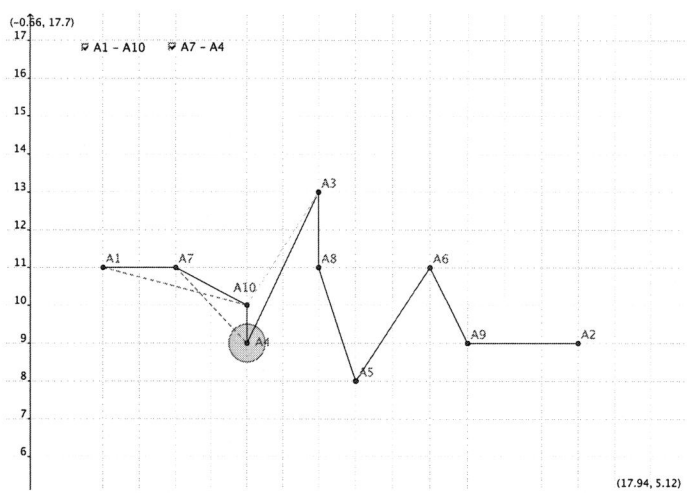

Figura 7.5: *Primeros pasos del algoritmo.*

Paso 4. | Vértice $A_{10} = p_{10}$. |

Notemos que al eliminar el vértice p_4 ahora debemos volver a estudiar el vértice p_{10}. Para ver si este vértice se encuentra en la envolvente convexa, se traza el segmento $p_7 p_3$ y se comprueba si p_{10} se encuentra en la parte superior o inferior.

Comprobamos que el punto p_{10} se encuentra por debajo del segmento, por lo que se elimina p_{10} y se debe modificar la poligonal, eliminando este vértice. De esta forma la poligonal queda determinada al unir los vértices

$$p_1 \to p_7 \to p_3 \to \dots$$

Paso 5. Vértice $A_7 = p_7$.

Notemos que al eliminar el vértice p_{10} ahora debemos volver a estudiar el vértice p_7. Para ver si este vértice se encuentra en la envolvente convexa, se traza el segmento p_1p_3 y se comprueba si p_7 se encuentra en la parte superior o inferior.

Comprobamos que el punto p_7 se halla por debajo del segmento, por lo que se elimina p_7 y debemos modificar la poligonal, eliminando este vértice. De esta forma la poligonal es la que une los vértices

$$p_1 \to p_3 \to p_8 \to \dots$$

Paso 6. Vértice $A_3 = p_3$.

Volvemos, al igual que en los casos anteriores, a trazar el segmento p_1p_8 y comprobamos que p_3 queda por arriba del segmento, por lo que se pasa al vértice siguiente, manteniendo p_3.

$$p_1 \to p_3 \to p_8 \to p_5 \to \dots$$

Paso 7. Vértice $A_8 = p_8$.

Al igual que en los casos anteriores se traza el segmento p_3p_5 y se comprueba que p_8 queda por debajo del segmento, por lo que eliminamos al vértice p_8 y modificamos el polígono, que une los vértices

$$p_1 \to p_3 \to p_5 \to p_6 \to \dots$$

Paso 8. Vértice $A_3 = p_3$.

Análogamente respecto los casos anteriores, se traza el segmento p_1p_5 y se comprueba que p_3 queda por arriba del segmento, por lo que se pasa al vértice siguiente, manteniendo p_3.

$$p_1 \to p_3 \to p_5 \to \dots$$

Paso 9. Vértice $A_5 = p_5$.

Se traza el segmento p_3p_6 y se comprueba que p_5 queda por debajo del segmento, por lo que eliminamos al vértice p_5 y modificamos el polígono, uniendo ahora los vértices

$$p_1 \to p_3 \to p_6 \to p_9 \to \dots$$

Paso 10. Vértice $A_3 = p_3$.

Siguiendo un razonamiento análogo, se traza el segmento correspondiente y se comprueba que p_3 queda por arriba del segmento, por lo que pasamos al vértice siguiente, manteniendo p_3.

$$p_1 \to p_3 \to p_6 \to \ldots$$

Paso 11. | Vértice $A_6 = p_6$. |

Se traza, al igual que en los casos anteriores, el segmento correspondiente y se comprueba que p_3 queda por arriba del segmento, por lo que pasamos al vértice siguiente, manteniendo p_6.

$$p_1 \to p_3 \to p_6 \to \ldots$$

Paso 12. | Vértice $A_9 = p_9$. |

Se comprueba que p_9 queda por debajo del segmento, por lo que eliminamos al vértice y modificamos el polígono, quedando de la forma

$$p_1 \to p_3 \to p_6 \to p_2.$$

Paso 13. | Vértice $A_6 = p_6$. |

Se comprueba que p_6 queda por debajo del segmento, por lo que eliminamos al vértice y modificamos el polígono, uniendo ahora los vértices

$$p_1 \to p_3 \to p_2,$$

que constituye la envolvente convexa superior del conjunto S.

Vemos un dibujo de la envolvente convexa obtenida en la figura 7.6.

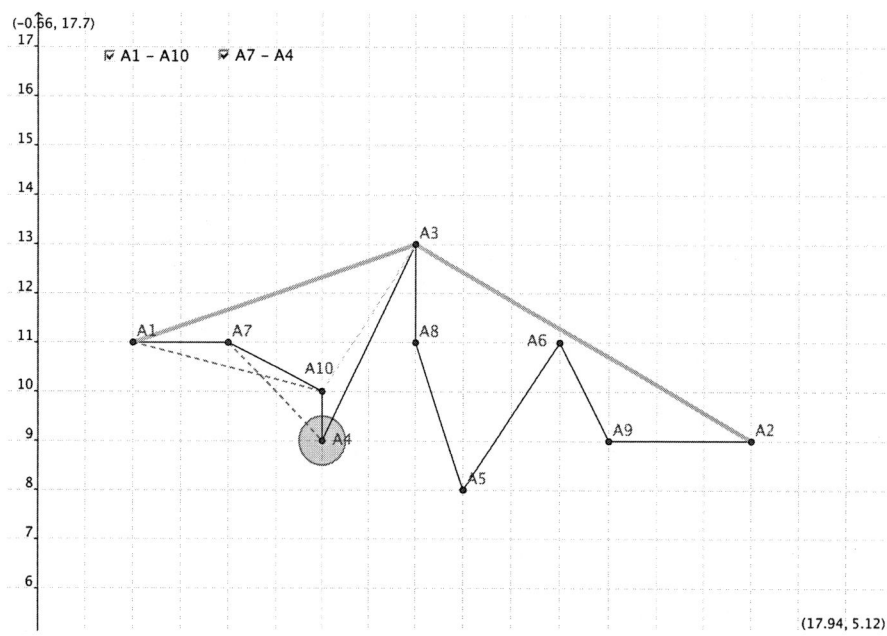

Figura 7.6: *Envolvente convexa superior.*

Realizando un proceso totalmente similar al realizado para la envolvente convexa superior podemos calcular la envolvente convexa inferior. Únicamente hay que tener en cuenta que ahora cambiamos el criterio respecto a la posición en que se encuentran los puntos; este cambio supone que ahora debemos ir eliminando los que se encuentren por arriba del segmento y no los que están por debajo, como en el caso anterior. También hay que tener en cuenta que ahora comenzamos la ejecución del algoritmo por el punto con una coordenada x mayor.

En la figura 7.7 hemos representado la envolvente convexa de este conjunto.

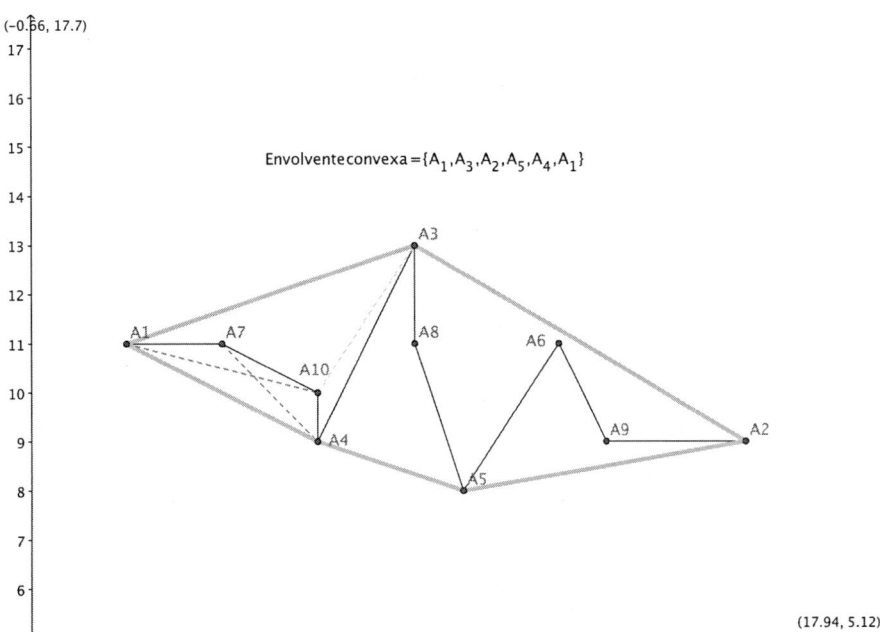

Figura 7.7: *Envolvente convexa de S.*

Existe una gran cantidad de algoritmos propuestos en las ultimas décadas para resolver el cálculo de la envoltura convexa. Aquí nos hemos centrado en el algoritmo de Graham, pero existen otros muchos. Simplemente mencionamos algunos de ellos.

- **Algoritmo QUICK-HULL.** Este algoritmo fue desarrollado a finales de la década de los 70 por diversos autores y su nombre se debe a su semejanza con el algoritmo *Quick-Sort* (algoritmo de ordenamiento). La idea de este algoritmo es acelerar el proceso de cálculo de la envolvente convexa desechando la mayor cantidad de puntos interiores de S, ya que dichos puntos no van a formar parte de la envoltura del mismo.

- **Algoritmos *Divide y Vencerás*.** El método Divide y Vencerás constituye uno de los grandes paradigmas en la ciencia de la computación. Básicamente consiste en subdividir el problema inicial en subproblemas más pequeños, resolver por separado cada uno de estos problemas y luego combinar sus soluciones para obtener la solución global. En este caso, dividimos el conjunto de puntos en dos partes, calculamos la envolvente convexa de cada una de las partes por separado y luego unimos las soluciones.

- **Algoritmo incremental.** La idea consiste en ir añadiendo en cada paso un punto al cálculo de la envolvente convexa. De esta manera cuando tenemos la envoltura convexa de un cierto número de puntos, en el paso siguiente solamente debemos añadir un punto a la misma, realizando una especie de factorización del problema.

Para una descripción más detallada de estos algoritmo podemos consultar [3] y [4].

7.3   El diagrama de Voronoi

Todos los problemas enunciados inicialmente, conocidos como problemas de proximidad, pueden ser resueltos utilizando una potente herrramienta en geometría computacional, que es el llamado **diagrama de Voronoi**, que contiene información esencial sobre la proximidad de los puntos de un conjunto finito de puntos en el plano S.

7.3.1   Determinación del diagrama de Voronoi

Partimos, como ya venimos haciendo a lo largo de este capítulo, de un conjunto S de n puntos en el plano. Para cada pareja de puntos del plano, por ejemplo, p_i y p_j, dibujamos la mediatriz del segmento que los une $p_i p_j$, de manera que el plano queda dividido por dos semiplanos.

Denotamos por $H(p_{i,j})$ el semiplano compuesto por los puntos del plano más cercanos a p_i que a p_j, (véase la figura 7.8).

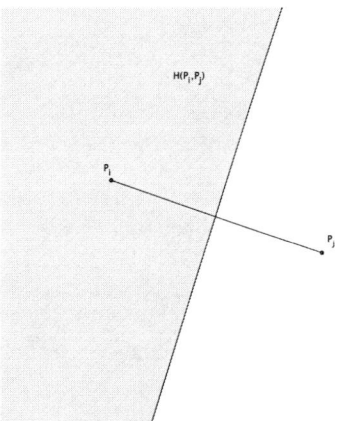

Figura 7.8: *Semiplano $H(p_i, p_j)$.*

Ahora, para cada punto $p_i \in S$ denotamos por V_i el conjunto de puntos del plano más cercano al punto p_i que a los restantes puntos del conjunto $S - \{p_i\}$.

Entonces, se puede demostrar que

$$V_i = \bigcap_{j \neq i} H(p_i, p_j).$$

Esto significa que tenemos una forma de calcular el conjunto de puntos más crecano a un punto concreto p_i del conjunto S. Basta con calcular inicialmente todas las mediatrices de ese punto con el resto para obtener los conjuntos $H(p_i, p_j)$, con $j \neq i$, y obtener finalmente la intersección de todos esos semiplanos. Lo vemos más claramente con un ejemplo.

Ejemplo 54.

Supongamos que tenemos un conjunto S formado por cuatro puntos, es decir,

$$S = \{p_1, p_2, p_3, p_4\}.$$

Calcule V_1, V_2, V_3, V_4 para el conjunto S.

SOLUCIÓN: Procedemos del siguiente modo:

En primer lugar, debemos dibujar los puntos en el plano. Entonces trazamos los segmentos p_1p_2, p_1p_3, p_1p_4, p_2p_3, p_2p_4, p_3p_4.

Una vez trazados los segmentos podemos trazar las correspondientes mediatrices de esos segmentos.

Establecemos el siguiente criterio de notación: denotamos por m_{ij} a la mediatriz del segmento p_ip_j.

Siguiendo este critero de notación, dibujamos las mediatrices m_{12}, m_{13}, m_{14}, m_{23}, m_{24}, m_{34}. Una vez dibujada la mediatriz m_{ij} ya estamos en disposición de dividir el plano en dos semiplanos, que denotamos por $H(p_i, p_j)$ y $H(p_j, p_i)$. Precisamente la intersección de estos semiplanos es la que nos proporciona los conjuntos de puntos más próximos a uno u otro punto.

A continuación, ya estamos en disposición de calcular los conjuntos V_i.

Para $i = 1$. Calculamos

$$V_1 = \bigcap_{j \neq 1} H(p_1, p_j) = H(p_1, p_2) \cap H(p_1, p_3) \cap H(p_1, p_4).$$

Para $i = 2$. Calculamos

$$V_2 = \bigcap_{j \neq 2} H(p_2, p_j) = H(p_2, p_1) \cap H(p_2, p_3) \cap H(p_2, p_4).$$

Para $i = 3$. Calculamos

$$V_3 = \bigcap_{j \neq 3} H(p_3, p_j) = H(p_3, p_1) \cap H(p_3, p_2) \cap H(p_3, p_4).$$

Para $i = 4$. Calculamos

$$V_4 = \bigcap_{j \neq 4} H(p_4, p_j) = H(p_4, p_1) \cap H(p_4, p_2) \cap H(p_4, p_3). \qquad \square$$

La figura 7.9 nos muestra los primeros pasos en la construcción de los semiplanos que definen el conjunto V_1, es decir, el conjunto de puntos del plano que se encuentran más cercanos al punto p_1.

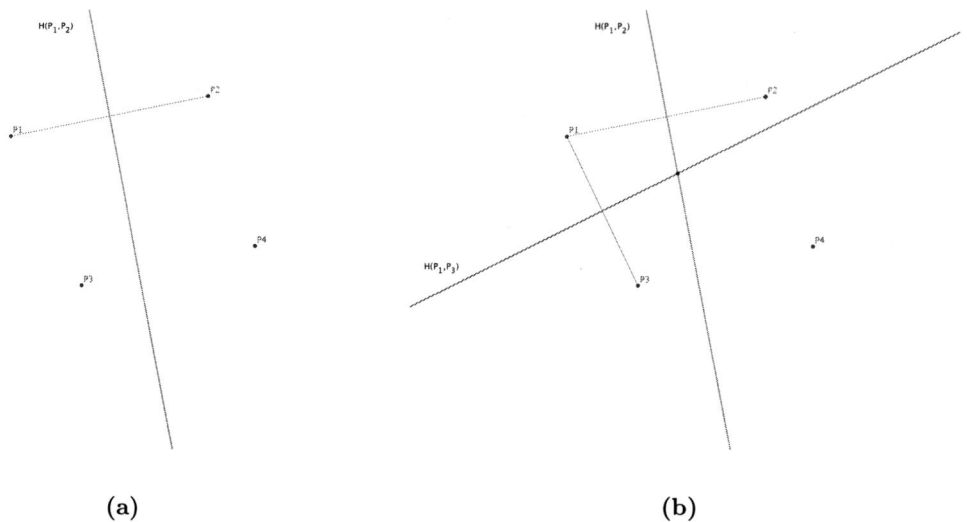

(a)   (b)

Figura 7.9: *Construcción de V_1.*

Semiplanos con GeoGebra.

La versión 3 de GeoGebra no podía dibujar directamente el semiplano asociado a la recta de la forma $y = mx + n$. Para dibujar un semiplano era necesario construir un cuadrilátero con uno de sus lados apoyado en la recta y luego escalarlo para que no veamos los límites del cuadrilátero.

Con la nueva versión 4 de GeoGebra (octubre de 2011), es mucho más sencillo dibujar semiplanos en el programa, puesto que ya admite la realización de gráficas de la forma

$$ax + by + c > 0, \quad ax + by + c < 0.$$

En consecuencia, podemos dibujar fácilmente ahora con GeoGebra los semiplanos $H(p_i, p_j)$. Veamos un ejemplo a través de la siguiente construcción.

Paso 1. Definimos los puntos $P_1 = (0, 2), P_2 = (5, -1), P_3 = (-1, -1), P_4 = (1, -4)$.

Paso 2. Dibujamos la recta mediatriz entre los puntos P_1 y P_2. Dicha recta es a.

Paso 3. En Propiedades de Objeto de a, hacemos que se muestre en pantalla su valor. Con ello ya sabemos la ecuación de la recta (en este caso $-5x + 3y = -11$).

Paso 4. En la ventana de entrada escribimos $-5x + 3y + 11 > 0$. Este es precisamente el hiperplano $H(p_1, p_2)$.

Vemos en la figura 7.10 el hiperplano de la construcción anterior.

Supongamos ahora que queremos calcular gráficamente el conjunto V_1 para el ejemplo de la construc-

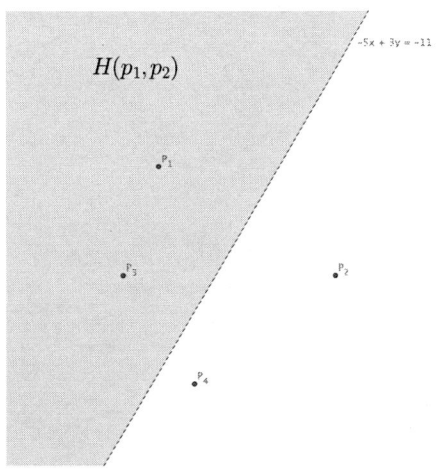

Figura 7.10: *Construcción de semiplanos.*

ción anterior. Para ello, debemos determinar

$$V_1 = \bigcap_{j \neq 1} H(p_1, p_j) = H(p_1, p_2) \cap H(p_1, p_3) \cap H(p_1, p_4).$$

Seguimos con la construcción anterior.

Paso 5. Ahora vamos a calcular el semiplano $H(p_1, p_3)$. Seguimos un proceso análogo al anterior, dibujamos la recta mediatriz entre los puntos P_1 y P_2 y en la ventana de entrada escribimos $x+3y-1 > 0$. Este es precisamente el hiperplano $H(p_1, p_3)$.

Paso 6. Ahora vamos a calcular el semiplano $H(p_1, p_4)$. Seguimos un proceso análogo al anterior, dibujamos la recta mediatriz entre los puntos P_1 y P_4 y en la ventana de entrada escribimos $-x + 3y + 6.5 > 0$. Este es precisamente el hiperplano $H(p_1, p_4)$.

Paso 7. Se obtiene la interesección de $H(p_1, p_2)$, $H(p_1, p_3)$ y $H(p_1, p_4)$, que es precisamente V_1.

Vemos en la figura 7.11 el conjunto V_1 de la construcción anterior.

La construcción geométrica que hemos realizado a través del ejemplo 54 para un conjunto de 4 puntos podemos realizarla con GeoGebra de una forma sencilla, a partir de la posibilidad de trabajar directamente con semiplanos. La figura 7.12 nos muestra el resultado para 4 puntos con GeoGebra, donde se visualizan los conjuntos V_1, V_2, V_3, V_4.

Definición 50 (polígono de Voronoi).

El polígono convexo V_i que contiene al punto p_i se llama **polígono de Voronoi** del punto p_i. Los vértices del diagrama se llaman **vértices de Voronoi** y los segmentos de la recta del diagrama se llaman **lados de Voronoi**.

Una primera observación del diagrama de Voronoi nos permite obtener las siguientes conclusiones:

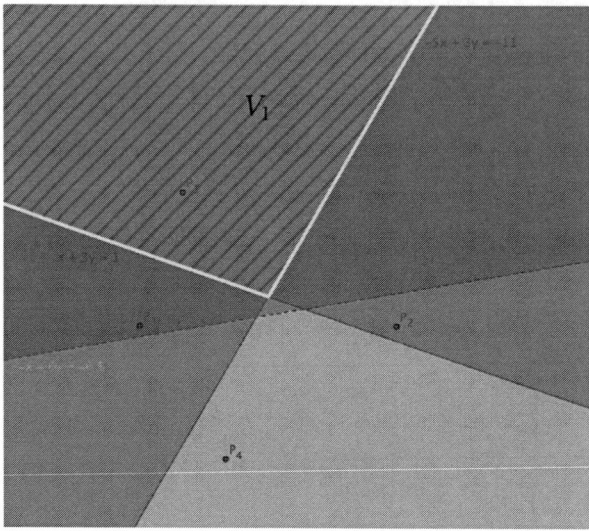

Figura 7.11: *Construcción de V_1.*

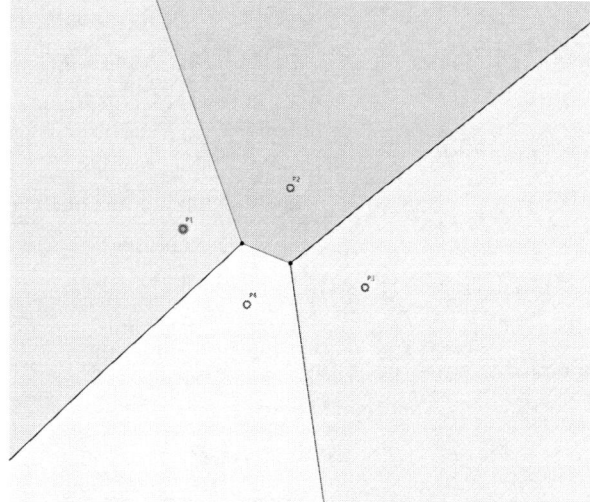

Figura 7.12: *Conjuntos V_i para 4 puntos.*

- Si tenemos un punto $p_i \in S$, entonces su vecino más próximo se halla en alguno de los polígonos de Voronoi adyacentes a V_i.

- Si ordenamos en una lista cada punto p_i con su vecino más cercano, entonces podemos buscar en dicha lista el par de elementos de S más cercanos.

A partir de estas observaciones concluimos que podríamos establecer algoritmos para resolver los problemas de aproximación: el vecino más cercano y el par más cercano. Se puede demostrar que el coste computacional de estos algoritmos es de orden $O(n \log n)$, por lo que dichos problemas de aproximación no presentan costes de computación exagerados.

7.3.2 Propiedades del diagrama de Voronoi

En esta sección se estudian diversas propiedades sobre los vértices, caras y lados de los diagramas de Voronoi.

Teorema 5.

Si los cuatro puntos de un conjunto S están sobre un círculo C, entonces el centro del círculo es un vértice de Voronoi de grado cuatro.

Podemos intentar visualizar esta propiedad con la ayuda de Geogebra. Para ello, podemos realizar una construcción que desarrolle los siguientes pasos:

- En primer lugar construimos una circunferencia a partir de tres puntos A, B, C y dibujamos un cuarto punto sobre la misma (D).
- Entonces dibujamos las mediatrices de los puntos tomando estos de dos en dos.
- Calculamos el punto de intersección de las mismas (las cuatro intersectan en un punto).
- Una vez determinado el punto de intersección basta con que construyamos el diagrama de Voronoi de los cuatro puntos de la forma que hemos visto como intersección de los conjuntos V_i.
- Para demostrar la propiedad comprobemos que ese punto es el centro de la circunferencia en la que se encuentran los puntos A, B, C, D (esto lo podemos comprobar de una manera sencilla, como es calculando las distancias del centro a cada uno de los puntos y verificando que son iguales).

De aquí en adelante supondremos que en el conjunto S no tenemos cuatro puntos circulares.

Teorema 6.

Todo vértice de Voronoi asociado al conjunto de puntos S tiene grado exactamente tres.

La demostración de este teorema y otros que aparecen en este tema pueden consultarse en cualquiera de los libros de geometría computacional que aparece en la bibliografía. Por ejemplo, podemos consultar [3] y [4] para ver las demostraciones de las propiedades más importantes de los diagramas de Voronoi, así como ampliar conocimientos.

Teorema 7 (fórmula de Euler para grafos).

Sea G un grafo plano. Entonces se cumple la relación

$$v - e + f = 2$$

donde v es el número de vértices, e es el número de lados y f es el número de caras.

Este teorema constituye una de las fórmulas más importantes en la teoría de grafos, en general. En cualquier libro de grafos o matemática discreta podemos encontrar su demostración y sus consecuencias o aplicaciones.

Teorema 8.

El diagrama de Voronoi de un conjunto de puntos en el plano verifica las relaciones siguientes:
- (a) $v \leq \frac{2}{3}e$.
- (b) $e \leq 3f - 6$.
- (c) $f \leq \frac{2}{3}e$.
- (d) $v \leq 2f - 4$.

DEMOSTRACIÓN: Podemos considerar que todos los lados infinitos del diagrama de Voronoi se conectan en un punto al infinito.

Bajo esta premisa, se puede aplicar el resultado de la fórmula de Euler para grafos.

Sabemos, por una propiedad anterior, que cada vértice del grafo que representa el diagrama de Voronoi es de orden tres. Si consideramos el vértice al infinito, el grado es menor o igual a tres. Por lo tanto, el número de lados satisface la desigualdad $v \leq \frac{2}{3}e$, con lo que queda demostrada la primera parte de la propiedad.

Las restantes relaciones de esta propiedad se demuestran a partir del resultado (a) y la aplicación directa de la fórmula de Euler. $\square$

A partir de estas propiedades podemos afirmar que si v es un vértice de Voronoi, entonces hay tres polígonos de Voronoi que concurren en v. Supongamos que un vértice de Voronoi viene determinado por los puntos p_1, p_2, p_3, entonces podemos afirmar que el vértice de Voronoi equidista de estos tres puntos.

Ayudándote de la construcción del diagrama de Voronoi para cuatro puntos, demuestra geométricamente esta última afirmación: *el vértice de Voronoi equidista de los tres puntos cuyos lados forman el polígono de Voronoi asociado a ese vértice.*

Definición 51 (círculo de Voronoi).

El **círculo de Voronoi** tangente en v, que denotamos por $C(v)$ es el círculo con centro en v y tangente a cada uno de los puntos p_1, p_2, p_3 que definen los polígonos que concurren en v.

Teorema 9.

Sea v un vértice de Voronoi. Entonces el círculo $C(v)$ no contiene puntos de S en su interior.

Nuevamente podemos consultar [3] y [4] para la demostración de esta propiedad.

En la figura 7.13 visualizamos geométricamente el significado del teorema 9.

Geometría Discreta con GeoGebra.

En la versión 3 de GeoGebra no existían herramientas propiamente dichas para trabajar los conceptos y problemas fundamentales de geometría computacional, como son el cálculo de la envoltura convexa de

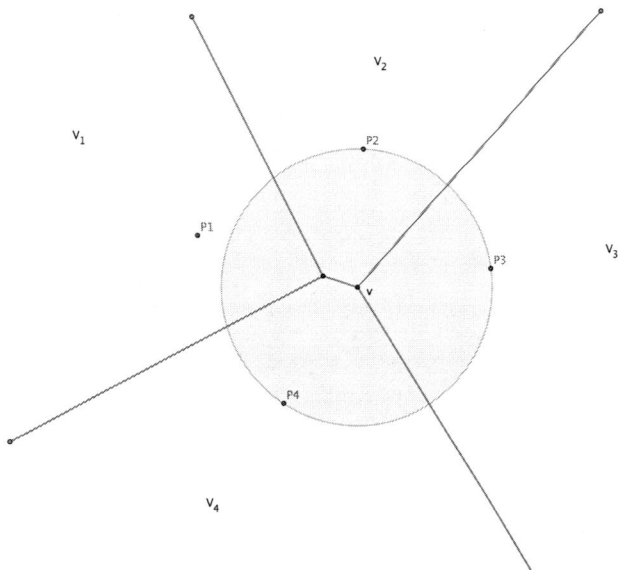

Figura 7.13: *Representación geométrica del teorema 9.*

un conjunto de puntos y el diagrama de Voronoi asociado al mismo.

Sin embargo, con la versión 4 de GeoGebra se han implementado una serie de herramientas relacionadas con estos problemas de geometría computacional.

En la ventana de Ayuda del programa existe un apartado que se llama Matemática Discreta, en el que disponemos de las siguientes herramientas:

- ArbolRecubridorMínimo.
- Cierre.
- CierreConvexo.
- Delaunay.
- MenorDistancia.
- Viajante.
- Voronoi.

En la tabla 7.2 resumimos el contenido de cada una de estas herramientas.

Son muchísimas las aplicaciones que se resuelven utilizando el concepto de diagrama de Voronoi para un conjunto finito de puntos. En el apartado siguiente de aplicaciones mostraremos algunas de las más importantes.

Los diagramas de Voronoi se han aplicado y aplican en muchos ámbitos de la ciencia, la técnica y el arte. Recientemente, en marzo de 2011 se publicó una noticia en la que se informaba que el proyecto ganador para la construcción de la futura Ciudad de la Seguridad, en Pamplona, consistía en una propuesta basada en la creación de una malla flexible inspirada en el concepto de los diagramas de Voronoi.

Herramienta	Breve descripción
ArbolRecubridorMínimo	Nos proporciona el mínimo árbol de expansión de un grafo completo, en que el peso de la arista que conecta los vértices ab es la distancia euclídea entre a y b.
Cierre	Establece como lugar geométrico la característica *envolvente convexa* de menor área posible para un conjunto de puntos y de acuerdo con el porcentaje indicado. Si este porcentaje es 1, coincide con el comando *CierreConvexo*.
CierreConvexo	Calcula el cierre convexo o envoltura convexa de un conjunto de puntos.
Delaunay	Crea la triangulación de Delaunay de una lista de puntos.
MenorDistancia	Busca el paso más corto entre el punto inicial y final de un grafo dado por la lista de segmentos.
Viajante	Establece un recorrido que pasa una única vez por todos los puntos del listado (problema del viajante).
Voronoi	Traza el diagrama de Voronoi para una lista de puntos.

Tabla 7.2: *Opciones de GeoGebra relacionadas con la geometría computacional.*

Veamos un ejemplo en el que el diseño del diagrama de Voronoi por sí mismo casi nos proporciona la solución de un problema.

Ejemplo 55.

Supongamos que queremos establecer una ruta a pie a través de un valle y una sierra que hemos representado por medio de la figura 7.14. En dicha figura hemos representado por A y B el punto inicial y final, respectivamente, de la ruta. En dicho valle existe un tipo de vegetación autóctona que queremos proteger y preservar en la medida de lo posible puesto que se trata de especies protegidas. La presencia de dichas especies se ha marcado con puntos en el dibujo. En consecuencia, querríamos establecer una ruta lo más alejada posible de los lugares en los que existen estas plantas protegidas, con el fin de que el paso de la gente no suponga un daño para la vegetación.

SOLUCIÓN: Este problema puede resolverse de una manera sencilla mediante una mera aplicación directa del diagrama de Voronoi, como vamos a ver a continuación.

Dibujamos el diagrama de Voronoi del conjunto de puntos que representan las localizaciones de las especies protegidas. Podemos verlo en la figura 7.15(a).

Lo que conseguimos mediante el diagrama de Voronoi es dividir el área de la figura en polígonos, con la propiedad de que el polígono asociado al punto p_i representa el área de puntos más próxima a dicho punto. Notemos, y aquí reside la clave de este problema, que el lado de Voronoi del polígono del punto p_i representa un segmento de la mediatriz entre el punto p_i y su vecino más próximo. De esta manera,

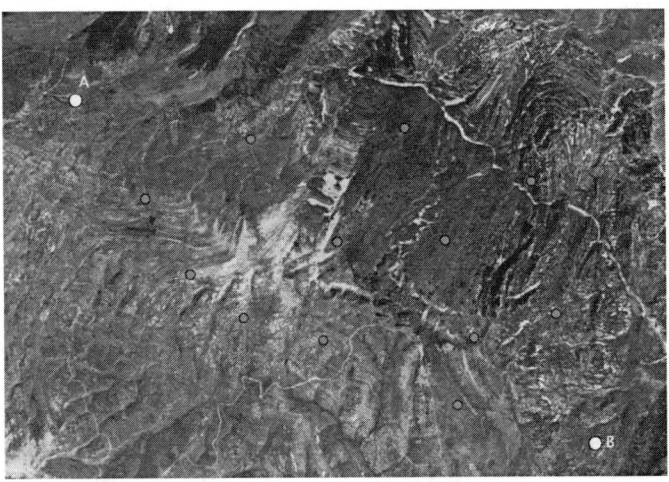

Figura 7.14: *Representación gráfica del valle por el que se va a diseñar una ruta.*

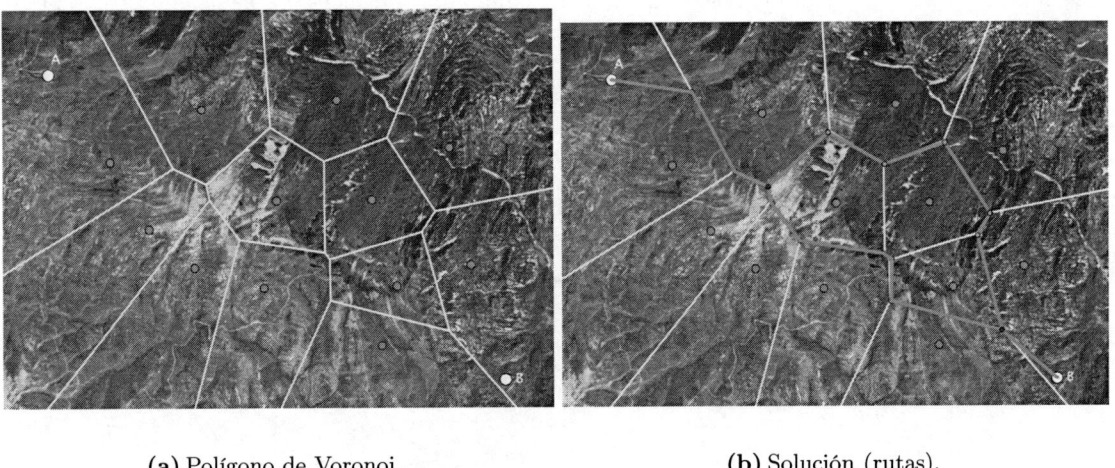

(a) Polígono de Voronoi.

(b) Solución (rutas).

Figura 7.15

dicho lado representa el conjunto de puntos más alejado de los puntos representados en el dibujo.

Precisamente los segmentos o lados de Voronoi del diagrama constituyen las trayectorias que debemos seguir en nuestro diseño para que la ruta circule lo más alejada posible de los puntos a partir de los que construimos el diagrama de Voronoi.

Esto es precisamente lo que hemos representado en la figura 7.15(b), constituyendo la solución de nuestro problema inicial.

Se observa en la figura que hemos establecido dos rutas distintas, ya que llega un momento en que las rutas se bifurcan, aunque ambas rutas comienzan y acaban en los puntos indicados.

7.4 Aplicaciones

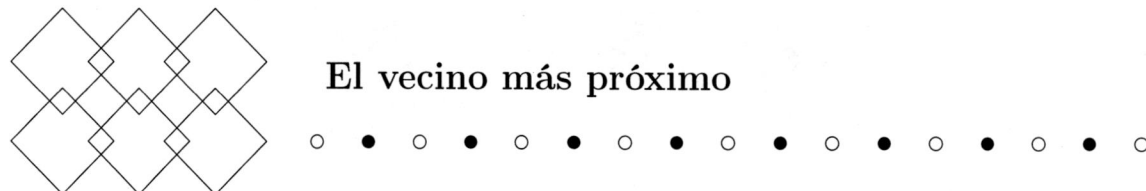

El vecino más próximo

Supongamos el problema de una persona que se encuentra en una ciudad y quiere trasladarse a un centro de comunicaciones o a cualquier otro servicio. La persona debe conocer cuál es el más crecano a su posición. Este problema se conoce con el nombre del vecino más próximo y puede plantearse en términos matemáticos como se expone a continuación.

Supongamos que tenemos un conjunto S de n puntos del plano y sea p un punto cualquiera de dicho conjunto. Entonces la pregunta es: ¿Cuál es el punto de S más cercano a p?

Se puede construir un algoritmo por fuerza bruta que nos proporcione la solución con un coste computacional de orden muy elevado, simplemente calculando las distancias de cada uno de los puntos al punto p y verificando posteriormente cuál es la distancia mínima.

Sin embargo, este algoritmo es mejorable si se conoce el diagrama de Voronoi de los n puntos del conjunto S. Sabemos que el diagrama de Voronoi nos divide el plano en polígonos. Entonces para determinar el punto de S más cercano a p, basta con determinar en qué polígono de Voronoi se encuentra. Para esta búsqueda se puede utilizar un algoritmo clásico de búsqueda como puede ser el **árbol de búsqueda binario**. El coste computacional de este algoritmo de búsqueda es del orden de $O(\log n)$, con lo que se reduce enormemente la complejidad computacional frente al algoritmo por fuerza bruta.

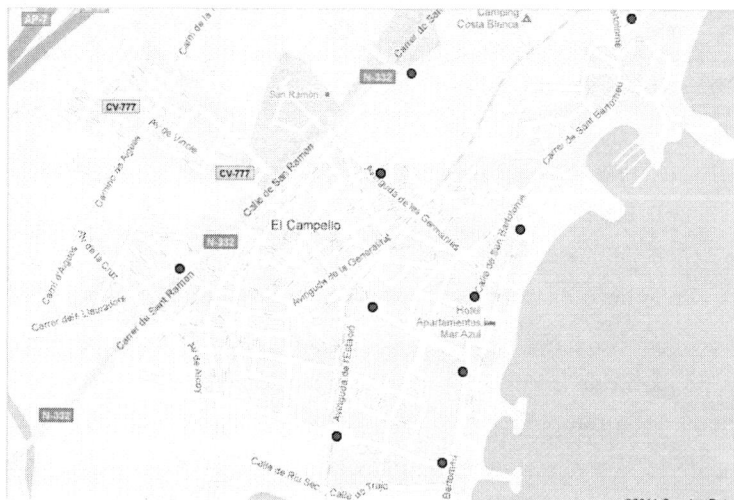

Figura 7.16: *Localización de supermercados en un área urbana.*

Ejemplo 56.

Este ejemplo está relacionado con la localización de los supermercados en un área urbana y nuestra proximidad a los mismos.

En la figura 7.16 se ha representado gráficamente un área urbana en la que los puntos representan la localización de los supermercados principales de la misma. Nuestro objetivo es conocer las áreas de influencia de los mismos con el fin de determinar cuál de ellos se encuentra más próximo a nuestra localización.

SOLUCIÓN: La resolución de este problema es bastante sencilla aplicando el concepto de diagrama de Voronoi.

Si consideramos que cada uno de los puntos del plano (supermercados) constituye un nodo, podemos obtener el diagrama de Voronoi de ese conjunto de puntos, de manera que conseguimos determinar geométricamente las áreas más próximas a cada uno de los nodos. En consecuencia, en función de nuestra localización en el plano, podemos determinar la posición del nodo más próximo a nosotros.

En la figura 7.17 hemos obtenido (utilizando GeoGebra) el diagrama de Voronoi de este conjunto de puntos, por lo que hemos dividido el plano del área urbana en regiones que se encuentran más próximas a cada uno de los puntos. □

Figura 7.17: *Diagrama de Voronoi del ejemplo 56.*

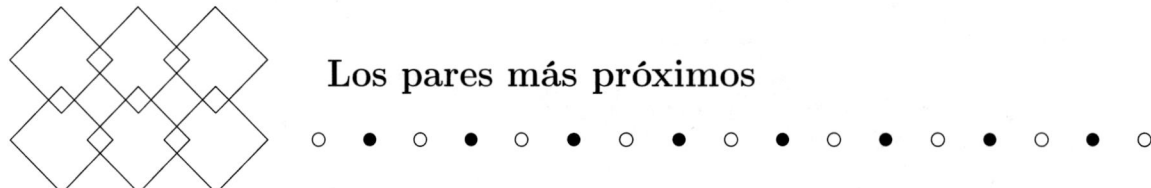

Los pares más próximos

Supongamos que tenemos el problema del controlador aéreo que ya habíamos planteado al inicio de este capítulo. En este problema, un controlador aéreo tiene en su pantalla las posiciones de todos los aviones cercanos a su torre de control. Para realizar su trabajo debe saber en todo momento cuáles son los dos aviones que se encuentran más cercanos, para evitar una posible colisión entre ellos.

Como siempre, el conjunto S de puntos del plano representa las posiciones de los aviones en su pantalla. Se desea buscar un algoritmo lo más eficiente y rápido posible que nos proporcione los pares más cercanos en el conjunto S, a medida que S va cambiando en el tiempo. Un algoritmo por fuerza bruta calcularía las distancias por pares de puntos para determinar la mínima de ellas. Pero este proceso tiene una complejidad de orden cuadrático $O(n^2)$, lo que lo convierte en intratable.

Podemos nuevamente mejorar la rapidez y la complejidad computacional utilizando el concepto de diagrama de Voronoi.

Sabemos que los pares más cercanos entre sí van a estar separados por un lado del polígono de Voronoi. Si p y q es el par más cercano, entonces se encuentran en regiones de Voronoi vecinas y la mediatriz del segmento que une a ambos contiene un lado de Voronoi. El problema queda reducido a buscar entre todos los lados de Voronoi aquél que separe los puntos más crecanos. La nueva complejidad de esta propuesta queda reducida a orden $O(n \log n)$.

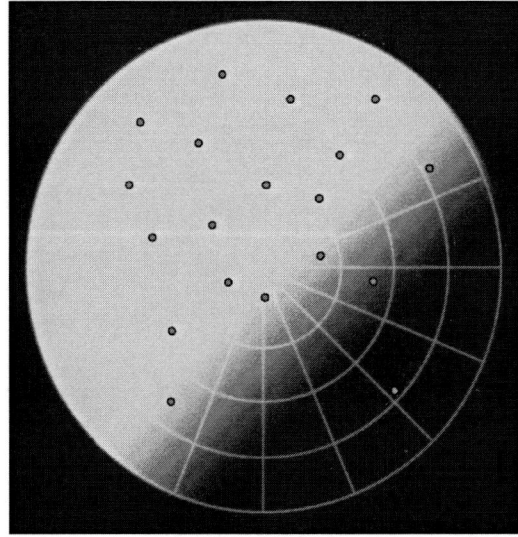

Figura 7.18: *Posiciones de aviones en un radar.*

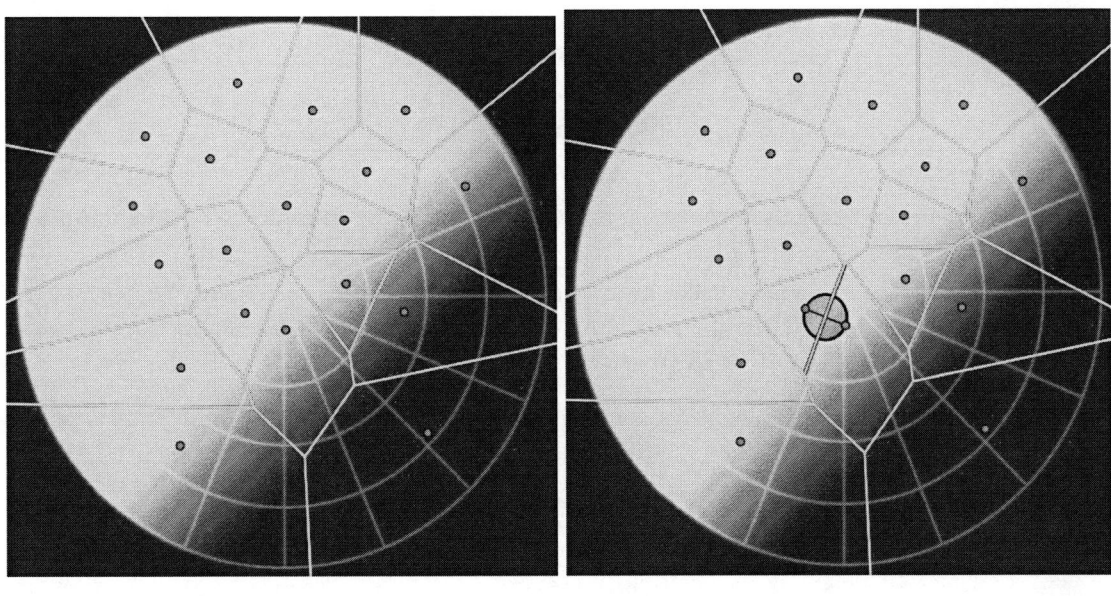

(a) Polígono de Voronoi   (b) Par más próximo

Figura 7.19

Ejemplo 57.

Este ejemplo está relacionado con el problema del controlador aéreo que se ha discutido anteriormente.

En la figura 7.18 tenemos una representación gráfica de la pantalla de un radar en la que los puntos dibujados representan a los aviones que se encuentran en la zona de acción de un controlador aéreo en una torre. Es interesante disponer de un algoritmo que le indique qué puntos son los que se encuentran más próximos para que centre su atención en modificar convenientemente sus rutas para que no se produzcan colisiones.

Simplemente utilizando el diagrama de Voronoi de este conjunto de puntos ya tiene una información visual mucho más detallada de la que dispone incialmente. Observemos en la figura 7.19 el diagrama de Voronoi de este conjunto de puntos. De este diagrama, simplemente de su observación casi instantánea ya nos hacemos una idea de los lados del polígono de Voronoi que tienen puntos más próximos.

Ahora ya es cuestión de aplicar cualquier algoritmo de búsqueda en el polígono de Voronoi para que nos proporcione los puntos que se encuentran a menor distancia del lado del polígono. Recordemos que el lado del polígono de Voronoi entre dos puntos es su mediatriz.

Tenemos la solución de este ejemplo en la figura 7.19(b).

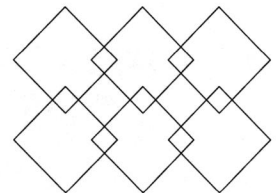

El problema de máximo círculo vacío

○ ● ○ ● ○ ● ○ ● ○ ● ○ ● ○ ● ○ ● ○

Este problema es el que habíamos denominado anteriormente **problema de localización de servicios**. Supongamos que existen n servicios comerciales en una ciudad de un determinado tipo, por ejemplo, supermercados. Queremos hallar dentro del polígono global que encierra los límites de la ciudad el lugar que se encuentra más alejado de los servicios ya existentes. Se quiere ubicar un nuevo servicio de manera que esté lo más alejado posible de posibles competidores.

Podemos representar este problema mediante un nuevo modelo matemático. Consideramos los servicos existentes como puntos de un plano. Así, disponemos de un conjunto S de n puntos del plano. Queremos hallar un punto p_i de la envolvente convexa P de S tal que maximice la función

$$f(x) = \min d(p_i, p_j),$$

para $i \neq j$. Intuitivamente, lo que estamos buscando es el centro del círculo máximo que podemos formar en el interior de la envolvente convexa del conjunto de puntos que no contiene a ningún punto de S.

En la práctica, lo que debemos determinar es el centro del círculo máximo vacío del tipo $C(v)$, siendo v un vértice de Voronoi o un círculo centrado en la intersección de uno de los ejes de Voronoi con la envolvente convexa. Este problema presenta una complejidad computacional de $O(n \log n)$.

Ejemplo 58.

Seguimos con el ejemplo que habíamos visto en la figura 7.16, en la que representábamos los supermercados que encontrábamos en un área urbana. Supongamos que deseamos establecer un nuevo supermercado de manera que se encuentre tan alejado como podamos del resto, de manera que la competencia le afecte lo menor posible.

Según se ha visto anteriormente el problema se reduce a encontrar el mayor círculo vacío centrado en uno de los vértices del diagrama de Voronoi. También debíamos tener en cuenta los círculos centrados en la intersección de la envolvente convexa con los polígonos de Voronoi. En la figura 7.20 vemos la solución en este caso; se han dibujado los puntos vértices del diagrama de Voronoi, se ha dibujado la envolvente convexa del conjunto de puntos. A partir de los vértices se han construido los círculos $C(v)$, siendo v vértices de Voronoi y se ha comprobado el radio de cada uno de los círculos para encontrar el mayor. Por último, se ha resaltado el punto donde se encuentra el centro del máximo círculo vacío, por lo que puede ser un punto óptimo para situar el negocio.

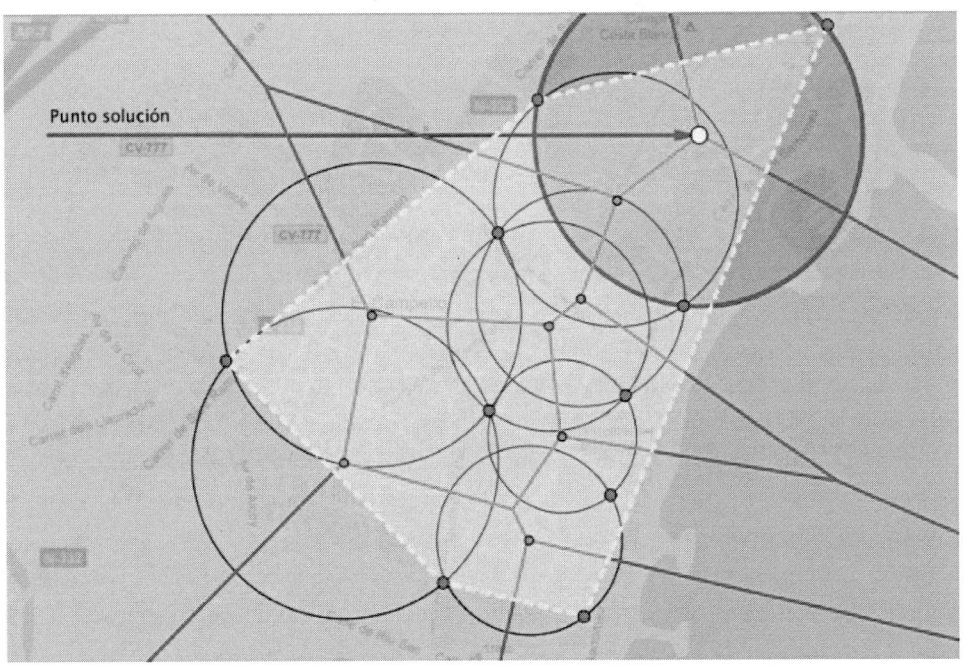

Figura 7.20: *Centro del máximo círculo vacío.*

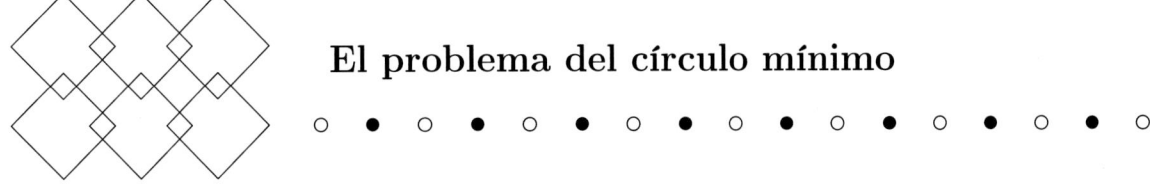

El problema del círculo mínimo

7.4.1 El problema del círculo mínimo

Este es un problema clásico en geometría computacional y del que existe una extensa bibliografía en las últimas décadas proponiendo diversos algoritmos con el objetivo fundamental de obtener implementaciones cada vez más eficientes desde el punto de vista computacional.

El problema se enuncia de manera muy breve y elegante en el área de la geometría. Consiste en determinar el menor círculo que encierra un conjunto de puntos. El problema se conoce en el ámbito científico como **problema del círculo mínimo** (*minimum spanning circle*).

Este problema fue abordado por vez primera en 1857 por el matemático inglés James Joseph Sylvester.

La gran mayoría de las ideas geométricas relacionadas con la resolución de este problema se basan en dos hechos fundamentales:

- El círculo mínimo es único.
- El mínimo círculo de un conjunto S de puntos puede determinarse mediante tres puntos en S que se encuentran en la frontera del círculo. El triángulo que une estos tres puntos no es obtuso.

Antes de abordar el problema en sí, necesitamos introducir la definición de ángulo obtuso.

Definición 52 (triángulo obtuso).

Un triángulo decimos que es **obtuso** si uno de sus ángulos interiores es obtuso, es decir, mayor de 90°. Los otros dos ángulos son agudos (menores de 90°).

Este problema está íntimamente relacionado con el problema de la localización de servicios, como se desprende del siguiente ejemplo.

Ejemplo 59 (problema de distancia mínima).

Supongamos que tenemos n puntos en el plano representando clientes, plantas de producción para ser abastecidas, escuelas, hospitales, mercados, pueblos o cualquier otro tipo de institución. El problema consiste en ubicar un punto X en el plano representando un servicio (proveedor, transmisor o despachados) de tal forma que la distancia desde X hasta el punto más alejado sea mínima.

Este criterio es de gran utilidad para ubicar hospitales, estaciones de policía, bomberos, etc. donde es necesario minimizar el peor de los casos en cuanto a tiempo de respuesta.

Un algoritmo intuitivo como el que veremos a continuación nos da la solución con una complejidad de $O(n^4)$.

En 1972 Elzinga y Hearn diseñaron un algoritmo más rápido, cuyo orden de complejidad se reducía a $O(n^2)$. Posteriormente, Shamos desarrolló un algoritmo más rápido que cualquiera de los conocidos entonces, con orden de complejidad $O(n \log n)$. Después de una larga búsqueda por parte de los investigadores de algoritmos cada vez más eficientes, finalmente, en 1983, Meggido diseñó e implementó un algoritmo cuya complejidad se reducía a $O(n)$.

Analizamos este problema utilizando un algoritmo de fuerza bruta inspirado en los puntos siguientes:

(a) Para todo par de puntos a y b determinamos el círculo diametral, es decir, aquel cuyo diámetro es igual a la distancia desde a hasta b, centrado en el punto medio del segmento.

(b) Si con esto no cubrimos todos los puntos, para cada tres puntos buscamos el círculo inscrito en el triángulo cuyos vértices son los tres puntos (círculo triangular).

(c) Revisamos si todos los puntos están dentro del círculo 1 o 2 y nos quedamos con el menor.

Se puede probar fácilmente que un algoritmo basado en esta idea tiene orden de complejidad $O(n^4)$, siendo n el número de puntos. El algoritmo 7.2 nos detalla el seudocódigo para el cálculo del círculo mínimo.

Estudiemos con detalle un ejemplo del funcionamiento de este algoritmo en el que se ponga de manifiesto su simplicidad conceptual y su elevado coste computacional.

Algorithm 7.2: Algoritmo del círculo mínimo.

Data: Un conjunto S de n puntos.

Result: El círculo mínimo que cubre S.

1 Si S contiene menos de cuatro puntos construya el círculo mínimo directamente;

2 Sean p_1 y p_2 dos puntos de S. Sea C el círculo de diámetro $p_1 p_2$ y centro c en el punto medio de p_1 y p_2;

3 **for** $i = 1, \ldots, n$ **do**

4   calcule la distancia $d_i = d(c, p_i)$;

5   **if** d_i *es menor o igual que* $\frac{(p_1, p_2)}{2}$, *para todo i* **then**

6   C es el círculo mínimo

7   **else**

8   Volvemos al paso 2

9 Sean p_1, p_2, p_3 tres puntos de S. Sea C el círculo determinado por esos tres puntos con centro c y radio r;

10 **for** $i = 1, \ldots, n$ **do**

11   calcule la distancia $d_i = d(c, p_i)$;

12   **if** d_i *es menor o igual que r* **then**

13   C es el círculo mínimo

14   **else**

15   Volvemos al paso 9

16 El círculo mínimo es el menor de los círculos del punto 9.

Ejemplo 60 (problema del círculo mínimo).

Seguimos con el ejemplo de los supermercados en el área urbana dada por la figura 7.16. Habíamos situado en el mapa la localización de los supermercados principales. Supongamos que queremos crear un almacén para aprovisionamiento de productos para estos supermercados; nos interesa que dicho almacén se encuentre situado de forma que la distancia a todos ellos sea la menor posible. El objetivo es que podamos desplazarnos a cualquiera de ellos en el menor tiempo posible.

Este problema está relacionado con el cálculo del círculo mínimo que cubre todos los puntos. Aplicamos este algoritmo para resolver nuestro problema.

SOLUCIÓN: En nuestro ejemplo tenemos el conjunto de puntos $A, B, C, D, E, F, G, H, I, J$ que son los supermercados situados en el área urbana.

De acuerdo con el algoritmo, comenzamos intentando determinar el círculo mínimo a partir de dos puntos.

Tomamos inicialmente, por ejemplo, los puntos $p_1 = B$ y $p_2 = J$.

A continuación, consideramos el círculo de diámetro $p_1 p_2$ o, lo que es lo mismo, el círculo que tiene como diámetro el segmento BJ.

Podemos hacer esto con GeoGebra dibujando el segmento que une BJ y su punto medio, llamémosle K. A continuación, con la herramienta *Compás* indicamos los puntos extremos y el centro, con lo que queda dibujado el círculo de diámetro BJ.

Trazamos el punto medio de ese segmento, K.

Ahora, para $A, B, C, D, E, F, G, H, I, J$, calculamos

$$d(K, A) = 5.77 \quad d(K, B) = 1.57 \quad d(K, C) = 3.72 \quad d(K, D) = 3.58$$
$$d(K, E) = 3.64 \quad d(K, F) = 2.15 \quad d(K, G) = 0.75 \quad d(K, H) = 1.93$$
$$d(K, I) = 5.10 \quad d(K, J) = 1.57.$$

Ahora, de acuerdo con el punto 5 del algoritmo, si $d_i \leqslant KB$, para todas las distancias, entonces ya hemos encontrado el círculo mínimo. En otro caso, debemos tomar otros dos puntos del conjunto S y efectuar la misma operación.

En nuestro ejemplo, es fácil ver que muchos puntos superan esa distancia, por ejemplo,

$$d(K, E) = 3.64 > d(K, B) = 1.57,$$

por lo que estos puntos no forman un círculo mínimo, como se aprecia claramente en la figura 7.21.

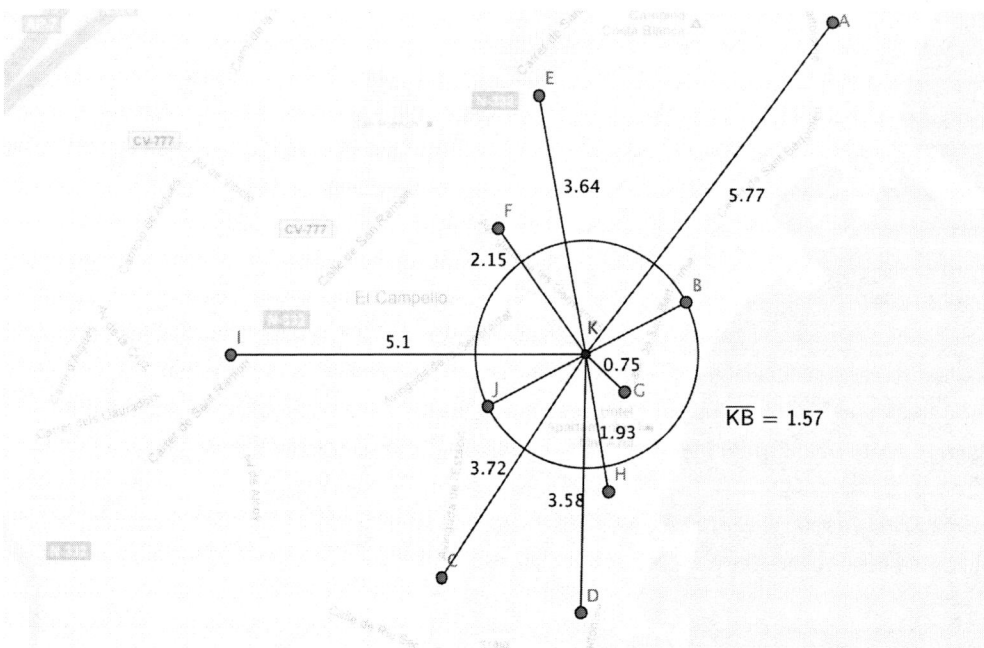

Figura 7.21: *Búsqueda del círculo mínimo.*

Si vamos tomando puntos vemos claramente que es imposible conseguir el círculo mínimo que los englobe a todos, aunque estos puntos se encuentren muy alejados entre sí.

Si tomamos los puntos $p_1 = A$ y $p_2 = C$, vemos claramente que

$$d(K, I) > d(K, A),$$

siendo K el punto medio del segmento AC.

En consecuencia, pasamos al punto 9 del algortimo.

Ahora la estrategia de cálculo es exactamente la misma; la diferencia radica en que tomamos tres puntos para formar el círculo que pasa por ellos. Pero el procedimiento es totalmente análogo.

La idea es ir tomando ternas de puntos de S e ir dibujando los círculos que generan.

Consideremos, por ejemplo, los puntos $p_1 = C$, $p_2 = D$ y $p_3 = I$.

Trazamos el círculo que pasa por estos tres puntos, cuya ecuación de la circunferencia es

$$(x - 5.24)^2 + (y - 1.53)^2 = 34.13,$$

lo que significa que el centro de este círculo es el punto $K = (5.24, 1.53)$ y el radio del círculo es $r = 5.84$.

Entonces calculamos las distancias de K a cada uno de los puntos restantes.

$$d(K, A) = 3.97 < 5.84 = r \quad d(K, B) = 1.90 < 5.84 = r$$
$$d(K, E) = 1.64 < 5.84 = r \quad d(K, F) = 1.62 < 5.84 = r$$
$$d(K, G) = 2.78 < 5.84 = r \quad d(K, H) = 4.15 < 5.84 = r$$
$$d(K, J) = 3.41 < 5.84 = r.$$

Se concluye que hemos encontrado un círculo mínimo que cubre todos los puntos, como se pone de manifiesto en la figura 7.22.

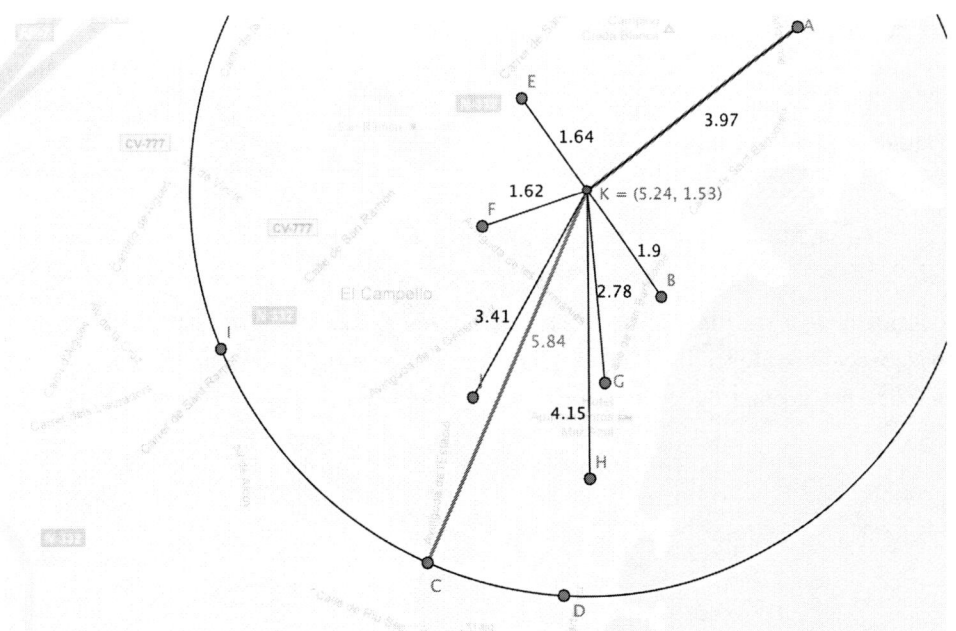

Figura 7.22: *Búsqueda del círculo mínimo.*

Evidentemente, como se observa en el ejemplo que hemos expuesto, el algoritmo del círculo mínimo requiere un elevado número de operaciones, por lo que se convierte en un problema intratable desde el punto de vista computacional, aun cuando el número de puntos sea muy pequeño como en este caso.

La alternativa a algoritmos de coste tan elevado la constituye el algoritmo propuesto por Elzinga y Hearn, que describimos por medio del algoritmo 7.3.

Algorithm 7.3: Algoritmo de Elzinga y Hearn.

Data: Un conjunto S de n puntos.

Result: El círculo mínimo que cubre S.

1 Elija una pareja de puntos p_i y p_j;

2 Construya el círculo C de diámetro $p_i p_j$;

3 Verificar si todos los puntos de S están en C;

4 **if** *3 es positivo* **then**

5 $\quad$ C es el círculo mínimo

6 **else**

7 $\quad$ tomar otro punto p_k fuera de C

8 **if** *triángulo $p_i p_j p_k$ es obtuso o rectángulo* **then**

9 $\quad$ renombrar $p_i p_j$ los puntos más alejados y volver al punto 2

10 **else**

11 $\quad$ el triángulo $p_i p_j p_k$ es agudo. Construya el círculo C que pase por los tres puntos

12 **if** *C contiene todos los puntos de S* **then**

13 $\quad$ C es el círculo mínimo

14 **else**

15 $\quad$ tomar p_l fuera del círculo

16 Sea Q el punto de $\{p_i p_j p_k\}$ más alejado a p_l y N el centro del círculo;

17 Sea R el punto de $\{p_i p_j p_k\}$ que está del lado opuesto de p_l con relación a la recta que contiene el segmento QN;

18 Con los puntos Q, R y p_l volver a 8.

Este algoritmo presenta una complejidad del orden de n^2, lo que representa una mejora sustancial respecto del algoritmo 7.2, cuyo orden de complejidad era elevadísimo e intratable.

Sin embargo, el algoritmo de Elzinga y Hearn puede mejorarse desde el punto de vista computacional, reduciendo su orden de complejidad a $O(n \log n)$. Dicha mejora se basa en utilizar los llamados diagramas de Voronoi, concepto geométrico ya estudiado en este capítulo.

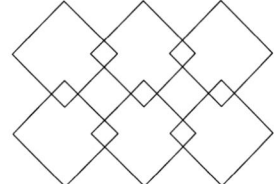

El problema del robot

○ ● ○ ● ○ ● ○ ● ○ ● ○ ● ○ ● ○ ● ○ ● ○

7.4.2 El problema del robot

Supongamos que un robot debe atravesar un pasillo para salir de una casa. La salida se encuentra al final de un pasillo que tiene una anchura de 60 centímetros. El robot debe calcular su anchura para evitar una colisión con las paredes.

Si la anchura del robot es de 58 centímetros o menos, entonces podrá pasar a través del pasillo hacia la salida.

El robot está formado por una serie de brazos, antenas, ruedas y otras piezas móviles cuyas posiciones se determinan mediante puntos con coordenadas en el espacio. Sin embargo, trasladando este problema al plano, podemos representar un robot en el plano como un conjunto finito de puntos S. ¿Cuál es la anchura del robot?

Podemos afirmar que la anchura del robot es la menor distancia entre dos rectas paralelas que sean líneas de soporte de S.

Definición 53 (línea de soporte).

Una **línea de soporte** L de un conjunto finito de puntos S es una recta que contiene al menos un punto de S y tal que los elementos de S que no están sobre la recta se encuentran todos en el mismo lado del plano dividido por la recta L.

Definición 54 (puntos antipodales).

Dos puntos del conjunto S situados sobre un par de líneas de soporte se llaman **puntos antipodales**.

De esta manera, apoyándonos en estas definiciones, podemos establecer las siguientes consideraciones:

(a) Para hallar la anchura del conjunto S debemos conocer la mínima distancia entre las paralelas de soporte.

(b) Las paralelas de soporte pasan por los puntos antipodales.

(c) Los puntos antipodales están sobre la envolvente convexa de S.

Así, para hallar las líneas paralelas de soporte de S hay que considerar pares consecutivos de vértices sobre la envolvente y sus respectivos antipodales.

De esta forma, hemos establecido una relación entre el cálculo de la envolvente convexa y la manera de hallar la anchura mínima de un conjunto de puntos.

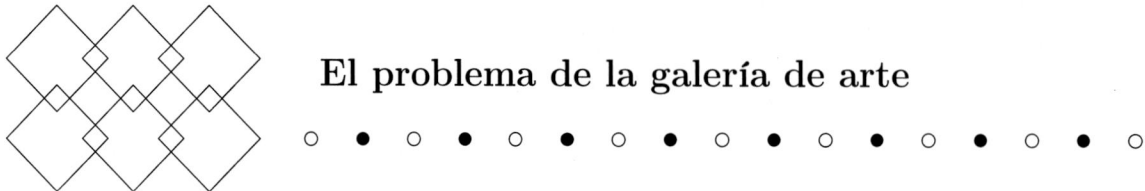

El problema de la galería de arte

7.4.3   El problema de la galería de arte

Consideremos una galería de arte o un museo en el que figuran valiosas pinturas colgadas en las paredes, así como esculturas diseminadas por las diversas salas del mismo.

Deseamos instalar un sistema de seguridad consistente en unas cuantas cámaras de vigilancia montadas en ciertos puntos fijos, aunque estas pueden rotar 360°, de manera que pueden captar imágenes en todas las direcciones.

Suponemos, por simplificar el problema, que vivimos en *flatland*, es decir, nos movemos en dos dimensiones y situamos las cámaras en la planta del suelo de la galería.

Podemos representar fácilmente la galería de arte mediante un simple polígono que nos muestre las distintas salas del mismo, como si de un plano se tratara. Observemos un ejemplo a través de la figura 7.23.

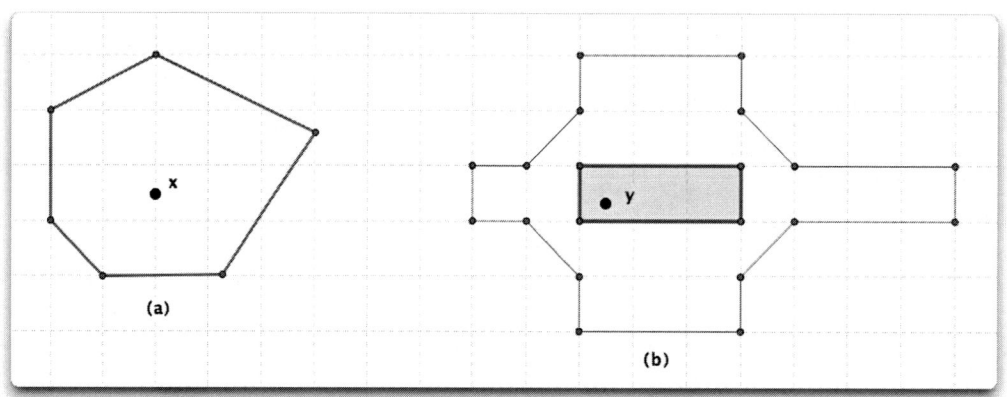

Figura 7.23: *Dos tipos de galerías, convexa (a) y con forma de estrella (b).*

Lo primero que hay que decir es que si el polígono que representa la galería es convexo, entonces el asunto de la colocación de las cámaras en este caso es muy sencillo; basta únicamente con colocar una cámara en dicha dependencia de manera que nos cubrirá (al rotar 360°) toda el área a vigilar. Se observa claramente en la galería (a) de la figura 7.23.

Un polígono que requiere no más de una cámara para cubrir el área total, se llama polígono de estrella. Evidentemente, todos los polígonos convexos pertenecen a esta clase; sin embargo, todos los polígonos con forma de estrella no son convexos, como se desprende de la galería que hemos representado en la figura 7.23(b). Tenemos un ejemplo claro de galería no convexa que presenta forma de estrella, ya que la cámara se puede situar en cualquier punto de la zona sombreada y tenemos resuelto el problema.

Ahora vamos a suponer el caso más complejo en que tenemos una galería que no presenta forma de estrella y que consta de n paredes, siendo n un número que puede ser grande. Estudiando un caso concreto, supongamos que trabajamos con la galería que se muestra en la figura 7.24.

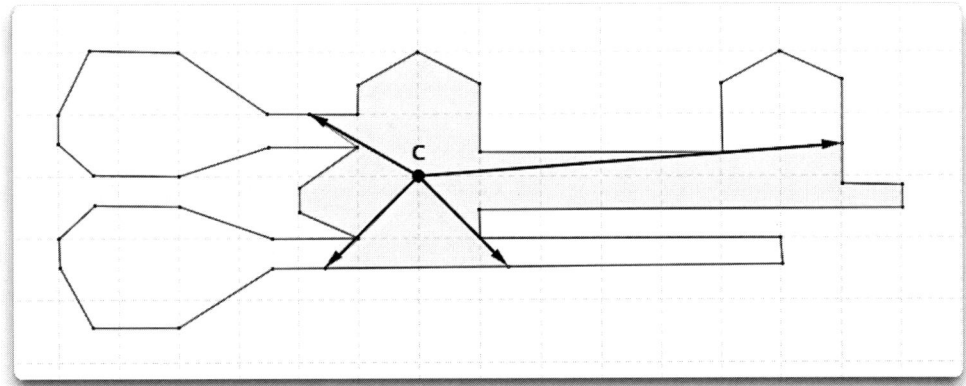

Figura 7.24: *Galería y situación de una cámara.*

En 1973, Victor Klee se hizo la siguiente pregunta: dada una galería de forma irregular, ¿cuál es el mínimo número de cámaras requerido para vigilar y salvaguardar el interior de las n paredes de la galería?

Vasek Chvatal pronto estableció lo que se ha conocido desde entonces como el *teorema de la galería de arte de Chvatal*. Estableció por medio de este teorema que $n/3$ cámaras son siempre suficientes y, a veces, necesarias. En la figura 7.24 que hemos tomado como ejemplo tenemos los valores siguientes:

$$n = 36, \qquad n/3 = 12,$$

por lo que se deduce que 12 cámaras son suficientes para la vigilancia de esta sala.

Sin embargo, suficientes no es lo mismo que necesarias, como se muestra en la figura 7.25, donde únicamente con cuatro cámaras podemos vigilar toda la galería.

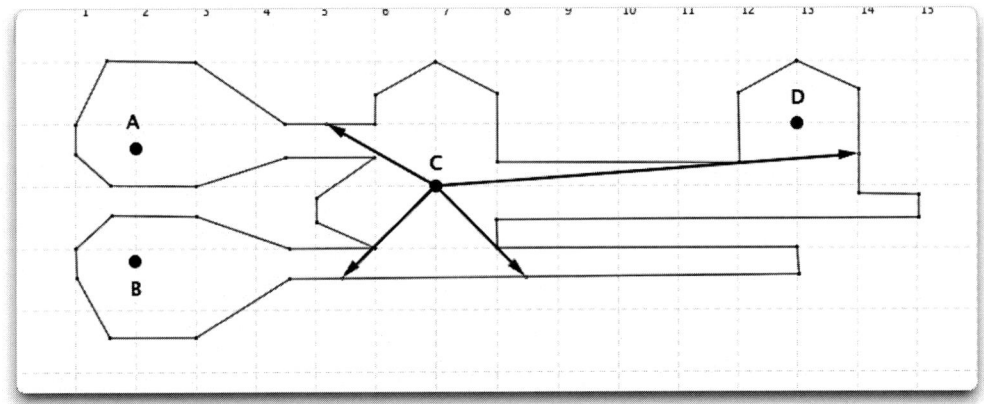

Figura 7.25: *Situación de las cuatro cámaras de vigilancia imprescindibles.*

Posteriormente, en 1981 Avis y Toussaint desarrollaron un algoritmo eficiente para encontrar los emplazamientos en los que se deben situar las cámaras.

Este tipo de problema para diferentes tipos de objetos o personas, diferentes entornos, pertenece a un área de investigación que se conoce con el nombre de **teoremas y algoritmos de las galerías de arte**. Joseph O'Rourke ha escrito una monografía realmente interesante relacionada con este tema.

Pero seguimos con el problema de la galería que tenemos en la figura 7.25, en la que aparece la situación de las cámaras A, B, C, D que resuelven el problema. Podría interesarnos la cuestión de determinar exactamente qué secciones de la galería son visibles con una cámara, por ejemplo la que hemos llamado C. Dicha región, a la que nos referiremos como **región de visibilidad** desde el punto C, la vemos marcada en la figura 7.24.

Determinar la región de visibilidad de este punto es equivalente a borrar las zonas no sombreadas del polígono, ocultas desde la posición C y se conoce en el ámbito de la geometría computacional como el **problema de la línea oculta**.

En geometría computacional nos resulta más interesante el problema en tres dimensiones, que se conoce con el nombre de **problema del borrado de la superficie oculta**.

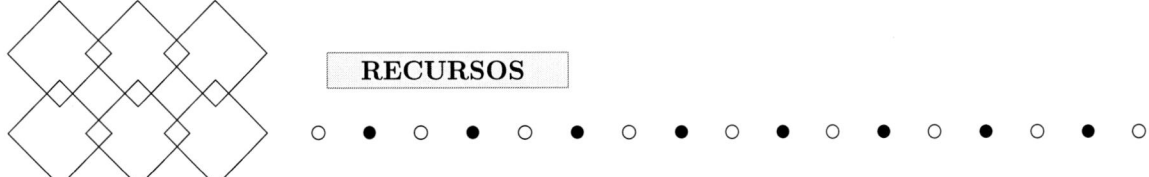

RECURSOS

Citamos algunas fuentes en la red relacionadas con el tema de la geometría computacional.

- `compgeom.cs.uiuc.edu/~jeffe/compgeom/`
  Aquí podemos encontrar información general sobre la geometría computacional. Presenta enlaces a otras páginas y a recursos de tipo general, así como a los eventos más importantes en esta materia.
- `www.dma.fi.upm.es/mabellanas/`
  Página personal de Manuel Abellanas, donde encontramos muchísima información sobre geometría computacional, tanto para expertos en el tema como para principiantes. Hay enlaces a algunos documentos introductorios muy interesantes. También destaca el *software* desarrollado en trabajos final de carrera para el cálculo de triangulaciones, diagramas de Voronoi, cierres convexos, etc.
- `www.personal.kent.edu/~rmuhamma/Compgeometry/compgeom.html`
  Página de Reahid Bin Muhammed, donde podemos encontrar muchísima información a partir de documentos, sobre la mayoría de aspectos esenciales de la geometría algorítmica.
- `www.voronoi.com/wiki/index.php?title=Voronoi_Applications`
  En esta página encontramos una lista extensa sobre aplicaciones de los diagramas de Voronoi, a disciplinas tan diversas como la biología, la química, geografía, etc. Multitud de enlaces.
- `cgm.cs.mcgill.ca/~godfried/teaching/cg-projects/97/Thierry/thierry507webprj/`
  `artgallery.html`
  Información sobre el problema de la galería de arte. Hay un *applet* que nos permite interactuar introduciendo los puntos del polígono inicial.
- `www.pi6.fernuni-hagen.de/publ/tr198.pdf`
  Artículo explicativo sobre los diagramas de Voronoi y las triangulaciones de Delaunay.
- `www-ma2.upc.edu/hurtado/`
  Página personal de Ferrán Hurtado, donde podemos encontrar gran cantidad de publicaciones sobre geometría computacional.
- `cgm.cs.mcgill.ca/~godfried/teaching/cg-web.html`
  Una enorme cantidad de enlaces a multitud de páginas relacionadas con temas de geometría algorítmica. Encontramos enlaces a páginas de los temas más diversos como el problema de la localización de servicios, la galería de arte, triangulaciones de polígonos, etc.
- `www.cgal.org/`
  CGAL es una librería de geometría computacional basada en C++. Se utiliza en muchas áreas de la computación como por ejemplo en gráficos, visualización de datos, diseño asistido, modelado, sistemas de información geográfica, robótica, imágenes médicas, etc. Sus posibilidades son enormes ya que todas las estructuras y algoritmos implementados actúan sobre objetos geométricos.
- `compgeom.cs.uiuc.edu/~jeffe/compgeom/code.html`
  Esta página nos lista *software* disponible en Internet, la mayoría de dominio público, que trata sobre diferentes aspectos o problemas de la geometría computacional.

7.5   Ejercicios propuestos

Problema 7.1: *Dados tres puntos del plano P_0, P_1, P_2 diseñe un algoritmo que nos determine si los tres puntos forman un triángulo positivo (sentido de las manecillas del reloj) o negativo (sentido contrario a las manecillas del reloj) .*

Problema 7.2: *Dado un conjunto de puntos del plano S, decimos que su diámetro es la mayor distancia entre dos de sus puntos. Relacione este concepto de diámetro de un conjunto de puntos y la envolvente convexa del mismo. Establezca un algoritmo para determinar el diámetro de un conjunto de puntos S del plano.*

Problema 7.3: *Aplique el método de Graham al conjunto de puntos S dado por $p_1(1,5)$, $p_2(10,3)$, $p_3(2,11)$, $p_4(6,9)$, $p_5(7,6)$, $p_6(11,10)$, $p_7(2,4)$, $p_8(8,1)$, $p_9(11,7)$, $p_{10}(6,10)$.*

Problema 7.4:   (a) *Dibuje un hexágono regular cualquiera y represente su diagrama de Voronoi. ¿Qué se observa?*

  (b) *Pruebe con otros polígonos regulares. Describa la estructura del diagrama de Voronoi para los vértices de un polígono regular.*

Problema 7.5: *Consideremos un conjunto de puntos S del plano y su diagrama de Voronoi. Sea p un punto de S. ¿Qué condición debe cumplirse para que el polígono de Voronoi del punto p no esté acotado? Razone la respuesta.*

Problema 7.6: *Consideremos un conjunto de n puntos S del plano, con $n \geqslant 3$. ¿Es posible construir un ejemplo de S de manera que no existan vértices en su diagrama de Voronoi? Razone la respuesta.*

Problema 7.7: *Consideremos c_1 y c_2 dos círculos con cuerdas que los cruzan propiamente. Demuestre que entonces por lo menos uno de los extremos de la cuerda de los círculos se encuentra estrictamente en el interior del otro círculo.*

Problema 7.8: *Consideremos un conjunto de n segmentos verticales en el plano. Diseñe un algoritmo lo más eficiente posible para determinar si existe una línea que cruza todos estos segmentos.*

Problema 7.9: *Obtenga el mapa de su pueblo o ciudad. Sobre dicho mapa marque las oficinas de correos que existan. Obtenga las zonas más próximas a cada una de las oficinas. ¿Le corresponde la oficina que tiene más próxima? (Ayúdese de GeoGebra para este ejercicio).*

8 Triangulaciones de puntos

Es mejor permanecer callado y parecer tonto que hablar y despejar las dudas definitivamente.
Groucho Marx (1890-1977).

Somos la memoria que tenemos y la responsabilidad que asumimos; sin memoria no existimos y sin responsabilidad quizá no merezcamos existir.
José Saramago (1922-2010).

Se buscan hombres para peligroso viaje. Salario reducido. Frío penetrante. Largos meses de completa oscuridad. Constante peligro. Dudoso regreso sano y salvo. Honor y reconocomiento en caso de éxito.
Ernest Shackleton (1874-1922). (Anuncio publicado en el *Times* de Londres pidiendo voluntarios para una expedición antártica).

8.1 Introducción y motivación

La superficie terrestre se puede modelar con una superficie poliédrica de un cierto tipo que se conoce con el nombre de *terreno* (*terrain*). Podemos pensar que se trata de una superficie en dos dimensiones integrada en un espacio tridimensional, con la particularidad de que cada línea vertical la intersecta en un punto. De esta forma, podemos definir una cierta función f tal que a cada punto p del dominio de la superficie le asigna una altura $f(p)$.

Pensemos en una parcela de tierra real. Nosotros no conocemos la altura de cada uno de los puntos, solo conocemos la altura de un conjunto discreto de puntos que hemos conseguido medir previamente, es decir, conocemos los valores de la altura de un conjunto finito de puntos P contenido en el conjunto del dominio de puntos de la superficie bidimensional. A partir de este conjunto discreto de puntos vamos a ser capaces de calcular *aproximadamente* la altura de otros puntos del dominio.

Se podría pensar en una primera aproximación en asignar a cada punto p una altura igual a la del punto más cercano; esto daría una imagen del terreno que no se ajusta a la realidad. Precisamente en este punto el concepto de triangulación puede resultar muy útil.

Aunque posteriormente estableceremos una definición más formal, podemos avanzar que una triangulación de una nube de puntos del plano es una familia maximal de triángulos de interiores disjuntos cuyos vértices son puntos de la nube y en cuyo interior no hay ningún punto de la nube.

Volvamos de nuevo a las superficies de tipo terreno que hemos planteado inicialmente. Supongamos que los puntos de la nube son los puntos donde hemos medido la altura. Después de realizar la triangulación, elevamos dichos puntos a su altura real, por lo que podemos hablar de una triangulación en el espacio. La triangulación resultante en 3D es una superficie poliédrica de tipo terreno, que puede ser utilizada como una aproximación más perfecta al terreno real.

En la figura 8.1 se puede observar una superficie de tipo terreno, en la que se puede observar las implicaciones anteriores.

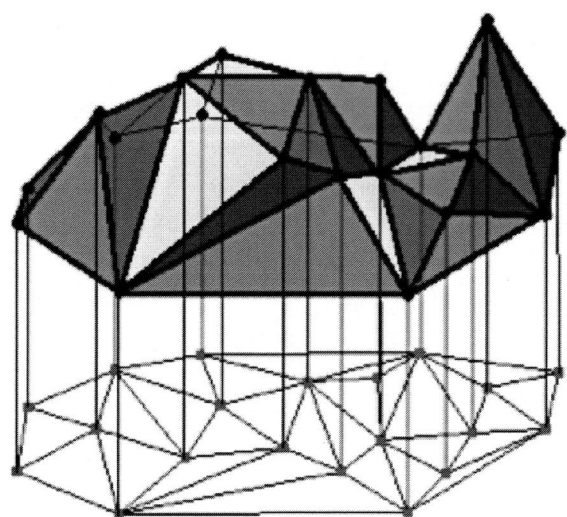

Figura 8.1: *Triangulación de tipo terreno.*

Surge ahora una cuestión fundamental: ¿cómo triangulamos ese conjunto de puntos?

Existen muchas formas de triangular conjuntos de puntos, pero, ¿cuál es la triangulación que mejor se aproxima a un terreno real? Al no tener información sobre otros puntos, en principio, cualquier triangulación podría ser igual de válida, aunque parece más lógica la triangulación que forme los *triángulos más regulares*, que aparentemente nos dará una imagen más fiel del terreno real.

8.2 Conceptos y algoritmos iniciales

Comenzamos con la definición de triangulación que ya fue esbozada en la sección anterior.

Definición 55 (triangulación de un conjunto de puntos.).

Dado un conjunto de puntos en el plano S diremos que una **triangulación** de S es una subdivisión del plano determinado por un conjunto maximal de aristas que no se cruzan, cuyos vértices se encuentran en el conjunto S.

Es sencillo demostrar que esta subdivisión está formada por triángulos. De esa forma, tendremos que una triangulación de S será un conjunto finito de triángulos uniendo vértices del conjunto S.

Dada una nube de puntos podemos establecer distintas triangulaciones para el mismo conjunto discreto de puntos, como se aprecia en la figura 8.2.

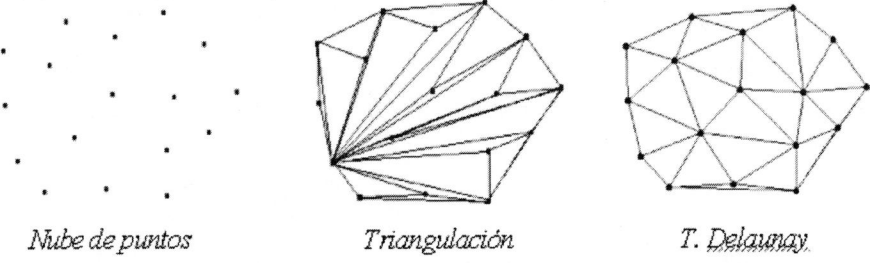

Nube de puntos   Triangulación   T. Delaunay

Figura 8.2: *Distintas triangulaciones para un conjunto de puntos en el plano.*

Comenzamos estudiando un algoritmo básico para establecer triangulaciones dado un conjunto de puntos cualquiera en el plano.

Algoritmo Triangle-Splitting.

Halla la envoltura convexa de S y considera la envoluta convexa como un polígono. La idea es triangularizar el polígono del siguiente modo: elige un punto interior y dibuja aristas a los tres vértices del triángulo que lo contiene. Continúa este proceso hasta utilizar todos los puntos interiores.

Notemos que un algoritmo de este tipo puede producir diferentes tipos de triangulaciones. Además, desde el punto de vista computacional es muy costoso, puesto que parte de la envoltura convexa de la nube de puntos, problema que no es en absoluto trivial.

Cuando tenemos una nube de puntos y construimos una triangulación la primera pregunta que nos viene a la mente es: ¿cuántos triángulos forman la triangulación?

Esta es la pregunta que responde el siguiente resultado.

Teorema 10.

Supongamos que el conjunto de puntos S está formado por k puntos interiores y h puntos en la envoltura convexa. Entonces cualquier triangulación realizada mediante el algoritmo Triangle-Splitting tiene exactamente $2k + h - 2$ triángulos.

Ejemplo 61.

Consideremos el conjunto de puntos $S = \{(0,1),(1,3),(5,5),(3,1),(4,6),(7,4),(10,3),(3,7)\}$. Aplique el teorema de Triangle-Splitting para determinar una triangulación de S. Calcule el número de triángulos de la triangulación, tanto de forma teórica como práctica. Compruebe la veracidad del teorema anterior.

Antes de estudiar el siguiente algoritmo básico, introducimos una propiedad básica relacionada con las nubes de puntos en el plano.

Definición 56.

Consideremos un conjunto de puntos en el plano S y una triangulación cualquiera T sobre S. Sea p un punto de S y q un punto exterior a T. Diremos que los puntos p y q son **visibles** si al unir ambos puntos mediante un segmento, no intersecta con ningún triángulo de T.

A partir de este concepto podemos introducir un algoritmo distinto del anterior, que llamaremos **algoritmo incremental**.

Algoritmo incremental.

Ordenamos los puntos de S de acuerdo con el valor de su coordenada x. Los primeros tres puntos de esta ordenación forman un triángulo. Consideramos el siguiente punto p del conjunto ordenado y lo conectamos con todos los puntos considerados previamente que satisfacen la propiedad de ser visibles con p. Continuamos el proceso añadiendo puntos hasta que todos los puntos de S han sido procesados.

En la figura 8.3 vemos un ejemplo cuando se ejecuta el algoritmo incremental sobre el conjunto de puntos S formado por los nueve puntos que aparecen en la figura. Observamos la construcción de triángulos para el punto p_6. Se han representado las aristas visibles (color azul) y las no visibles (color rojo) desde ese punto.

El número de triángulos que se forman al realizar una triangulación solamente depende del número de vértices del polígono dibujado. Cuando estudiamos el primer algoritmo vimos que el número de triángulos era de $2k + h - 2$. Esto es válido para cualquier triangulación, como se deduce del teorema de Euler.

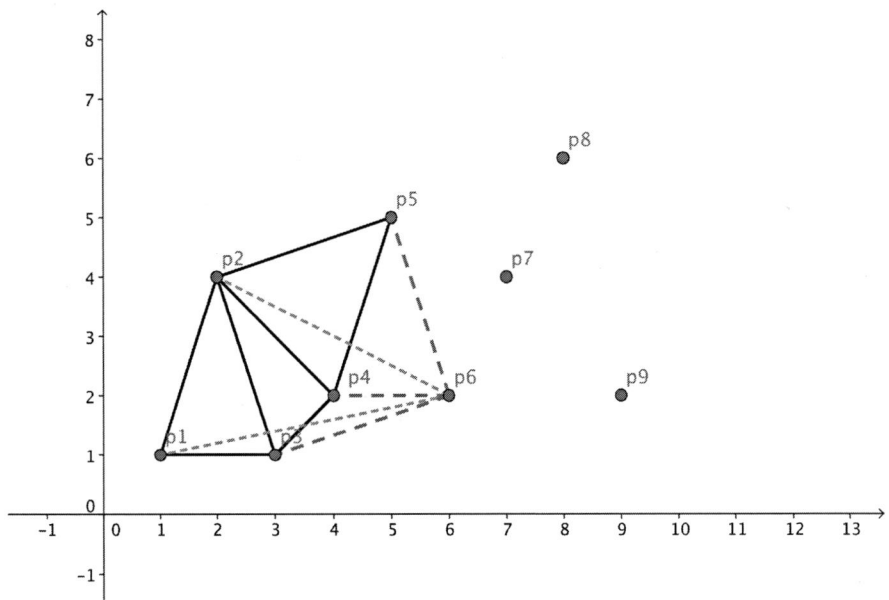

Figura 8.3: *Ejemplo del algoritmo incremental sobre un conjunto de nueve puntos.*

Teorema 11 (teorema de Euler).

Sea G el grafo plano conectado con V vértices, E aristas y F caras en el plano. Entonces

$$V - E + F = 2.$$

Aplicando la fórmula de Euler al problema de la triangulación, podemos establecer el siguiente resultado general.

Teorema 12.

Sea S un conjunto de puntos con k puntos interiores y h puntos en la envoltura convexa. Sea $n = k + h$ el número total de puntos. Si no todos los puntos son colineales, entonces toda triangulación de S tiene exactamente $2k + h - 2$ triángulos y $3k + 2h - 3$ aristas.

DEMOSTRACIÓN: Consideremos T una triangulación del conjunto de puntos S y denotemos por t al número de triángulos de T.

Sabemos que T subdivide el plano en $t + 1$ caras, t triángulos en el interior de la envoltura convexa y una cara exterior que contiene un total de h aristas.

Como cada arista pertenece a dos caras, podemos afirmar que $3t + h$ es el doble del número de aristas, por lo que existen exactamente

$$E = \frac{3t + h}{2}$$

aristas. Aplicando ahora la fórmula de Euler para $V = n$ y $F = t + 1$, tendremos que

$$n - \frac{1}{2}(3t + h) + (t + 1) = 2.$$

Despejando t,

$$t = 2n - h - 2 = 2k + h - 2,$$

que es el número de triángulos de T. $\square$

Una vez establecido el número de triángulos de cualquier triangulación de S, cabe preguntarse ahora por el número de posibles triangulaciones que podemos realizar sobre S. Esta cuestión es mucho más compleja que la anterior. Tenemos el siguiente resultado establecido en 2009 por Sharir que constituye una cota superior del número de triangulaciones.

> **Teorema 13.**
>
> Sea S un conjunto de n puntos en el plano. Entonces S no tiene más de 30^n triangulaciones distintas.

8.3   El intercambio de aristas (*flip*) en las triangulaciones

Antes de entrar en el estudio de las triangulaciones de Delaunay, estudiamos el problema que se conoce como el del intercambio de aristas o *flip*. Para entender este concepto, lo mejor es ver un ejemplo sencillo.

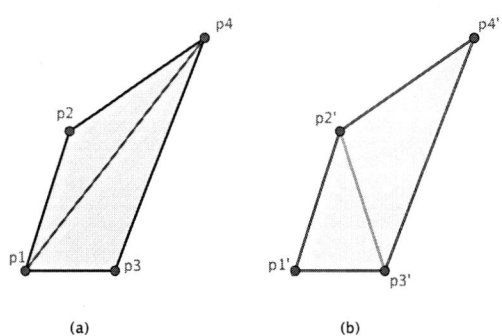

Figura 8.4: *Ejemplo de intercambio de aristas.*

> **Ejemplo 62** (*flip* de aristas)**.**
>
> En la figura 8.4 observamos un cuadrilátero de vértices $\{p_1, p_2, p_3, p_4\}$. Se ha realizado una triangulación uniendo los vértices $p_1 p_4$ (a). Entonces, realizar un intercambio de arista (*flip*) sobre la arista $p_1 p_4$ consistiría en sustituir la arista que une $p_1 p_4$ por la que une los vértices $p_2 p_3$. Observamos que la triangulación resultante (b) no tiene las mismas características que la inicialmente propuesta. Sin duda, en la triangulación (b) los triángulos resultantes están mucho más *proporcionados* que en la dada por (a).

A partir de la idea de realizar intercambios de aristas sobre cuadriláteros no convexos, surge un tipo de grafo muy importante llamado *grafo de intercambio* o *flip*.

Definición 57.

Consideremos un conjunto de puntos en el plano S. El **grafo de intercambio de aristas** o **grafo *flip*** de S es un grafo cuyos nodos son el conjunto de triangulaciones de S. Dos nodos T_1 y T_2 están conectados por un arco si una diagonal de T_1 puede ser intercambiada por otra para obtener T_2.

El grafo *flip* nos proporciona un espacio de triangulaciones discreto de un conjunto de puntos. Existen muchas cuestiones relacionadas con las triangulaciones que puedes ser interpretadas desde el lenguaje de los grafos y sus propiedades.

8.4 Las triangulaciones de Delaunay

8.4.1 Definición y caracterización

Antes de entrar en la definición formal de lo que conocemos por triangulación de Delaunay, introducimos este tipo especial de triangulación de forma intuitiva.

La triangulación de Delaunay tiene como objetivo principal esteblecer una triangulación sobre una nube de puntos en la que los puntos más próximos entre sí estén conectados por una arista o, dicho de otra forma, en la que los triángulos resultantes sean lo más regulares posibles. Posteriormente profundizaremos en el significado de conseguir triángulos regulares.

Consideremos T una triangulación de un conjunto de puntos en el plano S formada por n triángulos. La secuencia angular

$$\{\alpha_1, \alpha_2, \alpha_3, \ldots, \alpha_{3n}\}$$

de T es una lista de ángulos de la triangulación ordenados desde el más pequeño α_1 hasta el mayor, α_{3n}.

En función de esta secuencia de ángulos podemos establecer comparaciones entre diferentes triangulaciones de S.

Definición 58.

Para dos triangulaciones T_1 y T_2 de S diremos que T_1 es más pesada que T_2 si comparando las secuencias angulares de ambas triangulaciones, $\{\alpha_1, \alpha_2, \alpha_3, \ldots, \alpha_{3n}\}$ y $\{\beta_1, \beta_2, \beta_3, \ldots, \beta_{3n}\}$, respectivamente, podemos encontrar k, con $1 \leqslant k \leqslant 3n$ donde $\alpha_i = \beta_i$, para todo valor de $i < k$ y $\alpha_k > \beta_k$.

A partir de este concepto basado en la comparación de las secuencias angulares de las triangulaciones, podemos definir lo que entendemos por una **arista ilegal**.

Definición 59 (arista legal e ilegal).

Sea e una arista de una triangulación T_1 y sea Q el cuadrilátero en T_1 formado por los dos triángulos que tienen a la arista e como arista común. Si Q es convexo, sea T_2 la triangulación que resulta después de realizar un intercambio de aristas (*flip*) en el cuadrilátero. Decimos que e es una **arista legal** si $T_1 > T_2$. En caso contrario se dice que la arista e es una **arista ilegal**.

El concepto de arista ilegal ya nos permite establecer la definición de triangulación de Delaunay.

Definición 60 (triangulación de Delaunay).

Para un conjunto de puntos del plano S una **triangulación de Delaunay** de S, y la denotamos por $Del(S)$ es una triangulación que solo tiene aristas legales.

Esta definición nos sugiere un método inmediato para construir la triangulación de Delaunay de una nube de puntos, consistente en ir comprobando si cada arista de la triangulación es legal o no, con el consiguiente intercambio de aristas cuando sea ilegal. Resulta un método sencillo pero, como se desprende inmediatamente, muy costoso desde el punto de vista computacional. Notemos que el intercambio de una arista involucra a doce ángulos (los seis de cada cara con la arista común), por lo que en cada paso hay que comparar las secuencias angulares, lo que resulta prácticamente intratable.

Por ello, es conveniente establecer alguna caracterización de las triangulaciones de Delaunay que resulte más conveniente desde el punto de vista geométrico. Dicha caracterización se basa en propiedades elementales de geometría clásica en el plano.

Antes de establecer la caracterización de este tipo de triangulaciones debemos comprender y caracterizar el concepto de aristas legales e ilegales desde el punto de vista geométrico.

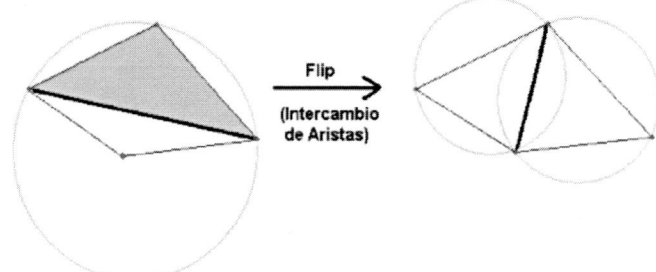

Figura 8.5: *Visualización geométrica del concepto de arista legal e ilegal.*

Se puede observar en la figura 8.5 (izquierda), que se ha dibujado el círculo circunscrito al triángulo sombreado. Dicho círculo contiene a otro punto en su interior, con lo que se concluye que la arista que pertenece a los dos triángulos (línea más gruesa) es una arista ilegal. Realizando un intercambio de aristas o *flip* se consigue una triangulación válida, tal y como se observa en el dibujo de la derecha. De esta forma, hemos convertido una arista ilegal en legal.

Consideremos $S = \{p_1, p_2, ..., p_n\}$ un conjunto de puntos en el plano, una triangulación de Delaunay de S cumplirá las siguientes propiedades:

- Tres puntos p_i, p_j, p_k pertenecientes a S son vértices de la misma cara de la triangulación de Delaunay de S si y solamente si el círculo que pasa por los puntos p_i, p_j, p_k no contiene puntos de S en su interior.

- Dos puntos p_i y p_j pertenecientes a S forman un lado de la triangulación de Delaunay de S si y solamente si existe un círculo que contiene a p_i y p_j en su circunferencia y no contiene en su interior ningún punto de S.

Esta caracterización resulta de suma importancia para el diseño de algoritmos que construyan la triangulación de Delaunay de una forma rápida y eficiente.

8.4.2 Un algoritmo para construir la triangulación de Delaunay

Tenemos un conjunto de n puntos en el plano S. Nuestro objetivo es diseñar un algoritmo que tenga como entrada este conjunto S y como salida un conjunto de triángulos que formen la triangulación de Delaunay de dicho conjunto.

La idea del algoritmo consiste en partir de un triángulo exterior al conjunto S que englobe todos los puntos de S y, a partir del mismo, ir construyendo triángulos con la propiedad de que sus aristas sean legales.

Algoritmo: triangulación de Delaunay.

```
Input: el conjunto S = \{ p_1, p_2,..., p_n \}.
Output: la triangulación de Delaunay, Del(S).
- Sean p_{-1}, p_{-2}, p_{-3} los vértices de un triángulo T_0 tal que p_i \in S,
para i=1,2,\ldots,n.
- Inicialmente, T está formado por el triángulo T_0.
- Se realiza una permutación cualquiera p_1, p_2,..., p_n de S.
- Para r=1,2,\ldots, n
    · Encontrar un triángulo p_i, p_j, p_k de T que contenga a p_r.
    · Si p_r es interior a p_i, p_j, p_k, entonces
        * Añadir aristas desde p_r hasta los tres vértices p_i, p_j, p_k,
        generando tres triángulos.
        * Legalizar_Lado(p_r, p_i, p_j, T).
        * Legalizar_Lado(p_r, p_j, p_k, T).
        * Legalizar_Lado(p_r, p_k, p_i, T).
    · En caso contrario (p_r está sobre un lado del triángulo),
        * Añadir aristas de p_r a p_k y al tercer vértice p_1 del otro triángulo
        que comparte la arista p_i p_j; así obtenemos cuatro triángulos a partir
        de la arista compartida p_i p_j.
        * Legalizar_Lado(p_r, p_i, p_1, T).
        * Legalizar_Lado(p_r, p_1, p_j, T).
        * Legalizar_Lado(p_r, p_j, p_k, T).
        * Legalizar_Lado(p_r, p_k, p_i, T).
- Descartar los vértices del triángulo T_0 y las aristas que parten de ellos.
```

En el algoritmo anterior, el paso fundamental donde se comprueba la legalidad o no de las aristas y triángulos que vamos construyendo se resume en la función `Legaliza_Lado`.

Describimos esta rutina de forma más detallada.

Rutina: Legaliza Lado.

```
- Si p_i p_j es ilegal entonces
      · Sea p_i p_j p_k el triángulo adyacente a p_r p_i p_j compartiendo
      la arista p_i p_j.
            * Hacer un flip a p_i p_j. Reemplazamos p_i p_j por p_r p_k.
            * Legalizar_Lado(p_r, p_i, p_k, T).
            * Legalizar_Lado(p_r, p_k, p_j, T).
```

La idea de esta rutina es comprobar la legalidad de la arista, realizar un *flip* para legalizar la arista y chequear la legalidad de los nuevos triángulos generados al realizar el intercambio de aristas.

Ejemplo 63 (triangulación de Delaunay).

Vamos a estudiar con cierto detalle una ejecución del algoritmo descrito en esta sección para construir la triangulación de Delaunay de una nube de puntos. Tenemos el conjunto de puntos S, dado por

$$S = \{p_1, p_2, p_3, p_4, p_5, p_6, p_7\}$$

siendo

$$p_1(11,5), \ p_2(10,9), \ p_3(12,7), \ p_4(5,6), \ p_5(9,4), \ p_6(14,4), \ p_7(9,6).$$

SOLUCIÓN: Nos ayudamos de GeoGebra para visualizar los distintos pasos que vamos ejecutando, así como para determinar las propiedades geométricas que nos permitirán decidir acerca de la legalidad o ilegalidad de las aristas de los triángulos que se van construyendo.

El paso inicial es la construcción de un triángulo que incluya en su interior todos los puntos del conjunto S y al que inicialmente vamos a llamar $T_0 = \{t_1 t_2 t_3\}$. Así, inicialmente $T = T_0$.

La figura nos muestra la representación gráfica de S y T_0.

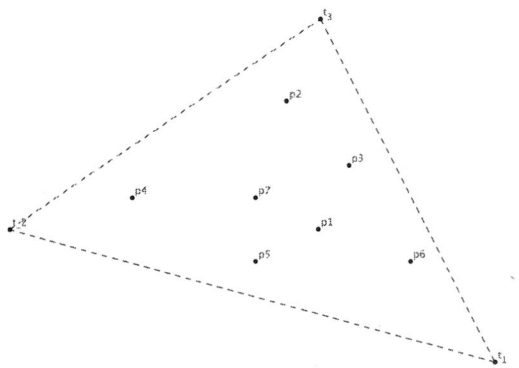

Figura 8.6: *Visualización geométrica de S y T_0.*

$$r = 1 \quad \longrightarrow \quad \text{Insertamos el punto } p_1.$$

Debemos encontrar el triángulo de T que contiene a p_1. En este caso, como solo existe T_0, este es el triángulo buscado. Procedemos con GeoGebra a trazar triángulos tomando este vértice p_1 como referencia. La opción que empleamos es *Polígono*. Con esta herramienta formamos los triángulos T_1, T_2, T_3.

$$T_1 = \{p_1 t_2 t_3\} \quad T_2 = \{p_1 t_1 t_2\} \quad T_3 = \{p_1 t_1 t_3\}.$$

En consecuencia, $T = \{T_1, T_2, T_3\}$.

Como se aprecia en la figura 8.7 (a), todas las aristas de los triángulos construidos son legales, por lo que no es necesario efectuar ningún *flip* entre aristas.

$$r = 2 \quad \longrightarrow \quad \text{Insertamos el punto } p_2.$$

Debemos encontrar el triángulo de T que contiene a p_2. En este caso, si observamos la figura 8.7 (a) vemos que $p_2 \in T_1$, luego este es el triángulo buscado. Procedemos con GeoGebra a trazar triángulos interiores a T_1, tomando p_2 como referencia. Con la herramienta *Polígono* formamos los triángulos T_4, T_5, T_6.

$$T_4 = \{p_2 t_2 t_3\}, \quad T_5 = \{p_2 t_2 p_1\}, \quad T_6 = \{p_2 p_1 t_3\}.$$

En consecuencia, $T = \{T_2, T_3, T_4, T_5, T_6\}$, como se aprecia en la figura 8.7 (b).

Comprobamos ahora si las aristas son legales.

- Triángulo $T_4 \longrightarrow$ la arista $t_2 t_3$ pertenece al triángulo exterior por lo que es legal.
- Triángulo $T_5 = \{p_2 t_2 p_1\} \longrightarrow$ debemos comprobar si la arista $t_2 p_1$ es legal.
  Dibujamos dos circunferencias con la herramienta *Circunferencia dados Tres de sus Puntos*.
  ○ Circunferencia que pasa por $p_2 t_2 p_1 \approx cir1$.
  ○ Circunferencia que pasa por $t_2 p_1 t_1 \approx cir2$.
  Se observa que el círculo $cir1$ no contiene al punto t_1, mientras que $cir2$ sí lo contiene. De ahí se deduce que la arista $t_2 p_1$ es legal, por lo que no es necesario hacer un *flip* con dicha arista. Véase la figura 8.8 (a).
- Triángulo $T_6 = \{p_2 p_1 t_3\} \longrightarrow$ debemos comprobar si la arista $t_3 p_1$ es legal. El triángulo adyacente a la arista $t_2 p_1$ es $T_3 = \{p_1 t_1 t_3\}$ por lo que si tuviéramos que realizar un intercambio de aristas, sustituiríamos $t_3 p_1$ por $t_1 p_2$.
  Para ello, dibujamos, al igual que en el caso anterior, dos circunferencias con la herramienta *Circunferencia dados Tres de sus Puntos*.
  ○ Circunferencia que pasa por $p_1 p_2 t_3 \approx cir3$.
  ○ Circunferencia que pasa por $t_3 p_2 t_1 \approx cir4$.
  Como se observa en la figura 8.8 (b), el círculo $cir4$ incluye al punto p_1 mientras que el círculo que pasa por $p_1 p_2 t_3$ no incluye en su interior al punto t_1, de lo que se concluye que la arista es legal.

En consecuencia, no hemos realizado ningún *flip*, por lo que

$$T = \{T_2, T_3, T_4, T_5, T_6\}.$$

$r = 3 \quad \longrightarrow$ Insertamos el punto p_3.

Debemos encontrar el triángulo de T que contiene a p_3. En este caso, comprobamos que $p_3 \in T_3$, luego este es el triángulo buscado. Procedemos con GeoGebra a trazar triángulos interiores a T_3, tomando p_3 como referencia. Con la herramienta *Polígono* formamos los triángulos T_7, T_8, T_9.

$$T_7 = \{p_3 p_1 t_3\} \quad T_8 = \{p_3 p_1 t_1\} \quad T_9 = \{p_3 t_3 t_1\}.$$

Comprobamos ahora si las aristas son legales.

- Triángulo $T_9 \longrightarrow$ la arista $t_3 t_1$ es legal.
- Triángulo $T_8 = \{p_3 p_1 t_1\} \longrightarrow$ debemos comprobar si la arista $t_1 p_1$ es legal.

  Siguiendo un procedimiento similar al de los casos interiores, mediante la construcción de círculos circunscritos, vemos que la arista es legal.

- Triángulo $T_7 = \{p_3 p_1 t_3\} \longrightarrow$ debemos comprobar si la arista $t_3 p_1$ es legal. El triángulo adyacente a la arista $t_3 p_1$ es $T_6 = \{p_2 p_1 t_3\}$.

  Así, comparamos el cuadrilátero $p_1 p_2 t_3 p_3$.

  Se observa fácilmente que la arista $p_1 t_3$ es ilegal ya que la circunferencia que pasa por p_1, p_3, t_3 incluye en su interior al punto p_2, mientras que la circunferencia que pasa por p_2, p_3, p_1 no incluye a t_3. Véase la figura 8.9 (a).

  Así realizamos el siguiente intercambio de aristas o *flip*:

$$p_1 t_3 \quad \longrightarrow \quad p_2 p_3$$

Vemos el intercambio que realizamos y la nueva disposición en la figura 8.9 (b). Aparecen los triángulos T_{10} y T_{11}.

En consecuencia,
$$T = \{T_2, T_4, T_5, T_8, T_9, T_{10}, T_{11}\}.$$

Al realizar el *flip* de aristas, debemos comprobar que los nuevos triángulos creados no poseen aristas ilegales. Siguiendo el procedimiento habitual podemos comprobar que las nuevas aristas son legales.

$r = 4 \quad \longrightarrow$ Insertamos el punto p_4.

Debemos encontrar el triángulo de T que contiene a p_4. En este caso, comprobamos que $p_4 \in T_5$, luego este es el triángulo buscado. Procedemos con GeoGebra a trazar triángulos interiores a T_5, tomando p_4 como referencia. Con la herramienta *Polígono* formamos los triángulos T_{12}, T_{13}, T_{14}.

$$T_{12} = \{p_4 t_2 p_2\} \quad T_{13} = \{p_4 t_2 p_1\} \quad T_{14} = \{p_4 p_1 p_2\}.$$

Volvemos a estudiar las posibles aristas ilegales.

Resulta evidente que los triángulos T_{12} y T_{13} están formados por aristas legales. Para el triángulo T_{14} el estudio no es tan evidente.

En el triángulo T_{14}, la arista que debemos estudiar es $p_1 p_2$. Utilizando el método de las circunferencias podemos ver que se trata de una arista legal puesto que el círculo cuya circunferencia pasa por p_1, p_2, p_4 no corta a p_3.

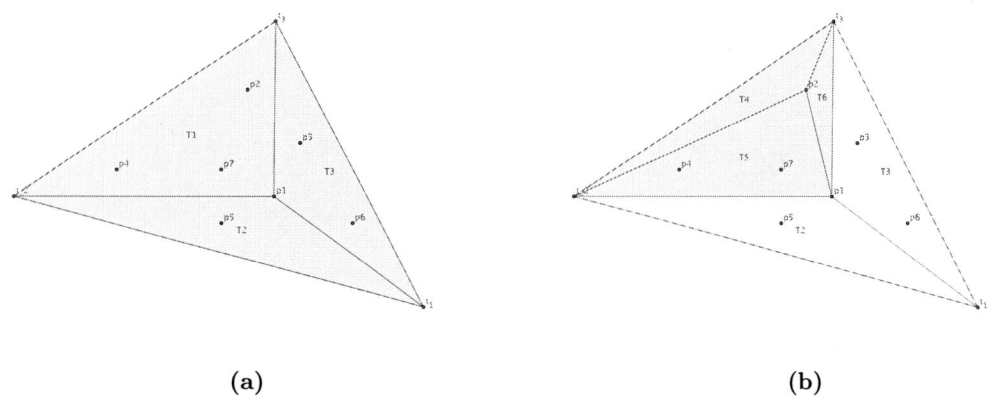

(a)   (b)

Figura 8.7: *Figuras (a) (izquierda y (b) (derecha).*

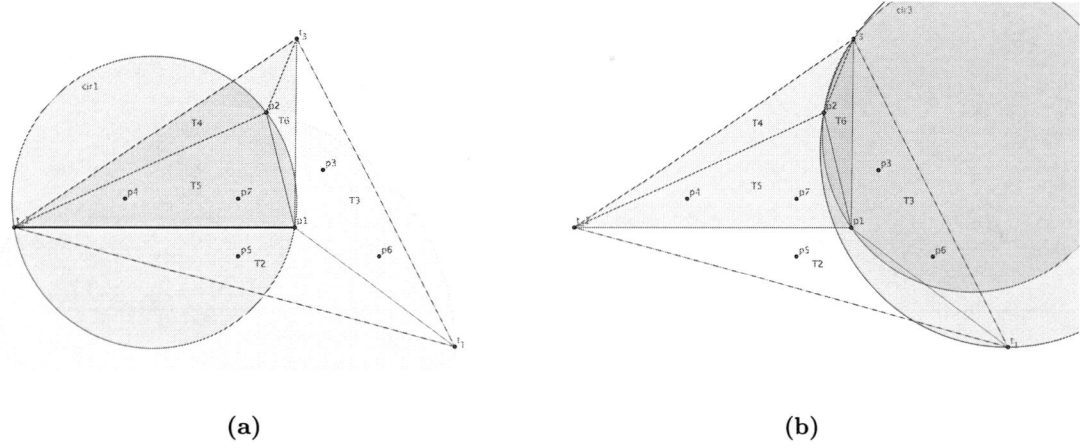

(a)   (b)

Figura 8.8: *Estudiando la legalidad de las aristas para $r = 2$.*

Por tanto

$$T = \{T_2, T_4, T_8, T_9, T_{10}, T_{11}, T_{12}, T_{13}, T_{14}\}.$$

$r = 5 \longrightarrow$ Insertamos el punto p_5.

Debemos encontrar el triángulo de T que contiene a p_5. En este caso, comprobamos que $p_5 \in T_2$, luego formamos los triángulos T_{15}, T_{16}, T_{17}.

$$T_{12} = \{p_5 t_2 t_1\} \quad T_{16} = \{p_5 t_2 p_1\} \quad T_{17} = \{p_5 p_1 t_1\}.$$

La nueva disposición de la triangulación la vemos representada en la figura 8.10 (a).

Estudiamos la legalidad de las aristas.

• Los triángulo T_{15} y T_{17} se puede ver fácilmente que están formados por aristas legales.

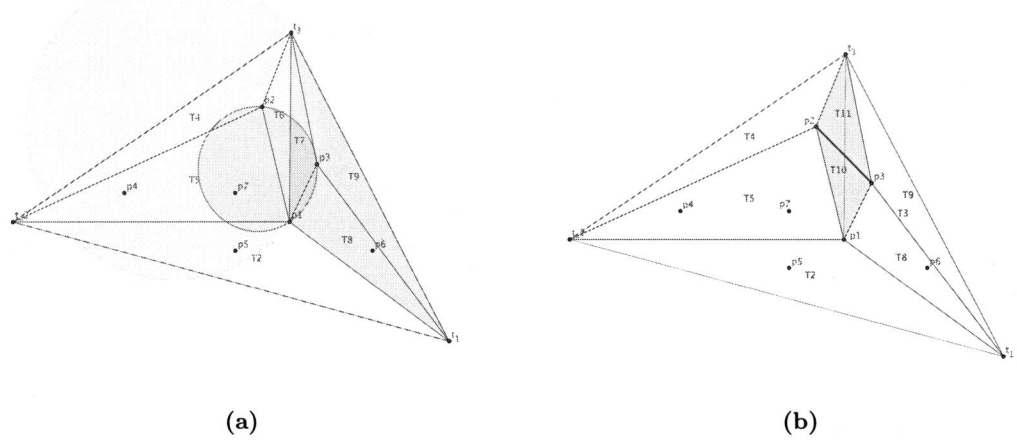

(a)   (b)

Figura 8.9

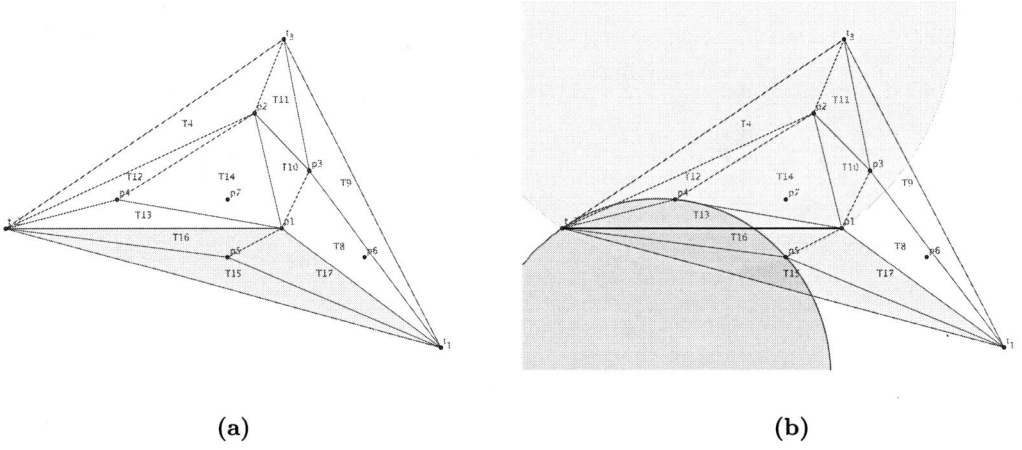

(a)   (b)

Figura 8.10

- Triángulo T_{16}. Debemos comprobar si la arista t_2p_1 es legal.

  Se observa fácilmente que la arista t_2p_1 es ilegal ya que la circunferencia que pasa por p_5, t_2, p_1 incluye en su interior al punto p_4, como se pone de manifiesto en la figura 8.10 (b).

  Así realizamos el siguiente intercambio de aristas o *flip*:

$$p_1t_2 \quad \longrightarrow \quad p_5p_4$$

como podemos apreciar gráficamente en la figura 8.11 (a).

Se crean los nuevos triángulos T_{15} y T_{19} y comprobamos que están formados por aristas legales. La figura 8.11 (a) nos muestra la nueva disposición de la triangulación T.

> $r = 6 \quad \longrightarrow \quad$ Insertamos el punto p_6.

Realizamos un estudio similar al realizado en los pasos anteriores.

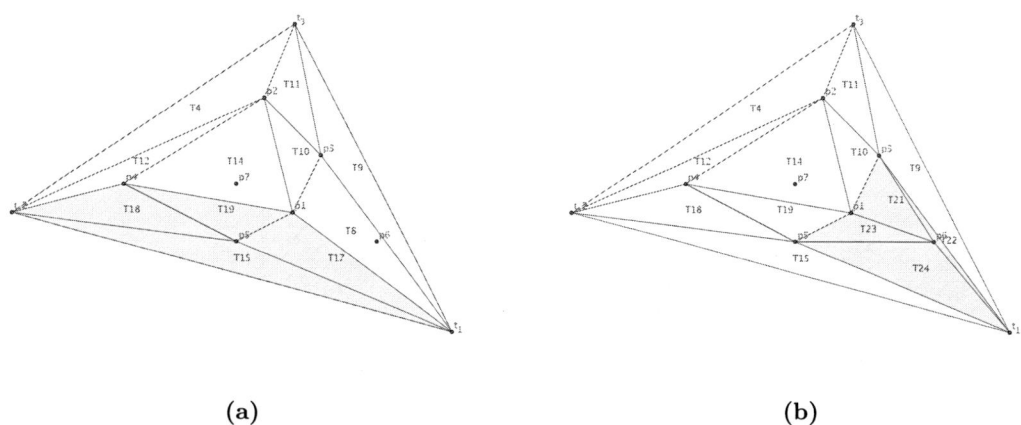

(a)   (b)

Figura 8.11

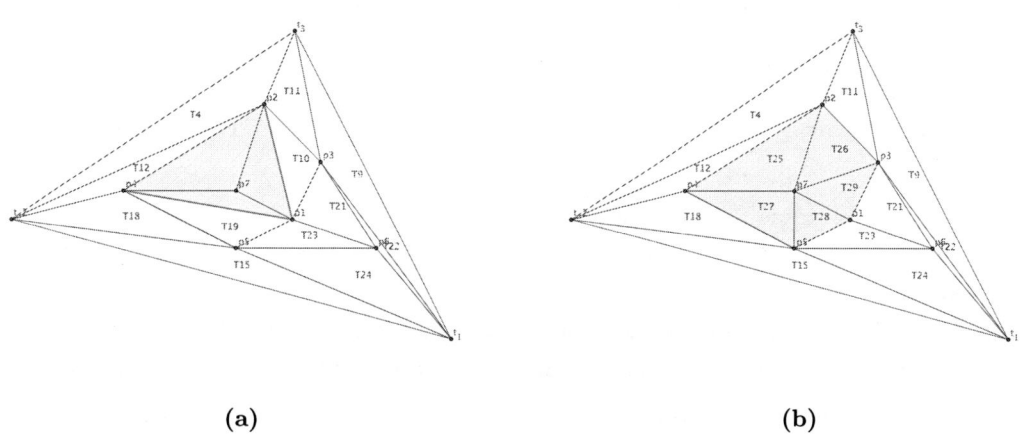

(a)   (b)

Figura 8.12

En este caso, debemos realizar un *flip* de aristas; concretamente, se produce el siguiente intercambio:

$$p_1 t_1 \quad \longrightarrow \quad p_5 p_6.$$

La nueva triangulación resultante se puede ver en la figura 8.11 (b).

$$\boxed{r = 7 \quad \longrightarrow \quad \text{Insertamos el punto } p_7.}$$

Realizamos un estudio similar al realizado en los pasos anteriores.

En este caso, debemos realizar un *flip* a dos aristas; $p_4 p_1$ y $p_1 p_2$. Las figuras 8.12(a) y (b) nos muestran las transformaciones geométricas que realizamos en este paso, con la nueva triangulación resultante (b).

Después de ejecutar el algoritmo para $i = 1, \ldots, 7$, solo queda borrar las aristas y los puntos del triángulo exterior a S que hemos tomado inicialmente. El resultado final aparece en la figura 8.13. $\quad\square$

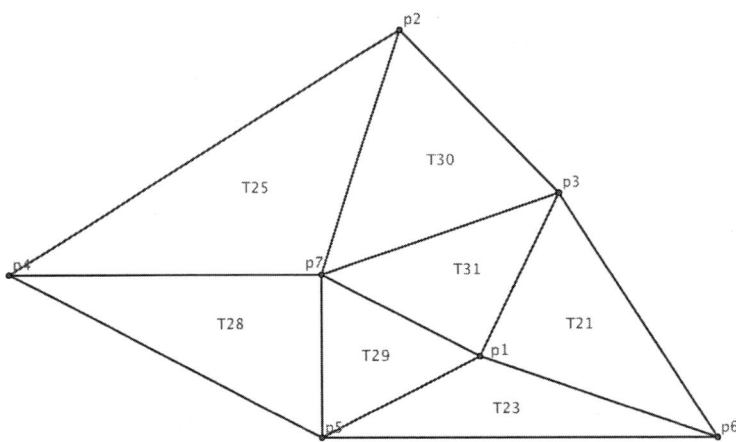

Figura 8.13: *Resultado final de la triangulación de S.*

Es interesante reflexionar un momento sobre un aspecto concreto del algoritmo utilizado para crear la triangulación de Delaunay. Este aspecto está relacionado con el número de triángulos que creamos a lo largo de todo el proceso iterativo.

Al comienzo, con el fin de inicializar el conjunto de triángulos que forman la triangulación inicial, creamos un simple y único triángulo T_0 que engloba todo el conjunto de puntos. En la iteración r-ésima, se inserta el punto p_r en el triángulo (o triángulos) de T donde se encuentra incluido p_r (dependiendo de si se encuentra en el interior o sobre un lado del triángulo). Dicha división genera tres o cuatro triángulos. Para cada *flip* que se realiza mediante la rutina **Legaliza Lado**, creamos dos nuevos triángulos.

Todas estas consideraciones nos llevan al siguiente resultado que no vamos a demostrar.

Teorema 14.

El número de triángulos creados durante la ejecución del algoritmo de Delaunay es, como máximo, $9n + 1$, donde n es el cardinal del conjunto S.

A continuación, efectuamos un estudio de los triángulos que se van creando en cada iteración del algoritmo aplicado.

Notemos que en el ejemplo estudiado, el número de puntos de S es 7. Siguiendo la cota que establece el teorema anterior, diremos que el número de triángulos creados durante la ejecución del algoritmo de Delaunay es, como máximo, $9n + 1$, es decir, 64. En nuestro caso, el número de triángulos creados es de 31, aproximadamente el cincuenta por ciento.

Iteración	Triángulos creados	*Flip*
$r = 1$	T_1, T_2, T_3	
$r = 2$	T_4, T_5, T_6	
$r = 3$	$T_7, T_8, T_9 + T_{10}, T_{11}$	$p_1 t_3 \longrightarrow p_2 p_3$
$r = 4$	T_{12}, T_{13}, T_{14}	
$r = 5$	$T_{15}, T_{16}, T_{17} + T_{18}, T_{19}$	$p_4 t_2 \longrightarrow p_4 p_5$
$r = 6$	$T_{20}, T_{21}, T_{22} + T_{23}, T_{24}$	$p_1 t_1 \longrightarrow p_6 p_5$
$r = 7$	$T_{25}, T_{26}, T_{27} + T_{28}, T_{29} T_{30}, T_{31}$	$p_4 p_1 \longrightarrow p_5 p_7, \ p_2 p_1 \longrightarrow p_3 p_7$

Tabla 8.1: *Triángulos creados por el algoritmo de Delaunay en el ejemplo.*

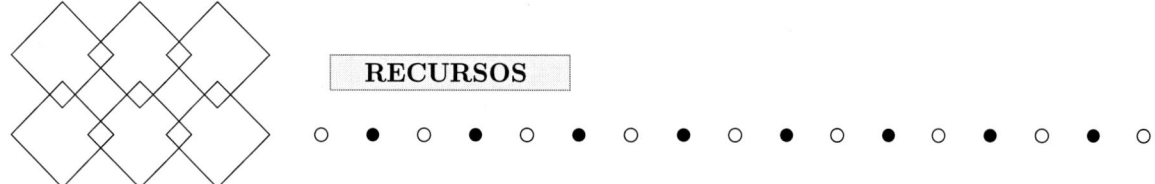

RECURSOS

Citamos algunas páginas web relacionadas con el tema de las triangulaciones y las mallas.

- `www.cs.berkeley.edu/~jrs/`
  Página de Jonathan Scewchuk, en la que hay gran cantidad de información sobre triangulaciones y problemas relacionados con mallas, con artículos y documentos descargables.

- `www.cs.cmu.edu/~quake/triangle.html`
  Software Triangle. Se trata de un programa que nos permite generar mallas y triangulaciones en el plano. También realiza triangulaciones de Delaunay y diagramas de Voronoi. Ha sido creado dentro de un proyecto llamado *Quake*.

- `www.ics.uci.edu/~eppstein/`
  Página personal de David Eppstein, de la Universidad de California.

- `www.robertschneiders.de/meshgeneration/software.html`
  Software de dominio público relacionado con el tema de las mallas y las triangulaciones (tanto para mallas en el plano como en el espacio.

- `www.cs.berkeley.edu/~jrs/mesh/present.html`
  En esta página encontramos una colección bastante extensa de artículos y documentos para profundizar en el tema de las triangulaciones, tanto en dos como en tres dimensiones. También encontramos algunos artículos sobre el problema de la reconstrucción de superficies, así como de la simplificación de mallas.

- `www.mathworks.es/products/matlab/demos.html?file=/products/demos/shipping/matlab/demoDelaunayTri.html`
  En esta página de MathWorks (creadores del programa Matlab), nos explica la forma en que podemos crear y editar triangulaciones de Delaunay con Matlab. Lo hace basándose en un conjunto de ejemplos bastante interesante.

- `mgarland.org/home.html`

Página personal de Michael Garland, que ha desarrollado diversos algoritmos para la simplificación de mallas y ha trabajado, en general, en el tema de gráficos por computadora.

- `www.cs.umd.edu/~mount/`

Página de David Mount, que ha desarrollado algoritmos relacionados con geometría computacional. Entre ellos, se encuentran diversos proyectos de *software* como por ejemplo ANN, una librería para la búsqueda del vecino más próximo.

- `www.dma.fi.upm.es/docencia/segundociclo/geomcomp/aplicaciones.html`

Aquí encontramos *software* de geometría computacional desarrollado por estudiantes del Departamento de Matemática Aplicada de la Facultad de Informática de la Universidad Politécnica de Madrid.

8.5   Ejercicios propuestos

Problema 8.1: *Consideremos un conjunto de puntos en el plano S y supongamos que S tiene cuatro elementos. Demuestre que cualquier conjunto de puntos con cuatro elementos en el plano tiene exactamente dos triangulaciones.*

Problema 8.2: *Demuestre geométricamente que el ángulo más pequeño de cualquier triangulación de un polígono convexo cuyos vértices se encuentran sobre una circunferencia es el mismo para cada triangulación.*

Problema 8.3: *Una triangulación Pitteway de un conjunto de puntos S se define como aquella en la que todos los puntos de cada uno de los triángulos de la triangulación tiene uno de sus tres vértices como el vecino más próximo entre todos los puntos de S. Demuestre con un ejemplo que no toda triangulación de Delaunay es una triangulación Pitteway.*

Problema 8.4: *Consiga un mapa de tu pueblo o ciudad. Supongamos que se nos plantea el problema de diseñar una red Wi-Fi que cubra la ciudad, encontrándose los nodos de la misma en las plazas públicas. Construya, utilizando GeoGebra, una imagen donde se muestre el conjunto de puntos que representan los nodos de la red con la imagen del mapa de fondo. Ahora realice una triangulación en la que comprobemos el área que abarca dicha red.*

Problema 8.5: *En una triangulación llamamos oreja a un triángulo que solo comparte una arista con otro triángulo. Demuestre que toda triangulación de un polígono tiene al menos dos orejas. ¿Ocurre lo mismo con triangulaciones de nubes de puntos?*

Bibliografía

[1] Berg, M.; Kreveld, M. *Computational Geometry: Algorithms and Applications*, Springer, 2000.

[2] Fuller, G.; Tarwater, D. *Analytic Geometry*, Addison-Wesley Publishing, 1992.

[3] Gutiérrez, A.; García, F. *Geometría*, Ediciones Pirámide, 1983.

[4] Lay, D. C. *Linear Algebra and its Applications*, Pearson, 2003.

[5] Poole, D. *Linear Algebra, A Modern Introduction*, Thomson, 2006.

[6] Riddle, D. F. *Analytic Geometry*, PWS Publishing Company, 1996.

[7] Rivero Mendoza, F. *Geometría Computacional*, Universidad de los Andes, 2006.

[8] Strang, G. *Álgebra Lineal y sus aplicaciones*, Addison-Wesley Publishing, 1996.

[9] Tortosa, L.; Vicent, J. F. *Geometría para Arquitectura*, Ramón Torres (editor), 2009.

Libros recomendados .

1. A Beginner's guide to Discrete Mathematics, W. D. Wallis. Birkhauser, 2002.

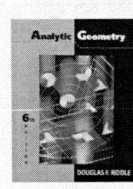

2. Analyric Geometry, D. F. Riddle. PWS Publishing Company, 1996.

3. Computational Geometry, M. de Berg, O. Cheong, M. van Kreveld, M. Overmars. Springer, 2010.

4. Computational Geometry. An Introduction, F. P. Preparata, M. I. Shamos. Springer-Verlag, 1985.

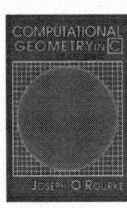

5. Computational Geometry in C, J. O'Rourke. Cambridge University Press, 1998.

6. Curves and Surfaces for CAGD, A Practical Guide, G. E. Farin. Morgan Kaufmann, 2001.

7. Curves and Surfaces for Computer Graphics, D. Salomon. Springer, 2005.

8. Discrete and Computational Geometry, S. Devados, J. Rourke. Princeton University Press, 2011.

9. Elementary Geometry for College Students, D. C. Alexander, G. M. Koeberlein. Brooks Cole, 2010.

10. Geometric Transformations for 3D Modeling, M. E. Mortenson. Industrial Press, 2007.

11. Geometry for Computer Graphics, J. Vince. Springer, 2010.

12. Geometry: Seeing, Doing, Understanding, H. Jacobs. W. H. Freeman, 2003.

13. Improving Instruction in Geometry And Measurement , M. S. Smith, E. Silver, M. K. Stein, M. Boston, M. A. Henningsen. Teachers College Press, 2005.

14. Mathematics for 3D Game Programming and Computer Graphics, E. Lengyel. Course Technology PTR, 2011.

15. Mathematics for Computer Graphics, J. Vince. Springer, 2010.